La vie secrète des gauchers

Rencontres avec des gauchers remarquables

Catalogage avant publication de Bibliothèque et Archives Canada

Déry, Suzanne

La vie secrète des gauchers : rencontres avec des gauchers remarquables

Comprend des réf. bibliogr.

ISBN 2-7604-0969-4

1. Latéralité manuelle. 2. Gauchers. 3. Latéralité manuelle – Québec (Province). I. Titre.

BF637.L36D47 2004   152.3'35   C2004-941544-1

Infographie et mise en pages : Composition Monika, Québec

Illustration de la couverture : Bruce Roberts

Maquette de la couverture : Christian Campana

Les Éditions internationales Alain Stanké remercie le ministère du Patrimoine canadien, le Conseil des arts du Canada, la Société de développement des entreprises culturelles du Québec (SODEC) et le Programme de crédit d'impôt du Gouvernement du Québec du soutien accordé à leur programme de publication.

Les Éditions internationales Alain Stanké   Stanké international, Paris
7, chemin Bates   Tél. : 01.40.26.33.60
Outremont (Québec) H2V 4V7   Téléc. : 01.40.26.33.60
Tél. : (514) 396-5151
Téléc. : (514) 396-0440
editions@stanke.com

Dépôt légal : 4ᵉ trimestre 2004

ISBN : 2-7604-0969-4

Diffusion au Canada : Québec-Livres
Diffusion hors Canada : Interforum

Suzanne Déry

La vie secrète des gauchers

Rencontres avec des gauchers remarquables

Stanké
QUEBECOR MEDIA

À tous les gauchers,
ces héros méconnus.

« Les gauchers sont très adroits. Ma mère était gauchère. Elle faisait tout de ses mains. »

Jeannette, 91 ans

« J'ai toujours voulu être gauchère. Les gauchers sont si originaux, créateurs, et terriblement intelligents ! »

Élise, 32 ans

Avant-propos

Les gauchers m'ont toujours fascinée. Ils vivent dans un monde inhospitalier. Leur existence durant, ils font les activités à l'inverse des autres. Silencieux, soumis, constamment contrariés, minoritaires, bien sûr, et pourtant si riches !

Ils constituent le dixième de l'humanité depuis l'ère des cavernes, possèdent souvent des talents particuliers, des singularités qui en font des êtres créateurs, parfois exceptionnels. Ils enrichissent le monde des droitiers qui les méprisent ou, pire, ignorent leur différence.

Que savons-nous des gauchers ? Forment-ils une entité homogène ? Cerveau gauche, cerveau droit, intuition, créativité, talent musical, talent artistique, dyslexie, bégaiement. Légende urbaine ou réalités scientifiques ?

J'ai eu envie d'en savoir plus. Qui sont-ils ? Se perçoivent-ils différents de nous, les droitiers ? Comment s'est déroulée leur vie à l'école, au travail, dans leur famille, dans leur quotidien ? Se croient-ils plus artistes, imaginatifs, intuitifs ? Ont-ils des difficultés avec les outils ? Se sentent-ils parfois mis à l'écart ? Estiment-ils détenir des habiletés spéciales parce qu'ils sont gauchers ? Leur cerveau est-il construit différemment ? Que comprennent-ils des études sur la spécialisation hémisphérique – cerveau gauche dit linguistique, cerveau droit, soi-disant spatial ? Excellent-ils dans certains sports ? Font-ils de meilleurs ingénieurs, architectes, chirurgiens, sculpteurs ? Sont-ils plus habiles ou plus gauches que les non-gauchers ? Sont-ils heureux ou frustrés par leur vie de gaucher ?

La psychologie du gaucher

Existe-t-il une psychologie du gaucher ?

Durant ma recherche et mes rencontres avec des gauchers remarquables, j'ai souvent entendu des droitiers m'interroger avec agacement : « Mais quel est l'intérêt de préparer un ouvrage sur les gauchers ? » Comme s'ils n'existaient pas. Pas de pitié pour les gauchers !

Jean-Paul Dubois, un journaliste français lui-même gaucher, l'exprime bien :

> « J'en suis au point où je viens de me rendre compte qu'il existe une psychologie du gaucher contrarié. Je ne parle pas des troubles du caractère, du langage ou de l'écriture que nous évoquerons plus loin. Non. Il s'agit du mal de l'âme beaucoup plus subtil, que l'on ressent lorsqu'on se penche un peu trop en avant sur soi-même et le sujet. Cela tient à la fois du vertige et de l'exil[1]. »

---

1. Jean-Paul Dubois, *Éloge du gaucher dans un monde manchot*, Paris, Éditions Robert Laffont, 1986 : 132.

La chasse aux gauchers

Comment s'est déroulée la construction de cet ouvrage ?

J'ai mis au point un questionnaire de 22 questions, *Questionnaire à l'intention des gauchers remarquables*. Je l'ai vite augmenté à 24 questions[1] selon la suggestion d'un actuaire gaucher. Je souhaitais couvrir tout le vécu d'un gaucher, de la naissance à l'âge adulte, en touchant l'apprentissage de l'acte d'écrire, les autres activités quotidiennes, le choix de carrière et les gestes du métier, la perception qu'a le gaucher de l'existence de sa différence, de son identité, de sa personnalité ou de ses talents propres, le tout en encourageant le récit d'histoires personnelles et de confidences.

J'ai bénéficié du concours de « chasseurs », « pisteurs » et « charmeurs » de gauchers.

Le questionnaire était acheminé avant la rencontre, avec l'interdiction d'y répondre par écrit. Le gaucher en prenait connaissance pour se préparer mentalement avant sa séance « sur le divan ». Évidemment, il n'y avait pas de divan. Je voulais entendre des propos en direct et le cri du cœur du gaucher. Je n'effectuais aucun enregistrement sonore, ce qui en a surpris certains. J'ai l'habitude d'interviewer les gens dans le cadre de mon travail et de prendre rapidement des notes par écrit. Lorsque le gaucher me recevait chez lui ou dans un lieu public, il m'offrait le meilleur fauteuil, la meilleure place, afin que je sois à l'aise pour écrire. Mais j'insistais pour que ce fût lui qui se sente parfaitement bien. J'ai croisé puis rencontré des gauchers au restaurant, chez eux, à leur bureau à l'hôpital, à la clinique médicale, dans le cabinet du dentiste, chez moi, chez une amie qui habite Montréal, en avion, dans le train, en autobus, dans les télésièges pour remonter les pentes de ski, chez le boucher, à un

---

1. Voir à la p. 299.

spectacle, à la quincaillerie, au garage, à la boutique de fleurs, au marché d'alimentation, à la gare, à la Caisse populaire, dans les Salons du livre, partout.

Je me suis franchement amusée. Les gauchers, semble-t-il, ont beaucoup aimé. Plusieurs, en apparence très avares de leur temps, en redemandaient et avaient peine à terminer l'entretien. Ils me posaient beaucoup de questions et pensaient à tort que j'avais les réponses. « C'est vous qui allez me dire ça. » Je les ai certainement déçus. À la fin de l'entrevue, d'autres m'ont avoué, à leur grande surprise, que l'expérience avait été instructive. Ils avaient beaucoup appris sur eux, sur leur identité et leur différence ; ils avaient pris conscience de leurs petites ou grandes frustrations, de leur combat, de leur détermination, de leur combativité et de leurs talents d'adaptation. Certains ont même admis que cet entretien avait été pour eux une véritable révélation de leur particularité. D'aucuns ont raconté qu'à leur souvenance, c'était la première fois que quelqu'un s'intéressait véritablement à eux en tant que gaucher. J'ai même entendu le cri du gaucher : « Enfin ! » J'ai aussi écouté raconter la revanche du gaucher.

J'ai donc rencontré des gauchers et des gauchères remarquables. Plus de cinquante, âgés de 11 à 86 ans, de tous les métiers, de toutes les régions, d'illustres inconnus comme des personnes plus célèbres. Chose étonnante, au cours des dernières entrevues, j'étais toujours aussi enthousiaste. Les propos auraient pu être redondants. J'aurais pu me lasser d'entendre le même discours : ce ne fut pas du tout le cas. Bien que leur réalité soit sensiblement identique – la main qui se salit quand on écrit, les satanés ciseaux, les coups de coude à table, la redoutable scie ronde, les remarques désobligeantes, etc. –, chacun raconte à sa façon ses propres expériences, ses contrariétés, sa solitude, son combat.

La parole aux gauchers

Mais voilà : dans quel ordre logique présenter leur témoignage ?

La première idée, fort simple, qui m'est venue fut de les classer selon leurs caractéristiques propres : les vrais gauchers, les gauchers contrariés, les faux gauchers, les ambidextres. Au départ, j'avais même des tests à leur faire passer. On le sait bien, les neuropsychologues ont inventé et utilisent des échelles pour déterminer la latéralité des sujets[1]. Mais, peu à peu, j'ai laissé tomber, car l'exercice n'avait plus aucun intérêt par rapport à leur vie si riche. Leurs confidences étaient si vraies ou crues, souvent inédites ou toujours tues que j'ai dû procéder autrement. Plus mon projet avançait, plus je comprenais que l'intérêt de cet ouvrage venait du fait même que « mes » gauchers – oui, je me suis attachée à eux – livraient du matériel intime et unique. J'ai tout entendu, parfois des propos contradictoires ou à l'opposé les uns des autres, mais toujours touchants de vérité. Ce doit être leur « supplément d'âme »...

> « [Les gauchers] ont prouvé leur capacité d'adaptation dans un monde hostile. Et c'est précisément ce combat de tous les jours qui leur donne un supplément d'âme. L'éducation des jésuites a d'ailleurs longtemps reposé sur ce principe élémentaire. Le gaucher est un type qui, à un moment donné, doit en faire davantage que les autres. Ne serait-ce que pour accommoder sa particularité aux exigences, aux interdits imposés par son environnement. Cela façonne un caractère, une identité[2]. »

Comment alors les regrouper ? Selon qu'ils sont adroits ou gauches, heureux ou frustrés, sceptiques, créateurs ou bizarroïdes ? Non, ça n'allait

---

1. Par exemple, le Questionnaire d'Édimbourg en 20 questions. Voir Oldfield, R. C., « The Assessment and Analysis of Handedness : The Edimburgh Inventory », *Neuropsychologia*, 9, 1979 : 97-113.

2. Jean-Paul Dubois, *op. cit.* : 139.

pas du tout. On n'aime jamais recevoir une étiquette, quelque flatteuse qu'elle soit. De plus, cette classification était bien trop réductrice : les gauchers que je rencontrais pouvaient tous appartenir à plus d'une catégorie.

Une chose m'a frappée : ils avaient tous un point commun. Chacun m'abordait en s'excusant de n'être pas un vrai gaucher, de pouvoir utiliser avec succès sa main droite dans maintes situations. Curieux. Je comprendrai plus tard, vous aussi.

Mais comment procéder : dans l'ordre chronologique des rencontres ? Par âge, du plus jeune au plus âgé, ou l'inverse ? Cette façon de faire aurait pu marcher, mais c'était trop prévisible. Restait l'ordre alphabétique. Pourquoi pas ? Comme à l'école, ou en rang de promotion. Peu romantique, mais efficace tout de même : le hasard fait bien les choses. Plusieurs ayant exprimé le désir de demeurer anonymes, j'ai dû utiliser les prénoms.

Voici donc les résultats de ma quête du gaucher. Chacun appartient à un club sélect : n'y entre pas qui veut. Je vous fais partager l'expérience de ces héros.

Mise en garde : vous ne sortirez pas indemne de cette lecture. Il est très probable que, dès maintenant, sans vous en rendre compte et sans faire exprès, vous vous mettrez à voir des gauchers. Partout. Vous ne pourrez plus vous empêcher de remarquer que plein de gens de votre entourage sont gauchers. C'est à votre tour. C'est parti pour vous. Attention ! À gauche, toute !

Les gauchers
de A à Y

Voici 50 gauchers, classés les uns à la suite des autres, en rang d'oignon, de A à Y, aucun ne portant le prénom de Zoé, Zita, Zélie, ni Zéphyrin...

André-F. Gagnon

57 ans, neurologue

---◆---

« Je ne suis pas différent parce que gaucher. La seule chose, c'est que j'ai de la corne sur le pouce de droite. Vous savez, les neurologues ont toujours de la corne sur un de leurs pouces. »

---◆---

J'ai travaillé huit ans dans un centre hospitalier avec une équipe de neurologues et de neurochirurgiens. Plusieurs neurologues étaient gauchers (3 sur 5). J'ai rencontré l'un d'eux.

– Je n'ai aucun souvenir avant l'âge de l'école. Nous habitions en Abitibi, à Rouyn, puis à Val-d'Or, puis à Amos. Aucun souvenir. Je me souviens que le frère de ma mère était gaucher. Il travaillait dans la construction, il était joueur de hockey, et c'était mon parrain. Pour moi, il était comme un grand frère, une deuxième image paternelle. J'ai une sœur ambidextre ; est-elle gauchère ? Elle écrit des deux mains. Nous étions neuf enfants, je suis l'aîné, et elle est la troisième de la famille. J'ai aussi deux nièces gauchères.

– Comment s'est passée l'entrée à l'école ?

– Je me souviens des plumes à l'encre, quelle horreur ! Heureusement, la maîtresse de première année, la sœur Hortensius, n'a jamais tenté de me corriger. J'ai su plus tard qu'il y avait eu une « conspiration » ou une entente entre ma mère et la religieuse de l'école. Elle lui avait dit : « Vous n'y touchez pas, vous ne le tapez pas. Il est gaucher, vous le laissez ainsi. » Mais je me souviens que, lorsque j'ai commencé à écrire à l'encre – vous savez, avec les encriers sur les pupitres –, je suivais ma main avec un buvard en dessous de la main gauche. »

Et il me fait la démonstration.

— J'avançais le buvard et, ainsi, je pouvais écrire. J'écrivais avec ma main gauche sur le buvard. C'est seulement vers 12 ou 13 ans que j'ai trouvé le truc pour ne plus avoir besoin de buvard. Je détournais mon poignet et j'écrivais au-dessus de mes doigts, de sorte que je ne me salissais plus et que l'encre pouvait sécher.

— Pourquoi êtes-vous gaucher ?

— Je crois que c'est génétique dans mon cas. Récemment, je me suis vu à la télé. Surprise : je me suis rendu compte que mon visage était asymétrique. Ai-je une petite paralysie faciale ?

— Une paralysie faciale ? Vous avez vraiment l'œil du neurologue qui observe les asymétries ou les signes localisateurs.

— Vous savez, à la télé, on voit ce que les autres voient. C'est différent de ce que l'on voit dans un miroir : c'est vraiment inversé. Je n'y avais jamais songé... J'ai donc eu un véritable choc quand je me suis vu à la télé.

— Le fait que vous soyez neurologue et gaucher vous donne-t-il le sentiment d'être différent ?

— Non, je ne suis pas différent. La seule chose, c'est que j'ai de la corne sur le pouce de droite. Vous savez, les neurologues ont toujours de la corne sur un de leurs pouces.

— Pourquoi donc ?

— Quand ils prennent les réflexes et qu'ils frappent avec le marteau, il se forme de la corne entre la fin de l'ongle du pouce et la jointure. Les neurologues droitiers ont de la corne sur le pouce gauche puisqu'ils cognent avec le marteau de la main droite, et les neurologues gauchers, sur le pouce droit puisqu'ils cognent le petit marteau avec la gauche. Les neurologues cognent avec la main dominante, parce qu'il est important de pouvoir donner toujours la même force au coup de marteau.

— Vous voulez dire que c'est un signe distinctif des neurologues ? Comme la bague de fer dans l'auriculaire gauche des ingénieurs, ou la tache dans le cou des violonistes, ou la bosse de canot des portageurs amérindiens...

— Si vous voulez. Ce pourrait être un détail de roman policier. Je ne sais pas si on y a déjà pensé.

— Les gauchers ont-ils d'autres signatures ou des détails uniques que votre métier vous a révélés ?

— Sans aucun doute. Savez-vous qu'à l'électroencéphalogramme, il y a une asymétrie ? L'hémisphère dominant connaît un voltage alpha plus bas. Je ne sais pas ce que la science dit à propos des gauchers. En résonance magnétique, on peut constater une asymétrie du planum temporal[1], entre la gauche et la droite.

— Pourquoi avoir choisi la neurologie ?

— Parce que j'ai toujours aimé réussir des choses compliquées. J'ai vraiment « accroché » dans mes cours de neuroanatomie en raison des trois dimensions : c'était complexe et particulièrement intéressant. J'ai d'ailleurs toujours eu de la facilité à voir, à percevoir le cerveau de mes patients comme si j'étais à l'intérieur. Je pense d'ailleurs avoir du talent pour percevoir les choses en trois dimensions.

— Quelques gauchers m'ont fait la même remarque. Élaborez un peu.

— Quand je faisais de la course automobile, avant de me présenter sur un circuit, je parcourais la piste dans ma tête, comme un film. Tous mes gestes étaient programmés.

— Vous avez gagné des courses ?

— Non, je n'avais pas d'adversaire : je luttais contre la montre, contre moi-même. Par contre, j'ai fait des courses de voiliers sur le lac Saint-Louis pendant ma résidence à McGill, et ça se passait de la même façon : j'avais le parcours dans la tête.

— Vous aimez la vitesse ?

— Oui. Par contre, je n'ai pas la folie de la vitesse, puisque j'ai une contrainte : je dois revenir chez moi après la course ! Et sur la route, j'observe les limites de vitesse permises. Ou encore, je roule derrière quelqu'un de plus rapide. C'est le principe du *rabbit* : la cible qui fait courir les chiens, dans les courses...

— Quand vous étiez étudiant en médecine, avez-vous connu des ennuis parce que vous étiez gaucher ?

— Non. J'ai un souvenir de l'école de médecine : j'ai été très apprécié pour l'assistance opératoire en chirurgie. Pour un chirurgien droitier, avoir un assistant gaucher vaut de l'or. Donc, j'ai reçu mes premiers compliments – si l'on peut s'exprimer ainsi – au bloc opératoire. Le chirurgien était heureux d'avoir un gaucher en face de lui.

Le docteur Gagnon se lève et mime la scène.

---

1. S. P. Springer et G. Deutsch, *Cerveau gauche Cerveau droit*. À la lumière des neurosciences, DeBoeck Université, 2000 : 102. On cite les résultats de recherche de H. Steinmetz et coll., « Anatomical Left-Right Asymmetry of Language-Related Temporal Cortex Is Different in Left and Right-Handers », *Annals of Neurology*, 29, 1991 : 315-319.

– Donc, le chirurgien droitier se tient à droite du patient et coupe avec la main droite. Son assistant, en face, est très efficace s'il est gaucher : les mains n'ont pas besoin de se croiser au-dessus du champ opératoire. De plus, le gaucher ne cache jamais la vue du chirurgien droitier.

– Vous avez fait du sport ?

– Quand j'ai commencé le tennis, je ne savais pas de quelle main jouer. J'avais alors 12 ou 13 ans. Puis on m'a dit : « Branche-toi, décide-toi ! » Et j'ai choisi la main gauche. Au base-ball, les meilleurs joueurs sont gauchers, particulièrement les lanceurs. Au tennis, c'est également un avantage d'être gaucher.

– Que pensez-vous des instruments pour gauchers ?

– J'en utilise, mais ils sont rares. J'ai récemment fait l'acquisition d'une scie pour gaucher chez Rona. Autrement, c'est trop dangereux, un vrai crime, parce qu'on a tendance à prendre la scie avec la main gauche. Elle est donc très près du corps. Il faut que la scie soit éloignée du corps, du bon bord, quoi ! Les appareils téléphoniques sont faits pour les droitiers. Regardez, j'ai ajusté un appui sur l'écouteur du téléphone : donc, je peux écrire de la main gauche et tenir le téléphone sur mon oreille gauche. J'écris de la main gauche, cependant, je peux cogner du marteau avec la droite.

Certains outils me dérangent tels les téléphones à cadran. Heureusement, ils ont pratiquement disparu. Avez-vous déjà essayé de composer un numéro avec votre mauvaise main ? Ça tournait mal avec la main gauche ! J'utilise le pinceau avec les deux mains, ce qui est très pratique si je dois aller dans un coin.

– Avez-vous jamais vécu de discrimination ?

– La discrimination, non. Mais, les blagues, oui. Pendant ma résidence à McGill, les professeurs utilisaient un terme particulier pour les gauchers : être *southpaw*, « patte sud » littéralement. On dit « patte gauche » en français, je crois. Je trouvais ça un petit peu blessant, condescendant. Ce n'était pas méprisant mais pas loin.

– Quelle perception la société a-t-elle des gauchers ?

– La société n'a aucune perception des gauchers. Pourtant, il y a vingt-cinq ou trente ans, ils étaient défavorisés.

– La situation s'améliore ?

– Oui, je crois. Petite anecdote. Il y a sept ou huit ans, une compagnie pharmaceutique a voulu introduire sur le marché un injecteur automatique pour les patients. Mais il convenait juste pour les droitiers. Il avait été conçu et dessiné en Angleterre. Je me souviens que j'ai critiqué cet instrument. J'ai expliqué au représentant qu'il était tout à fait inadéquat pour les gauchers : d'une part, on ne voyait rien et, d'autre part, le patient aurait pu se piquer et se faire mal, parce que, en utilisant la main gauche, il ne voyait rien. Je n'ai pas acheté ou jamais prescrit cet injecteur. J'ai dit à ce représentant : « Refaites-le ! » Il était surpris. Il a répondu : « Je n'ai jamais pensé à ça, docteur. » Et huit ans après, c'est-à-dire tout récemment, ils ont redessiné l'auto-injecteur qui est maintenant de la grosseur d'un crayon et bien adapté, utilisable de l'une ou l'autre main.

— Gauchers de la planète, unissez-vous !

— Il faudrait que, au moment de la conception d'un appareil, une société ou un fabricant s'assure qu'il convienne bien pour les deux mains. Pour la souris d'ordinateur, j'utilise la souris à droite puisque ma compagne et tout le monde à la maison sont droitiers. Pour les pots de confiture, avez-vous pensé que les gauchers sont supérieurs ?

— Non, jamais !

— Ils sont supérieurs pour dévisser les pots de confiture, car le mouvement est en direction cubitale de la main gauche et a donc une plus grande amplitude...

— Pouvez-vous commenter pourquoi, selon les statistiques, les gauchers ont plus d'accidents ?

— Je ne sais pas. Mais ce que je peux vous dire, c'est que je suis prudent et que je vois souvent les choses dangereuses ou les dangers d'accident. Souvenez-vous : dans cet hôpital, près de la porte d'entrée principale, le trottoir était bien trop près du mur. Les gens qui s'apprêtaient à traverser pouvaient facilement se faire renverser par les véhicules.

— Je n'ai jamais remarqué.

— Un autre exemple encore : l'an dernier en entrant à la clinique médicale, j'ai constaté qu'après le verglas et la neige, le toit du porche était en train de s'effondrer. Personne n'avait remarqué. Peut-être est-ce parce que j'ai été un grand frère protecteur, que j'avais six filles après moi, je ne sais pas.

— Vous avez l'âme d'un ange gardien !

— Un autre exemple. Rappelez-vous du garde-fou de l'escalier au cinquième étage, près de l'endroit où on faisait les électroencéphalogrammes et les électromyogrammes. Eh bien ! Il était six pouces trop bas ! Il était à vingt-deux pouces de hauteur plutôt que vingt-huit, selon les normes de la construction. J'en ai souvent fait la remarque, personne ne s'en était aperçu.

— Et dans la vie quotidienne ?

— J'ai adapté mon bureau et je travaille comme un gaucher. Quand j'examine les patients, je prends la tension artérielle sur le bras gauche. J'utilise le stéthoscope avec la main gauche. Savez-vous que vous avez un pouce différent et que, juste à regarder vos deux pouces, on peut savoir si vous êtes droitière ou gauchère ?

— Voyons ! Qu'est-ce que vous me chantez là ? Je n'ai jamais remarqué. Je l'ignorais totalement.

Je suis estomaquée. Il poursuit.

— Le pouce de la main dominante a l'ongle carré et il est un peu plus gros, tandis que l'ongle du pouce de la main non dominante est plus rond et plus petit.

— Dr Gagnon, si vous aviez le choix, seriez-vous de nouveau gaucher ?

— Oui, absolument ! Sachez qu'environ le tiers des neurologues sont des gauchers. Il y a une surreprésentation des gauchers parmi les neurologues. Je me souviens récemment qu'à une réunion scientifique, quatre des dix neurologues autour de la table étaient des gauchers.

— Vous avez connu des gauchers remarquables ?

— Le gaucher le plus remarquable que j'aie rencontré, c'est Léonard de Vinci. Il y a quelques mois, j'ai visité Milan. Un musée municipal regroupe les œuvres, inventions, maquettes et machines de ce grand génie. Il a touché à la fois à l'aviation, à la peinture, à la sculpture, aux mathématiques, à l'architecture, à tout, quoi ! Quel génie ! Mais tous les gauchers ne sont pas des génies.

Annick Mascagne

50 ans, fleuriste, alpiniste

« Une fleur a un sens, une ligne, on ne la contrarie pas. Si elle se dirige à gauche, je ne la contrarie pas. »

Dans ma boutique de fleurs préférée, j'ai remarqué que la propriétaire est gauchère. Je lui en fais la remarque. Elle est surprise, mais pas le moins du monde étonnée.

– Vous vous intéressez aux gauchers ?

– Oui ! Ils sont artistes, n'est-ce pas ?

– C'est ce que vous croyez ? Nous en rediscuterons.

Quelques semaines plus tard, dehors sur la façade de la boutique, un énorme cœur en tulle rouge. La Saint-Valentin est toute proche. À l'intérieur, la musique de Léo Ferré m'accueille, puisque Annick prend une commande au téléphone. Combiné sur l'oreille gauche, elle écrit avec la main gauche et j'entends : « C'est pour quand ? Dans quelle couleur ? » Puis elle raccroche.

– Bonjour ! Je ne sais pas si j'aurai des choses bien intéressantes à vous raconter.

Ses souvenirs les plus anciens ?

– Je n'en ai pas, il faudrait plutôt demander à mes parents. Quand j'ai commencé à marcher, je partais sans doute du pied gauche.

– Vous êtes née où ?

– Dans la Brie.

– Comme le fromage ?

– Oui, dans la région parisienne. Nous étions trois enfants, je suis la seule gauchère. Mes deux frères aînés sont droitiers.

— Et que font-ils comme métier ?

— L'un est maréchal-ferrant.

— Ce qui veut dire ?

— Qu'il ferre les chevaux, les cheveux de course pour les concours hippiques. Pas les chevaux de trait comme autrefois. Mon autre frère est artiste : il fait des décors de théâtre, des éclairages. Mes parents tenaient la Maison de la presse : ils étaient libraires. Dès l'âge de 15 ans, j'ai su que je voulais étudier en fleuristerie, j'avais un sens artistique.

— Comment s'est effectué l'apprentissage de l'écriture ?

— Ce fut assez facile. J'ai appris avec la main gauche.

— On vous a laissée faire ?

— Je me souviens qu'on mettait un autre enfant tout près de moi, pour me gêner sans doute et me décourager d'écrire avec la main gauche. On écrivait avec une plume, à l'époque. On se serait cru au Moyen Âge. Il fallait faire attention. Ça faisait des taches.

— Est-ce que vous inversez le poignet quand vous écrivez ?

— J'écris « normalement ». Si les gauchers ont une écriture tordue, c'est sans doute qu'on les a contrariés jeunes.

— Pourquoi êtes-vous gauchère ?

— C'est la nature qui l'a voulu ainsi. Je ne vois pas de déshonneur à être gauchère. Les gauchers ne sont pas différents, mais ils sont plus adroits. Ils ont un plus grand sens artistique. Selon moi, le gaucher est plus habile de ses deux mains que le droitier. Il est plus en équilibre.

Le mari collabore à l'entreprise Bardou Fleuriste. De retour d'une livraison, il entre dans le magasin et s'intéresse à notre discussion. Il intervient :

— Elle a souvent raison. Sa manière de dessiner, d'écrire est plus artistique. Les gauchers ont une façon différente de faire ; les droitiers sont plus cartésiens.

Annick parle à son tour.

— Les gauchers sont plus habiles de leurs mains. Ils ont une vie plus artistique.

Assurance tranquille. Elle poursuit :

— Je ne me suis jamais vraiment intéressée à ce que disait la science. Par contre, je crois que ce n'est pas forcément une tare d'être gaucher.

— Une tare, vous y allez fort ! Mais pourquoi fleuriste ?

– J'ai choisi le métier de fleuriste, car je ne savais pas si j'avais des capacités pour faire autre chose. Au départ, j'inversais mes lettres. Ça ne m'arrive plus maintenant. J'ai étudié trois ans, j'ai fait un certificat professionnel à Paris. J'étais très attirée par la peinture, le bricolage, le montage : je peux me débrouiller des deux mains. Les gauchers sont plus adroits à droite qu'un droitier à gauche. Ils ont plus d'équilibre. J'ai une amie, Annick comme moi, gauchère et fleuriste, elle aussi. Elle habite au Venezuela, si vous voulez aller la rencontrer !

– Pas sûr ! Vous avez des outils de gaucher dans la boutique ?

– Je n'en utilise pas. À l'époque, il n'y en avait pas. Je me suis habituée, je m'adapte facilement. À part écrire, évidemment. J'aime couper avec les ciseaux dans la main droite. J'utilise les outils des deux mains. Par exemple, la serpette.

– La serpette ?

– C'est un couteau utilisé en fleuristerie.

Le mari intervient :

– Vous avez lu *La serpe d'or*, la bande dessinée d'Astérix ?

– Oui, bien sûr. Montrez-moi cet outil !

– Alors, voici une serpette. On s'en sert pour couper, faire des greffons.

Je regarde : ça ressemble au couteau croche[1] dont se servent les Amérindiens et les Inuits.

– Annick, avez-vous déjà vécu de la discrimination du fait d'être gauchère ?

– Non, jamais.

– Ça vous embête quand on vous dit : « Ah, vous êtes gauchère ! » ?

– On ne me le dit pas souvent et, si on le fait, ce n'est pas pour me vexer.

– J'ai remarqué que votre employée est également gauchère. Vous le saviez lorsque vous l'avez embauchée ?

– Pas du tout. C'est juste une coïncidence. Je ne remarque pas vraiment ça.

– Votre métier de fleuriste requiert-il des talents spéciaux ?

---

1. Michel Noël, auteur de plusieurs ouvrages sur les Amérindiens (dont *Arts traditionnels des Amérindiens*, HMH, 2001), est collectionneur d'objets et d'outils. Lors du Salon du livre de Québec, en avril 2004, il m'a raconté qu'il a retrouvé des couteaux « croches » pour gauchers.

— Oui, je crois bien que le métier requiert des habiletés. Je les détiens parce que je suis gauchère. C'est un métier artistique. Je m'y sens à l'aise.

— Vous dessinez bien ?

— Oui, je suis aussi habile en dessin. Tout ça vient normalement, naturellement quand je compose un bouquet : les couleurs, la forme, l'équilibre. Un bouquet doit être stable, proportionné avec la hauteur du vase, en équilibre avec le contenant. Quand je travaille, je respecte la nature. Une fleur a un sens, une ligne, on ne la contrarie pas. Si elle se dirige à gauche, je ne la contrarie pas.

— Il y a longtemps que vous êtes installés ici ?

— Nous avons acheté cette boutique il y a six ou sept ans. Je crois que notre style est nettement européen, très nature. Il n'y a que des fleurs. Pas trop de peluche ou de fleurs en soie ou en tissu.

Je regarde aux alentours puisque nous nous trouvons dans l'arrière-boutique : je ne vois que des artichauts séchés, du lichen, des fagots et du raphia.

— Croyez-vous au caractère ou à la personnalité du gaucher ?

— Je ne sais pas, je ne crois pas que nous fassions bande à part.

— Il y en a qui ont refusé votre gaucherie ?

— Bien sûr, la maîtresse d'école !

— Et la société ?

— Je n'ai vraiment rien à dire. On ne remarque pas ça.

— Vous avez déjà étudié la musique ?

— Oui, j'ai fait de la guitare, mais je ne suis pas allée bien loin. Ça ne m'intéressait pas beaucoup.

— Et si vous n'aviez pas été fleuriste ?

— Ah ! Je serais allée dans le sport.

— Le sport ?

— Oui, j'ai pratiqué l'escrime. J'ai aussi fait de l'alpinisme, de la montagne. Beaucoup de voyages : le Pérou, le Groenland, le Népal...

— Avez-vous des conseils pour les parents d'enfants gauchers ?

— Il faut laisser les enfants libres, les instruire et surtout les aider dans les apprentissages. Il ne faut pas les contrarier s'ils sont gauchers. C'est dans leur nature. Je crois que si les enfants sont contrariés au départ, ils sont mis en déséquilibre.

— Et vos enfants ?

— Ils sont tous les deux droitiers.

— Et si c'était à recommencer, vous choisiriez d'être gauchère ?

— Bah oui ! Je n'ai rien contre.

Benoît Bouchard

63 ans, directeur d'école devenu politicien

---◇---

« Les hommes disaient : "Mais tu es bien gauche !"
Benoît est donc bien gauche ! Je les entends encore.
Pourquoi est-ce qu'on ne dit jamais : "Ah qu'il est
donc droit !" ? »

---◇---

C'est par un jour de tempête de neige, peu avant Noël, que monsieur Bouchard a accepté de m'accorder une entrevue. Comme j'ai des racines au Lac-Saint-Jean, je connaissais un peu son long parcours : d'abord fils du maire Bouchard de Roberval, puis directeur d'école polyvalente et de cégep, député fédéral conservateur du comté de Roberval, titulaire de plusieurs ministères sous le gouvernement Mulroney avant de devenir ambassadeur du Canada à Paris. Je me souviens de l'avoir vu, certain Noël, à une émission de télé où il avait joué du piano, et j'avais remarqué qu'il était gaucher. Quand je l'ai rencontré, en décembre 2003, il venait d'être nommé par le Conseil des ministres du gouvernement Charest comme représentant régional à la table de négociations pour les droits des Innus et des non-autochtones.

— Entrez par la porte du côté ! Il y a trop de neige à la porte d'en avant qui n'est pas encore dégagée.

Pas de chien méchant, juste un chat.

— Vers quatre ou cinq ans, j'étais un enfant dissipé, ou vivant, comme vous aimez. Mes parents m'ont envoyé dans une école privée à quelques maisons de chez nous, chez une dame Langevin. Je me souviens qu'elle me tapait les jointures avec une règle pour m'obliger à écrire de la main droite. Il n'y avait rien à faire, c'était un instinct naturel. C'était ma main naturelle, cette main gauche. Je n'écrivais pas comme les autres.

J'en garde un très mauvais souvenir, car, dans ma famille, il n'y avait pas de gaucher.

— C'est vrai ?

— En effet, j'ai un souvenir pénible du début de ma fréquentation scolaire. Parfois encore, quand je suis à Roberval, je vois une ancienne élève qui était avec moi à cette maternelle de madame Langevin. Elle réveille en moi... comment dire...je connecte vraiment à quelque chose de très désagréable, de très négatif. Je suis resté un peu frustré par cette histoire. C'est allé très loin.

— Comment ça ?

— Vous savez, j'ai trois fils, l'aîné est ambidextre, le deuxième, droitier, le troisième, gaucher.

— Deux gauchers sur trois ?

— Écoutez ceci : quand Louis, l'aîné, est arrivé à l'école, il lui a fallu choisir de quelle main il allait écrire. Le pauvre enfant, il semblait incapable de prendre une décision. Au point où des personnes bien intentionnées de nos familles respectives disaient : « Que Louis écrive de la main droite ! » J'avais gentiment averti nos proches : « Pour aucune considération, on ne va obliger Louis ou choisir pour lui de quelle main il va écrire. Il écrira de la main qu'il voudra ! »

— Oh là ! Le message était clair. Et pour vous ?

— Pour moi, malheureusement, ce fut bien différent. Vous savez, c'était il y a plus de cinquante ans. Je n'ai donc pas eu le choix. J'ai dû changer de main et apprendre à écrire de la main droite. Mais je plaçais le crayon entre l'index et le majeur, ce qui n'est pas très élégant.

— Comme René Lévesque.

— Eh oui ! J'écris comme René Lévesque !

— Vous avez quelque chose en commun avec lui.

— Bien oui ! Et parfois, quand je me vois sur des photos en train de signer des ententes, je trouve que j'ai l'air stupide. J'ai l'air de « travailler à la poignée ». Encore aujourd'hui, j'écris de la main droite, mais affreusement mal. Combien de fois j'ai essayé de changer d'écriture durant mes études ! J'écrivais droit, penché à gauche, penché à droite...

— Diriez-vous que vous avez connu la discrimination ?

— Oui ! Surtout étant jeune. Ça faisait partie de l'éducation de « droiter » les jeunes.

— Pourquoi êtes-vous gaucher ?

— Je n'en ai aucune idée. J'ai toujours été ainsi. C'est inné, c'est plus facile et naturel. Je suis devenu un peu ambidextre par la force des choses. Quand je fais des travaux de peinture, je tiens le pinceau avec la main gauche. Je suis devenu relativement habile avec la main droite, mais, vous savez, j'ai toujours eu en horreur le travail manuel.

— Vous êtes-vous déjà senti différent parce que gaucher ?

— Oui, tout à fait. Mon père était directeur d'un parc d'élevage de chinchillas et de visons. À cette époque où j'étais enfant, il n'était pas question qu'on joue tout l'été. Au début de l'adolescence, très jeunes, nous allions travailler au parc des visons avec les hommes. Et très tôt, je me suis rendu compte que j'étais malhabile manuellement, parce que j'étais toujours obligé de prendre ma main droite, la moins habile. C'était donc compliqué ! Et j'entendais les hommes dire : « Écoute, Benoît, sers-toi de ta main droite. » S'ils me donnaient un outil, je le prenais de la main gauche. Quand je voulais les aider, je les accrochais ou les frappais sans faire exprès et ils me disaient : « Mais t'es bien gauche ! Il est donc bien gauche ! » Je les entends encore.

— Pauvre vous !

— Pourquoi est-ce qu'on ne dit jamais : « Ah qu'il est donc droit ! » Vous savez, ma femme me dit souvent : « C'est parce que tu n'aimes pas travailler avec tes mains que tu es malhabile. » Et je lui réponds tout le temps : « Non, c'est parce que je suis malhabile que je n'aime pas ça. » Elle qui est si habile... Elle a fait beaucoup de couture et elle aurait été un excellent menuisier !

— Ils étaient désagréables, ces étés ?

— Je me souviens qu'adolescent, chaque fois que l'été arrivait, j'avais une peur, une crainte, une véritable phobie. J'étais aux prises avec ma maladresse. Je devais changer de main.

— Et maintenant ?

— Je déteste encore travailler de mes mains. Je me suis trop fait taper sur les doigts. Et je me souviens que, chaque été – j'avais peut-être 9 ou 10 ans –, quand j'allais aider les hommes, par exemple pour réparer une toiture, je m'engorgeais le poignet.

— Vous vous engorgiez le poignet : qu'est-ce que ça signifie ?

— Eh bien ! Je clouais avec la main gauche – je scie aussi avec la main gauche – et je m'engorgeais le poignet, c'est-à-dire que je serrais trop fort l'outil. Le lendemain, j'avais le poignet engorgé, c'est-à-dire engourdi. J'entends encore les hommes me dire : « C'est le marteau qui entre le clou, pas toi, serre-le moins fort. » J'étais maladroit, j'étais malhabile, je n'étais pas loin de croire que je n'étais pas intelligent. Ah! Que j'ai de mauvais souvenirs!

— La vie de gaucher n'est pas facile.

— Vous l'avez dit! Le problème, c'est qu'on vous fait travailler artificiellement de la main qui n'est pas votre préférée, et vous devenez malhabile des deux! En fait, quand on est gaucher, la main gauche, on l'utilise quand on est seul. Je me rase de la main gauche, je mange de la main gauche. S'il fallait que je me rase avec la main droite, je me couperais.

— Vous utilisez des outils pour gaucher?

— Non. Je suis plutôt porté à faire le contraire, à me servir de la main droite. L'outil le plus horrible, c'est la paire de ciseaux: quel bel exemple! Ils sont faits pour des droitiers. Même les ciseaux pour couper la tôle, dans la construction, sont faits pour les droitiers. Et maintenant, comme toujours quand je dois travailler de mes mains, je suis de mauvaise humeur. Je sens ressortir mon sale caractère, je deviens impatient. Tenez, hier: eh bien! Comme nous venons d'emménager dans cette maison, j'ai enlevé un lustre dans la chambre où on devait en installer un autre. La mauvaise humeur m'a gagné, car j'avais peur de m'électrocuter. Mon épouse voulait m'aider, et ça n'allait pas bien. Vous savez, j'ai 63 ans. Vous n'acceptez jamais d'être maladroit! Heureusement, c'est mieux aujourd'hui, mais il y a plusieurs années, lorsque j'étais jeune, il y avait véritablement un ostracisme, de la ségrégation envers les gauchers.

— Y a-t-il de bons côtés au fait d'être gaucher?

— Oui! Je crois que les gauchers ont des talents particuliers. Ils sont plus créateurs, ils ont plus d'imagination. Mais, vous savez, encore maintenant, je suis mal à l'aise à la vue d'un gaucher. Je deviens tout à coup inquiet. Je trouve qu'il a l'air grotesque, stupide. J'ai été conditionné ainsi. Ça va même jusqu'au sentiment de culpabilité. Vous savez, je suis révolté. Ça me met en colère. Combien de fois je me suis demandé quelle aurait été ma vie si j'avais été habile de mes mains, si j'avais pu enfin utiliser ma main gauche!

— On ne saura jamais!

— C'est impossible d'apprendre à travailler avec les deux mains. Pourtant, je suis droitier au golf, droitier au hockey, mais, bien sûr, gaucher au tennis. Je n'ai jamais cherché à comprendre ce que la science avait à dire pour expliquer l'existence des gauchers. En fait, j'ai toujours essayé d'évacuer de ma vie cette réalité. Je vis avec, mais ce n'est pas encore assumé. J'ai dû développer des mécanismes de défense.

– Monsieur Bouchard, je me souviens de vous avoir vu il y a peut-être dix ou quinze ans à la télé. Lors d'un reportage, j'avais observé que vous étiez gaucher. Si mon souvenir est bon, vous aviez joué du piano et vous aviez chanté.

– Ah oui, je peux vous donner bien exactement la date, car c'est le jour même où René Lévesque est décédé ! C'était l'émission *Star d'un soir* animée par Pierre Lalonde. C'était donc le 1er novembre 1987. Ginette Reno se trouvait également parmi les invités à l'émission. J'ai joué au piano *Les gens de mon pays* de Vigneault et j'ai chanté.

– Monsieur Bouchard, vous jouez encore du piano ?

– Plus maintenant. Mais, vous savez, j'ai fait pas mal de musique. J'ai commencé le piano à quatre ans. J'ai chanté, j'ai joué dans une fanfare. Et pendant que j'étais dans le monde de l'éducation, entre 1970 et 1980, j'ai dirigé une chorale. Je me souviens que la première année de mon mandat d'ambassadeur à Paris, il y avait un magnifique piano à l'ambassade. Pendant un an, je m'y suis remis sérieusement. Je jouais beaucoup, je pratiquais, j'ai même retravaillé des impromptus de Schubert.

– Et vous chantiez parfois et vous accompagniez des visiteurs ou dignitaires ?

– Lors de la visite de Paul Desmarais et de Jacqueline, son épouse, nous avions, comme invités, un banquier et sa femme qui s'appelait Jeannine, je crois. Avec elle, j'ai chanté une chanson de Régine et joué du piano. C'était bien ! Nous nous sommes bien amusés.

– Votre métier de politicien est le fait que vous soyez gaucher ?

– Je ne crois pas, non.

– Vous avez une belle feuille de route, monsieur Bouchard.

– Eh bien ! J'ai commencé dans l'enseignement. J'avais étudié en lettres à l'Université Laval : j'ai donc enseigné le français et l'histoire au collège. J'aimais bien la discipline, les contacts avec les jeunes. Puis, quelques années après le rapport Parent, à 29 ans, on m'a confié la direction de la polyvalente de Roberval, une des 10 premières polyvalentes de la province. Puis, je me suis occupé d'une petite école de première et deuxième secondaire où l'on faisait l'intégration des enfants amérindiens. J'ai bien aimé. Ensuite, de 1979 à 1984, j'ai été directeur du cégep de Saint-Félicien. Ce furent mes plus belles années... avec les trois années à Paris à l'ambassade.

– En quelle année avez-vous fait le saut en politique ?

— En 1984, à l'époque du « beau risque ». Je me suis présenté sous la bannière conservatrice avec monsieur Mulroney.

— Vous avez occupé plusieurs ministères ?

— J'ai d'abord été ministre d'État aux Transports, ensuite au secrétariat d'État, ministre de l'Emploi et de l'Immigration puis ministre des Transports : c'était à l'époque du *crash* de Gander avec deux cent soixante-neuf militaires américains décédés et le démantèlement de VIA Rail. Puis, en 1990, ministre de l'Industrie, des Sciences et de la Technologie et au bureau de développement de Montréal. Enfin, en 1991, titulaire du ministère de la Santé et du Bien-Être. J'ai été actif de 1990 à 1993 et j'ai participé à l'accord du lac Meech. Puis de juin 1993 à juin 1996, ce fut le poste à l'ambassade à Paris. Je suis revenu en 1996 et j'ai présidé le Bureau de sécurité dans le transport. En septembre 2001, nous sommes entrés à Roberval. Je suis heureux du nouveau mandat qui m'est confié.

— Vous croyez qu'il existe une personnalité du gaucher ?

— Oui, je crois à la personnalité du gaucher. J'ai lu un peu sur le sujet.

— Quelqu'un a-t-il déjà refusé votre gaucherie ?

— Personne n'a véritablement refusé ma gaucherie. Mes parents ont été ouverts.

— Est-ce plus aisé maintenant pour les jeunes gauchers ?

— Heureusement, nous vivons maintenant dans un type de société plus permissif. Les gauchers sont de plus en plus respectés, c'est absolument non comparable à ce que nous avons vécu. Quand je regarde ma petite-fille de trois ans, qui, sans doute, sera gauchère, je me dis que la vie sera plus facile pour elle. À l'école, le problème des gauchers est désormais réglé. Et je dirais aux parents d'un gaucher : « Laissez-le tranquille. *Leave him alone !* »

— Vous croyez que le monde est fait pour les droitiers ?

— Oui. Tenez, vous me rappelez qu'il y a quelques années, nous avons fait des modifications dans notre maison et installé une nouvelle porte entre le salon et la salle à manger. J'ai donné les instructions à l'ouvrier puis à l'entrepreneur qui n'a fait aucun commentaire. Lorsque la porte a été installée, c'était une porte battante à l'envers. J'ai donné les spécifications sans penser que j'étais gaucher et que les invités pouvaient être incommodés.

— Comment donc ?

– Des gens se sont cognés malencontreusement, puisque la porte n'était pas installée du bon bord. Je n'ai pas fait ça par malice : j'ai fait ça naturellement !

– Et que pensez-vous des statistiques sur le taux d'accidents plus élevé chez les gauchers ?

– Je ne suis pas le moins du monde surpris quand j'entends qu'il y a plus d'accidents chez les gauchers et qu'ils meurent plus jeunes : le monde est fait pour les droitiers !

– Dans la vie quotidienne, vous vivez des situations ennuyeuses ?

– Surtout quand j'ai à me servir de mes mains, ou que je dois travailler manuellement. On s'adapte, mais on reste gaucher ! On a instinctivement le réflexe, la tendance naturelle à utiliser la main gauche.

– Et à table ?

– À table ! Eh bien, je cours les bouts de table ! Mais, bien sûr, quand j'étais en poste comme ambassadeur et qu'il y avait des dîners d'apparat, je ne pouvais pas m'asseoir au bout de la table : c'était contre le protocole. Alors les domestiques ou les gens qui montaient les tables avaient les instructions de laisser assez d'espace à côté de moi pour ne pas que j'incommode mon voisin. On s'habitue ; je me surveille tout le temps et je suis porté à rentrer les coudes pour ne pas frapper mon voisin, car c'est le droitier qui est correct et le gaucher qui n'est pas normal !

– Si vous aviez le choix ?

– Ah oui, bien sûr ! Je serais de nouveau gaucher. Si je disais non, ça voudrait dire que j'accepte la ségrégation envers les gauchers, ce qui n'est pas le cas. Mais ça m'embête encore, ça me hante. Je m'interroge encore : je ne saurai jamais ce qu'aurait été ma vie si j'avais été habile et si j'avais pu utiliser la main gauche. Vous ne savez pas comment on souffre de ne pas être habile.

– Avez-vous rencontré des gauchers remarquables ?

– Oui, j'ai rencontré des gauchers remarquables. Par exemple, au Conseil des ministres, sous le gouvernement Mulroney, j'avais au moins deux collègues ministres gauchers, dont Jean Charest, maintenant premier ministre du Québec. Il y en avait un autre ; je le vois signer avec la main gauche. Je vois son geste, mais je n'arrive pas à me souvenir qui il était ni son nom. Et enfin, je me souviens que le dernier-né des Mulroney, Nicolas, qui est né le 4 septembre 1985, soit juste un an après la prise du pouvoir, est gaucher.

Charlotte

86 ans, institutrice dans une école de rang, puis enseignante dans une école privée à Québec, mère de famille, et enfin professeur de français dans un collège pour jeunes filles

───────◄○►───────

« Pauvre homme ! Quand il me voyait servir la soupe, il pensait que j'allais tout renverser. Je lui ai dit : "Tu vas t'habituer, sans ça tu n'auras pas de soupe." »

───────◄○►───────

Charlotte habite depuis un an à Sainte-Foy dans une résidence pour personnes en perte d'autonomie, à proximité d'un hôpital. Elle est encore très occupée bien qu'elle ait dû réduire ses activités. Depuis environ six ans, elle a quasiment perdu la vue. « Cassé maison » l'an dernier après un accident vasculaire cérébral qui l'a laissée légèrement paralysée de tout le côté gauche du corps y compris le visage. Mais elle est encore très loquace.

Lorsque j'arrive chez elle, j'entends déjà au bout du corridor un concerto de piano de Mozart, celui que le film *Elvira Madigan* nous a fait connaître. Je cogne très fort à la porte entrouverte. Elle m'aborde avec un sourire et des lunettes teintées jaune.

– Bonjour !

Charlotte m'aide à me débarrasser de mon manteau et insiste, malgré sa cécité, pour le ranger dans le placard.

– Vous voulez me faire parler de ma vie de gauchère et ça m'amuse, car je n'ai jamais vraiment attaché d'importance à ça. J'ai 86 ans, et c'est la première fois que j'en parle. C'est comme les yeux bleus, les yeux bruns. Enfin !

– Vous croyez qu'on pourrait mettre Mozart un peu en sourdine, pour mieux s'entendre ?

– Je vais même fermer l'appareil.

– Dommage ! Madame Charlotte, j'aimerais que vous preniez place dans un fauteuil très confortable.

– Je suis sourde. Il va falloir que vous vous approchiez.

– Je voudrais me mettre du côté de votre bonne oreille.

– Il n'y a pas de bonne oreille. Tiens, asseyez-vous là et enlevez les coussins s'ils vous gênent.

– Dites, Charlotte, on m'a dit que vous aviez été maîtresse d'école.

– Oh mon Dieu Seigneur ! J'ai été professeur, professeur de français au secondaire II et III.

– Vous aviez étudié en pédagogie ?

– Oh mon Dieu Seigneur, que non ! J'étais une autodidacte. Je suis allée à la petite école de mon village.

– Quel village ?

– L'Isle-Verte.

– Ah bon ! Je connais. Dans le Bas-du-Fleuve.

– J'ai donc étudié pour obtenir les deux diplômes qui garantissaient le permis d'enseignement. J'ai enseigné à l'école de mon village pendant quelques mois, mais je n'aimais pas tellement. Puis je suis partie vivre à Québec. Dans mon petit village, il ne se passait pas grand-chose et je voulais aller vivre à Québec.

– Vos parents vous ont laissée partir ?

– J'ai décidé de partir à 23 ou 24 ans. Je ne leur ai pas demandé la permission. Arrivée à Québec, j'ai enseigné pendant quatre ans à l'école de mademoiselle Jobin, jusqu'à mon mariage. C'était un milieu plutôt fermé. On triait les élèves sur le volet. Je suis allée rendre visite à mademoiselle Jobin, qui m'a engagée. J'ai eu l'heur de lui plaire, il faut croire.

– Où se situait cette école ?

– C'était sur la rue Sainte-Anne, dans une maison privée, près de la rue d'Auteuil. Je préparais les garçons pour le Collège des Jésuites.

– Il y avait juste des garçons ? Ils étaient combien ?

– Soixante-dix environ.

– Et des filles aussi ?

– Quelques-unes, jusqu'à la rhétorique.

– Ça se passait comment quand vous étiez petite ?

– Ma grand-mère était gauchère. Elle m'apprenait à tricoter.

– Vous avez tricoté avant d'aller à l'école ?

– Ah! Je tricotais déjà à trois ou quatre ans des foulards pour mes poupées. Ma grand-mère m'a appris comme une droitière. Puis, je suis allée à l'école. L'institutrice était Paule Courberond; j'ai débuté l'écriture avec la main droite. Elle me disait: «Il faut utiliser la main droite. Tu fais ton signe de croix avec la main droite. Écrire, c'est comme un signe de croix. On prend la même main.» J'ai commencé la classe vers sept ans et peut-être même huit, parce que j'ai été malade. J'ai eu un rhumatisme articulaire aigu. J'ai donc beaucoup manqué. On m'a soignée avec des aspirines cachées dans la confiture de fraises. J'avais les articulations toutes gonflées. Je suis restée au lit l'hiver durant, c'est sans doute pour ça que je n'aime pas cette saison. Puis c'est parti, et je suis retournée à l'école vers le printemps.

Une amie de ma mère, Marguerite, m'a montré à lire et à écrire. Puis à la fin, elle a fait une distribution de prix, mais le plus drôle, c'est que j'étais la seule élève. Elle m'a donné un Larousse minuscule. Je vous le montrerai tout à l'heure. Je l'ai retrouvé la semaine dernière. La couverture est en cuir de Russie.

– Il y a eu une distribution de prix?

– Oui, j'étais l'unique élève! J'étais donc la plus sage, la plus paresseuse! J'étais asthmatique aussi. J'ai eu une jeunesse un peu difficile. Mon père était fermier, ma mère, musicienne. Elle avait un sens musical inouï et elle transposait des morceaux pour le piano. Elle est même allée étudier chez les Gagnon à Québec, les organistes de la Basilique. Puis à L'Isle-Verte. Quand l'orgue Casavant est arrivé, c'est elle qui en jouait. Elle est née en 1882, on est en 2004: elle aurait 122 ans!

Madame Charlotte n'a aucune difficulté à faire un tel calcul mental. Elle compte plus vite que moi! Elle poursuit:

– Mon père était maître de chapelle. À cette époque, on appelait ça un «chantre». Il y avait beaucoup de musique chez nous. J'ai donc étudié le plain-chant, puis le chant grégorien: quatre lignes, trois espaces. J'étais l'aînée de deux enfants. Mon frère a fait médecine. On a tout sacrifié pour lui, on vivait sur trois pailles.

– Sur trois pailles?

– Ça veut dire qu'on n'était pas riches. Mais il n'a pratiqué que deux ans, car il est mort à 27 ans de la maladie de Hodgkin. J'étais déjà mariée.

– Pourquoi êtes-vous gauchère?

– Je ne sais pas. Dans le fond, je n'y ai jamais accordé d'importance. Mais, à bien y penser, j'ai toujours utilisé la main droite. Ma mère nous élevait bien et elle disait : « Une cuillère, ça se tient avec la main droite, la fourchette aussi avec la main droite. » Par contre, je n'ai jamais été capable de couper la viande avec le couteau et j'ai toujours utilisé le couteau avec la main gauche. Je ne dessine pas. Quand j'écrivais, j'écrivais avec la main droite, mais le trait en bas de mon devoir, je le faisais avec la main gauche. Je me souviens avoir rencontré une fois un psychologue qui était venu à la maison. Mon mari était travailleur social, alors, parfois, nous faisions connaissance avec des psychologues. Il y en a donc eu un dans le paysage. Quand il a vu que j'étais gauchère, il m'a demandé : « Vous êtes bien l'aînée de la famille, n'est-ce pas ? » « Oui. » « Et vous avez un enfant gaucher ? » « Oui. » « Il est l'aîné également ? » « Bien non ! » Il était très déçu, il voulait me faire croire que les gauchers de famille sont tous des aînés !

Quand mon fils, qui a maintenant 50 ans, a commencé la classe, ils étaient seulement sept enfants en première année. Il a remarqué qu'il était le seul gaucher. Je lui ai dit de choisir la main qu'il préférait, la plus habile. Il était bien déçu de ne pas être capable d'écrire avec la main droite. Au premier bulletin, il fut très fier de me dire : « Maman, je me suis corrigé tout seul. »

— Vous avez enseigné les petites classes ?

— Oui. Quand j'étais à l'école de mademoiselle Jobin, les jeunes garçons gauchers me demandaient : « Madame, montrez-nous à écrire avec la main droite. » Ça les traumatisait de ne pas être capables d'écrire avec la bonne main.

— Comment cela s'est-il passé pour vous ?

— Je ne me souviens pas vraiment d'avoir appris à écrire, puisque ça s'est bien passé. Je n'ai pas été traumatisée. Je n'ai jamais eu de difficulté. J'étais bien contente d'écrire de la main droite, car, vous savez, la main gauche, c'est la main sinistre. C'est un peu le diable : ce qu'il y a de mauvais et sujet à surveillance. Je n'ai jamais eu le sentiment d'être différente parce que j'étais gauchère. La gaucherie, ça n'existe pas. Pourtant, j'étais habile de la main gauche : je cousais et je battais ma pâte à gâteaux avec cette main. D'ailleurs, vous pouvez regarder : mon pouce gauche est plus gros que celui de la main droite. Même chose pour le pied gauche. Quand j'achète des souliers, il faut que je fasse attention. Ma vie a coulé à gauche.

— Croyez-vous qu'il existe des talents propres aux gauchers ?

— C'est drôle que vous me demandiez ça, car on entendait autrefois : « Il n'y a jamais de grands talents chez les gauchers. » Pourtant, j'ai bien gagné ma vie, j'ai mis des enfants au monde, des enfants intelligents, tout à fait normaux, qui ont même fait des études classiques, les trois avec du grec et du latin. Je ne sais pas ce que la science en dit, mais je sais que 10 % de l'humanité est gauchère.

— Vous croyez que les gauchers ont des habiletés particulières ?

— Vous voulez savoir pourquoi le gaucher serait talentueux ? Eh bien ! Il devient forcément ambidextre. La vie lui impose beaucoup de difficultés, et il doit s'adapter. J'ai utilisé la main gauche pour faire de la couture : je me faisais des robes, des manteaux. Les outils pour gauchers sont difficiles à trouver. Je me souviens que je voulais une spatule pour tourner les œufs. Ça a été compliqué : je l'ai trouvée aux États-Unis. Et puis j'ai réussi à trouver un couteau pour couper les pamplemousses. Regardez, je l'ai ici.

Charlotte parcourt à tâtons le panier à fruits sur la table.

— J'espère que la femme de ménage n'est pas partie avec. Tiens, le voici ! Regardez : il y a des dents des deux côtés, de sorte que les gauchers peuvent l'utiliser pour couper les pamplemousses. Quand j'ai cassé maison, c'est la première chose que j'ai apportée ici.

— Avez-vous déjà eu le sentiment qu'on vous mettait à part ?

— Je n'ai jamais vécu de discrimination parce que j'étais gauchère. Non, jamais.

— Parlez-moi de votre métier d'enseignante : le fait d'être gauchère a-t-il facilité les choses ?

— Mon métier ne requiert rien de spécial parce que je suis gauchère, mais attendez : j'ai enseigné le français au secondaire pendant vingt ans et j'ai développé une méthode d'enseignement. J'aimerais bien vous en parler, si vous permettez.

— Allez-y !

— Au début de mon veuvage, à 42 ans, il fallait faire étudier les deux garçons, et ma fille pensait abandonner ses études. Elle est arrivée un jour et m'a demandé si je pouvais aller enseigner le français dans son collège. Les religieuses m'ont dit que la personne qui devait enseigner le français et l'histoire naturelle était tombée malade. Elles m'offraient de la remplacer pendant six mois. J'ai beaucoup réfléchi et, maintenant, quand j'y repense, je me dis que c'était un « mensonge de sœur ».

— Qu'est-ce qu'un « mensonge de sœur » ?

— On connaît ça ! Elles devaient me garder six mois et je suis restée vingt ans. Toujours est-il que j'ai appelé une ancienne collègue à moi, qui avait étudié dans mon village et qui était maintenant supérieure générale d'une communauté. Je l'ai jointe au téléphone et je lui ai demandé : « Penses-tu que je peux accepter ? Penses-tu que je ferais l'affaire ? » Elle a répondu : « Tout à fait, vas-y, il faut absolument que tu essaies. » J'avais suivi les cours du grammairien Galichet. Par la suite, j'ai inventé une méthode qui a merveilleusement fonctionné.

— Parlez-m'en un peu.

— En français, il y a deux pôles : le verbe et le nom. Le verbe, c'est le moteur de la phrase. J'ai encore toutes les feuilles. J'avais fait un plan et je centrais mon enseignement sur l'indicatif et le subjonctif. Le pivot de la langue française, c'est la concordance des temps, parfaitement.

— C'est Pivot d'*Apostrophes* qui aimerait vous entendre !

— Je suis encore la dictée de Pivot et celle des Amériques. J'écoute la radio et je passe mon temps à corriger les gens. Ma grand-mère qui était analphabète parlait bien. Par exemple, elle disait : « J'aurais voulu qu'il vînt me rencontrer. » On n'emploie plus correctement le subjonctif. On l'a oublié, c'est bien dommage.

— Vous avez raison.

— Un autre aspect de ma méthode : il faut exprimer des sensations avant les sentiments. Donc, j'insistais pour que les élèves utilisent le vocabulaire de chacun des sens. Elles devaient écrire un paragraphe sans jamais utiliser le mot avoir ou être. J'utilisais beaucoup les *Fables* de La Fontaine. C'était très approprié à leur âge, il y avait beaucoup d'observations, beaucoup de vocabulaire, c'était formidable.

— Et la personnalité du gaucher ?

— Bof ! Je ne sais pas. Je crois que le fait d'être gaucher oblige à faire plus d'efforts.

— Quelqu'un a-t-il déjà refusé votre gaucherie ?

— Je vous dirai : oui, mon mari. Pauvre homme ! Quand il me voyait servir la soupe, il pensait que j'allais tout renverser. Je lui ai dit : « Tu vas t'habituer, sans ça, tu n'auras pas de soupe. » Ma mère non plus n'était pas très confiante : elle avait l'impression que j'allais tout renverser, tout briser, tout défaire. Pourtant, ma grand-mère maternelle, sa propre mère, était gauchère.

— Que pense des gauchers la société dominante faite de droitiers ?

— Je n'en ai aucune idée ! Je ne me suis jamais posé la question.

— Vous avez fait de la musique ?

– Ah oui! J'ai appris le piano. J'en jouais bien. Ma mère nous a enseigné. Elle était une bonne musicienne. Je chantais également. Nous chantions à la maison, et mon frère jouait de la clarinette.

– Les sports?

– Je patinais, mais j'étais asthmatique, ce qui restreignait un peu mes activités.

– Avec le recul, que pensez-vous des gauchers à l'école?

– Je crois qu'il ne faut pas attacher d'importance aux gauchers. C'est un avantage pour un gaucher d'écrire avec la main droite. Regardez mon fils: il remercie le bon Dieu d'avoir eu le courage de se corriger. Je crois que ça vaut le coup. D'ailleurs, je me souviens d'un psychologue qui avait autrefois une émission à la radio. Il s'appelait Théo Chentrier. Les après-midi à quatorze heures, cinq jours par semaine, il donnait des conseils. Un jour, il avait parlé des gauchers. Il avait dit: «Corriger un gaucher, c'est l'obliger à faire un effort, et cet effort n'est pas plus difficile et coûteux, et n'est pas plus traumatisant qu'un autre effort.» Donc, il était d'avis qu'on devait encourager le gaucher à faire un effort et à utiliser la main droite, par exemple, pour écrire. Il avait bien raison. Les dimanches après-midi, on n'allait pas aux vêpres et on écoutait l'émission de Jean-Marie Laurence, *Les fureurs d'un puriste*, qu'on appelait parfois en blague *Les pureurs d'un furiste*...

– Des conseils aux parents d'enfants gauchers?

– Ah bien! Je n'en ai jamais donné!

– Que pensez-vous des statistiques qui disent que les gauchers meurent plus jeunes et sont plus souvent victimes d'accidents?

– Mourir plus jeune? Il va falloir me le prouver! J'ai 86 ans et je suis encore bien en vie. Plus d'accidents? Possible, je ne sais pas. Vous savez, on protège toujours sa droite quand on conduit.

– Dans la vie quotidienne, quand avez-vous le plus souvent le sentiment d'être gauchère?

– Ici, je dirais que c'est au bar à salade qu'il y a un peu de jeu de coudes. J'y vais après les autres et je suis une autre gauchère. Un: j'ai une canne et je suis encombrante; deux: j'ai peur de tomber; et trois: j'aime pas ça, jouer des coudes. D'ailleurs, je suis à peu près aveugle depuis six ans.

– Seriez-vous encore gauchère si vous aviez le choix?

– Je ne sais pas. Je choisirais sans doute d'être droitière, parce que c'est peut-être plus facile.

Notre rencontre est terminée. Je demande à madame Charlotte de me montrer ce dictionnaire miniature qu'elle avait reçu à la distribution des prix, à sept ans. Elle tâte la bibliothèque et le trouve. Surprise ! Je n'en ai jamais vu de si petit. Sept cent trente-quatre pages, 1 centimètre d'épaisseur sur 5 centimètres de haut et 2,5 centimètres de large. Il est écrit dessus : *Le tout-petit dictionnaire de mots usuels français*, Paris, Librairie Garnier Frères, 6, rue des Faux-Pères.

— Regardez, il est en cuir de Russie !

À l'intérieur, je lis : « Avis. On a voulu mettre ici à la disposition de tous, l'édition d'un volume aussi réduit que possible, contenant les principaux mots usuels français (environ treize mille) avec leur définition très brève mais précise et claire. »

Puis Charlotte me montre la petite lettre écrite par une élève venue la visiter à Noël 2003, et qui est signée « Avec toute ma gratitude et ma tendresse ». Elle ajoute :

— Je me suis dit : c'est pour contrer les erreurs à la radio : j'en pleure.

Avant de prendre congé, je demande à Charlotte de me réciter par cœur une fable de La Fontaine. Elle choisit : *Le Villageois et le Serpent*.

Un moment de grâce. Avec une diction châtiée et beaucoup d'expression dans la voix, Charlotte déclame cette fable que je ne connais pas, qui se termine ainsi :

Quant aux ingrats, il n'en est point
Qui ne meure enfin misérable.

Puis elle me demande :

— Comment écrivez-vous « meure » ?

J'ai déjà le manteau sur le dos. Charlotte insiste pour me montrer comment elle utilise son outil de lecture.

— Vous savez, ils appellent ça une « télévisionneuse ». Quel horrible mot ! Pourquoi ne pas dire « loupe électronique » ? C'est bien plus joli !

Claude Godin

57 ans, orthopédiste, Hôtel-Dieu de Montréal

« J'ai eu un patron qui avait un véritable blocage : il refusait que je sois gaucher. Il m'a même
déjà dit : "Toi, tu n'es pas fait pour être chirurgien !"
Je n'ai pas accepté. »

Rejoint au téléphone à l'hôpital pour fixer le rendez-vous, le docteur Godin m'explique d'emblée qu'il a choisi l'orthopédie parce qu'il
est gaucher. J'ai donc très hâte de l'entendre. Il fait d'ailleurs remarquer
au téléphone qu'il aimerait que son épouse assiste à notre entretien puisqu'elle est également gauchère. Deux gauchers ensemble : tiens ! Ce n'est
pas si rare.

Ma rencontre avec le docteur Godin et son épouse Louise s'est
tenue chez eux le lendemain de la diffusion d'un reportage sur *Les gauchers à l'ère de l'homme des cavernes*, à l'émission *Les années-lumière* à la première chaîne de Radio-Canada. Louise résume ainsi une partie de
l'émission :

— À cette époque, 20 % des gens étaient gauchers. Lorsqu'il y avait
beaucoup de guerres, jusqu'à 40 % des guerriers étaient gauchers : ils
étaient plus habiles à se défendre, donc ils mouraient moins.

La discussion s'engage sur la proportion des gauchers parmi les
champions de tennis ; ils seraient environ 40 %. Même chose pour les
lanceurs au base-ball.

— Vous avez choisi l'orthopédie parce que vous étiez gaucher ?

— C'est « la » spécialité médicale où je n'étais pas pénalisé. On peut
ainsi s'ajuster quelle que soit la main dominante. Pour les autres spécia-
lisations en chirurgie, c'était difficile. C'est clair : en chirurgie générale,

mes patrons n'acceptaient pas que je travaille avec la main gauche. Et pour l'intervention la plus fréquente, la cholécystectomie, ils tenaient à ce que je me place du côté droit du patient, ce que je refusais de faire. J'ai eu un patron qui avait un véritable blocage : il refusait que je sois gaucher. Il m'a même déjà dit : « Toi, tu n'es pas fait pour être chirurgien ! » Je n'ai pas accepté. De plus, son attitude me confinait à faire l'éternelle partie du résident, ce qui limitait mon action. Quand je suis arrivé en orthopédie, le tableau était très différent par rapport à la chirurgie générale : comme le corps est symétrique – une main gauche, une main droite, un pied gauche, un pied droit –, il s'agit tout simplement de prendre la position où l'on est le plus à l'aise. Et là, tout de suite, je me suis senti bien. Je venais de trouver la spécialité qui me convenait.

– Je perçois l'orthopédie comme une spécialité technique où il faut être particulièrement habile à réparer.

– Vos propos illustrent bien le plus grand préjugé par rapport à l'orthopédie.

– Vous m'en voyez franchement désolée.

J'apprécie la franchise de mon interlocuteur.

– Si l'orthopédie comporte une part purement technique, la phase importante est davantage la réflexion ou les choix thérapeutiques. Je trouve votre évaluation très restreinte.

– Je suis heureuse que vous m'en fassiez part. Je suis tout oreilles. Poursuivez.

– En fait, en orthopédie, quand il y a une intervention à faire, la plupart du temps, plusieurs scénarios sont possibles : sept ou huit environ. Il faut choisir la meilleure option. C'est un domaine ou une spécialité où l'on fait beaucoup de reconstruction. D'ailleurs, avec vingt-cinq ans de recul, je me rends compte que ma spécialité a beaucoup évolué en raison de l'implication des ingénieurs. Nous sommes habitués de travailler avec des plans dans des situations très concrètes, à solutionner des problèmes en peu de temps.

– Croyez-vous au caractère, à la personnalité des gauchers ?

– Ceux que j'ai connus dans mon domaine, dans ma spécialité, avaient du caractère. Ils étaient directs, avaient le courage de leurs convictions, voulaient changer les choses. Ce n'était pas des « suiveux ». Moi-même, au collège, j'étais déjà contestataire. Notre groupe a fait dérailler les traditions au collège classique. Nous avons fait une campagne contre le bal, la bague et la photo des « finissants ».

– Vous étiez un précurseur...

– Il ne faut pas forcer les gens. On ne fait pas les choses sans raison. Si une chose est faite d'une manière, c'est qu'il y a une raison et il faut qu'elle soit bonne. Mes premiers patrons en chirurgie n'aimaient pas que je sois gaucher. Par contre, l'un d'eux m'a fait confiance et m'a dit : « Ça va venir, ne t'inquiète pas, tu vas être capable de fonctionner. » Il m'a rassuré : « Tu seras très habile : trop d'orthopédistes sont habiles mais n'ont pas de jugement. » C'est ce que j'aime dans cette spécialité : tout l'aspect analyse et choix des solutions. Et ça se passe à l'intérieur de la tête avant même de travailler avec ses mains.

J'aime bien entendre ces propos d'un homme intelligent qui se pose des questions.

– Comment cela s'est-il passé à l'école ?

– À l'école, aucun problème. Je suis né en 1947. Ma mère gauchère avait été forcée d'écrire de la main droite : elle a donc vu à ce qu'on me laisse écrire de la main gauche. Elle est maintenant âgée de 86 ans. Elle avait la conviction qu'il ne fallait pas qu'on me corrige, sinon je risquais de bégayer.

– Elle était bien informée et avait de bonnes intuitions. Pourquoi êtes-vous gaucher ?

– Pourquoi je suis gaucher ? C'est naturel, c'est arrivé comme ça. Ma mère était gauchère. Mon épouse Louise est gauchère, et mes trois enfants sont droitiers, ce qui est ma grande déception.

– Pourquoi donc ?

– J'estime que les gauchers sont privilégiés, car ils sont plus capables de s'adapter à des situations diverses. Les gauchers vivent dans un monde de droitiers : ils inventent des mécanismes d'adaptation, deviennent plus habiles, plus polyvalents, plus débrouillards.

– L'apprentissage de l'écriture ?

– Je n'ai eu aucun problème à apprendre à écrire. D'ailleurs, dans ma classe, les trois premiers étaient des gauchers. Nous avons eu la même institutrice pendant quatre ans. Elle montait d'une année à l'autre avec nous et les trois, chacun son tour, avions le premier rang. C'était important à l'époque, les rangs. Et cette institutrice nous a laissé utiliser le stylo-bille : elle ne nous a pas obligés à travailler avec la plume et l'encre qui séchait mal et salissait les copies...

– Vous sentiez-vous différents parce que gauchers ?

– Oui, je crois que les gauchers sont différents. Je me souviens qu'on nous a fait passer des tests d'intelligence et on a été bien près de nous faire croire qu'être gaucher était une marque de supériorité. Je me souviens que le conseiller d'orientation nous avait dit : « Vous autres, vous allez vous rendre à l'université... »

— Ah bon ! Il avait confiance en vous.

— Par ailleurs, oui, j'étais différent parce que j'ai toujours été contestataire, et ce, dès l'élémentaire. Quand on me disait : « Dépêchez-vous », je prenais mon temps. Je n'ai jamais aimé obéir à des règles de façon aveugle. Je n'ai pas du tout l'instinct grégaire. Au secondaire, j'ai eu la chance d'évoluer dans un milieu privilégié, puisque, dans quatre écoles, on a introduit le programme de cours classique, de sorte que les parents n'étaient pas obligés de payer. Moi qui venais du quartier Saint-Henri, un quartier ouvrier, j'ai pu faire mon cours classique tout en étant dans le système public. C'était aussi très enrichi sur le plan artistique : théâtre, musique. Un professeur nous avait demandé de choisir une pièce de musique à faire écouter à la classe. J'avais choisi la *Sonate à Kreutzer* de Beethoven. Je ne suis pas certain que le professeur ait vraiment aimé mon choix.

— Vous avez déjà étudié la musique ?

— J'en ai fait un peu. Mes parents m'ont forcé à apprendre le piano. Mais je n'ai pas poursuivi longtemps, car le cours de piano se donnait juste dans une école de filles.

— Je comprends. Vous utilisez des instruments de gaucher ?

— En médecine, rien n'est fait pour les gauchers. C'est pour cette raison que je suis capable de couper avec des ciseaux de droitier avec la main gauche. Je suis même incapable de les utiliser avec la main droite : je fais tout simplement le mouvement inverse. Je pense que les gauchers ont plus de facilité à s'adapter à toute situation. À la maison, j'ai un objet rare : un cadeau de ma belle-mère qui était d'ailleurs très fière d'avoir trouvé une tasse de gaucher, avec protecteur pour ne pas mouiller la moustache.

Et l'on va me chercher cet objet unique dans la cuisine de la maison. C'est une tasse avec l'anse à gauche et, à l'intérieur, sur la partie supérieure près des lèvres, un réceptacle protège la moustache de celui qui boit. Assez ingénieux. *Made in England.*

— Que dit la science au sujet des gauchers ?

— Pendant mon cours de médecine, les neurologues nous ont expliqué la dominance des hémisphères chez les gauchers et les droitiers. Par exemple, un droitier qui fait un accident vasculaire cérébral gauche a moins de chance qu'un gaucher qui, lui, récupère mieux de l'aphasie.

C'était donc rassurant d'être gaucher à cause des séquelles : le gaucher voit son hémisphère droit plus sollicité.

— Votre métier comporte-t-il des habiletés ou talents que vous détenez parce que vous êtes gaucher ?

— Effectivement, dans mon métier d'orthopédiste, on se sent très à l'aise lorsqu'on est gaucher. D'ailleurs, à notre hôpital, sur quatre orthopédistes, trois sont gauchers.

— Étonnant : ça fait une proportion de 75 pour cent.

— Par contre, si je dois former des résidents – que nous recevons pendant trois à six mois – je me rends compte que les premiers contacts avec les gauchers me dérangent. Je comprends maintenant ceux qui m'abordaient différemment parce que j'étais gaucher et qui me disaient : « Tu me fais peur. » Effectivement, je suis porté à surveiller les gauchers qui m'apparaissent souvent gauches. Par contre, je pense qu'ils sont souvent plus habiles de leurs mains et très talentueux pour construire. Vous savez, en orthopédie, on reconstruit des formes. On refait en réalité l'anatomie. C'est plaisant, c'est gratifiant.

— Et le sport ?

— Je ne suis pas allé vers les sports de groupe. J'ai pratiqué plusieurs sports comme le tennis – où j'étais gaucher –, le ski, la natation.

— Le golf ?

— Les orthopédistes ne sont pas des golfeurs. Peu sont divorcés. Le golf, c'est un sport anti-famille. D'ailleurs, les orthopédistes n'ont pas le temps !

— Vous avez déjà œuvré avec les athlètes ou les sportifs ?

— Je dois confesser que je n'ai aucun intérêt pour la médecine sportive. Je déteste. C'est du gaspillage d'énergie. Si j'entends quelqu'un me raconter : « Docteur, quand je cours, après dix kilomètres, j'ai une douleur ici », j'ai envie de lui répondre : « Eh bien ! Arrêtez au neuvième kilomètre ! » Je trouve que c'est une médecine d'enfants gâtés. Mais je suis un peu marginal. Je n'aime pas cet aspect *glamour*. Certains se font un honneur de travailler avec du monde jeune et pensent qu'ils sont meilleurs que les autres. Par contre, redonner la fonction de la marche ou conserver la locomotion d'une personne âgée, je trouve ça bien plus valable.

— Des conseils pour l'école ?

— Il faut laisser les enfants exprimer leur nature.

– Que pensez-vous des statistiques qui disent que les gauchers meurent plus jeunes et ont plus d'accidents?

– Je suis étonné. Je n'ai jamais pensé à ça. Par contre, la scie à chaîne de gaucher existe-t-elle? Je ne sais pas.

– Dans la vie quotidienne, quand avez-vous l'impression d'être gaucher?

– À table. C'est vraiment lors des banquets que ça cause un problème.

– Si vous aviez le choix?

– Oui, je serais de nouveau gaucher. J'ai la conviction que les gauchers sont avantagés et qu'ils sont obligés d'être meilleurs que les droitiers.

– Vous connaissez d'autres gauchers remarquables?

– Bien sûr. Mes confrères, que je trouve très habiles et débrouillards. Vous dites que Victor-Lévy Beaulieu est gaucher? Je suis content de l'apprendre. Je trouve que ses personnages ont une grande profondeur et une individualité remarquable. Ils ne sont pas fades.

Claude Léveillé

35 ans, musicien et chef de chœur

————◈————

« Non ! Je refuse. Je suis gaucher et dirigerai de la main gauche ! »

————◈————

Claude a été mon chef de chœur[1] pendant trois ans. Il a d'ailleurs participé à une dictée pour gauchers lorsque je travaillais au *Cerveau dans tous ses états*[2]. Il arrive chez moi de bon matin, et je lui offre un café. Il accepte en exigeant une tasse pour gaucher. Est-ce une blague ? Bien non !

– La plupart du temps, les tasses à motifs ne sont imprimées que d'un côté. Si le gaucher boit avec la main gauche, il ne voit pas le dessin ou son nom.

Il a parfaitement raison ! Effectivement, la tasse que je lui présente a été achetée en Minganie : sur le côté est dessiné un macareux. C'est moi qui verrai l'oiseau tout au long de l'entretien.

Claude est donc musicien, chef de chœur et fils d'une mère gauchère. Au début des petites classes, elle a exigé que l'enseignante de première année laisse Claude utiliser la main gauche pour tenir le crayon. Il était déjà gaucher et n'avait jamais eu de problème pour apprendre à écrire. Ni inversé les lettres, car, expliquait-il, il s'agissait de dessiner les lettres au tableau. Donc pas question de les dessiner à l'envers. Par contre, elles étaient bien grandes et dépassaient souvent le transparent.

– J'ai longtemps eu et conserve encore de la difficulté à écrire sur une ligne, ou encore à maintenir la ligne horizontale sur une feuille non lignée.

---

1. Voir www.polyphonia.qc.ca.
2. Suzanne Déry, *Le cerveau dans tous ses états*, Stanké, 2003 : 250.

– Des problèmes de barbouillage ?

– Non, je n'ai pas connu le problème de barbouillage du côté extérieur de la main ou de « salissage » de cahier. Très tôt, j'ai appris à ne pas inverser la main, mais bien à écrire en poussant le crayon vers la droite et non en le traînant : je tiens mon crayon comme un droitier.

Claude n'a jamais eu le sentiment d'être différent parce qu'il était gaucher et ne s'est jamais demandé pourquoi il l'était.

– Les pistes nouvelles en recherche, surtout celles qui soutiennent la thèse d'une question d'hormones *in utero*, m'intéressent particulièrement.

– Et les outils ou instruments pour gauchers ?

– J'essaie de combattre l'adversité en achetant des instruments qui sont neutres, c'est-à-dire non faits pour les droitiers : par exemple des ciseaux droits. J'utilise le tire-bouchon avec la main droite pour ne pas avoir à le tourner à l'envers. Ma main gauche est la plus forte, donc, c'est elle qui tient le pot de confiture, et la droite qui dévisse. Mais attention, si quelqu'un me demande de visser ou de dévisser, je deviens confus : je ne sais plus alors s'il faut tourner en sens horaire ou anti-horaire !

– Plusieurs gauchers m'ont parlé d'une difficulté : ils ne peuvent identifier ou nommer correctement la droite ou la gauche.

– Les gauchers sont habiles des deux mains ou ambidextres par obligation, ce qui leur donne un avantage incomparable sur les droitiers qui sont très souvent gauches et malhabiles de l'autre main. Ils sont évidemment avantagés dans des sports, comme les sports de raquette ou au base-ball. J'utilise les deux mains dans plusieurs activités, dont la dentelle au fuseau, ce qui demande une action symétrique.

– La dentelle au fuseau ? Peu commun !

– J'ai eu la piqûre de la dentelle lors d'un voyage en Belgique, une tournée de petits chanteurs à l'âge de 13 ans. Que les fenêtres étaient joliment décorées ! De retour dans mon village, une exposante dentellière de l'AFÉAS[1] m'a séduit avec son travail. Cette artisane m'a appris cet art. Tout un monde que la dentelle ! La broderie Richelieu, norvégienne, etc.

– Les gauchers ont-il des habiletés particulières ou des talents qui leur sont spécifiques ?

– Pour la musique, peut-être.

---

1. Association féminine d'éducation et d'action sociale.

Claude vient d'une famille où la musique était présente. Le père, pilote de bateau sur le Saint-Laurent, était mélomane. Sa sœur et lui ont appris le piano. Puis vint le chant choral.

— Question d'esprit de communauté, de groupes, de grande famille.

Claude appartiendra pendant quatorze ans à une chorale de petits chanteurs, sorte d'école spécialisée en musique qui existe déjà depuis près de cinquante ans à Trois-Rivières. Plusieurs heures par jour, Claude assistait à des cours d'histoire de la musique, de théorie musicale, d'harmonie, de solfège, de chant. Il avait une belle voix et il a appris à lire la musique à vue. Chaque dimanche, le chœur d'enfants chantait une messe différente et, la plupart du temps, ils avaient peu de temps pour apprendre les pièces. Ils déchiffraient donc les partitions, observaient les phrasés musicaux, lisaient les indications de nuances écrites par le compositeur et suivaient le chef, bien sûr.

— À la fin de l'adolescence, j'ai pensé faire une carrière en musique à titre de soliste. Après deux ans au Conservatoire du Québec en chant, je suis allé en stage à Tours, puis à Nantes. Ma professeure avait foi en moi et me promettait une carrière intéressante. Elle me disait très bon musicien, et trouvait que ma lecture pour un chanteur à vue était excellente. Elle songeait me faire suivre, au Conservatoire de Paris, un stage en opérette puis en musique baroque dans la classe de William Christie. J'ai décroché ! Je me voyais chanter de grands rôles à l'opéra et à l'opérette, et ça ressemblait plutôt à un purgatoire.

— Pourquoi donc ?

— Il faut préciser qu'il y a quinze ans, les voix de contre-ténor et de haute-contre — par exemple, James Bowman, Daniel Taylor et compagnie — n'avaient pas encore la faveur du public. Alors j'ai décroché ! Je suis revenu au pays, j'ai étudié en sciences politiques, puis on est venu me chercher. J'ai donc fait un stage en politique... qui a duré huit ans !

Claude a été conseiller auprès du premier ministre du Québec, du ministre de la Santé et des Services sociaux ainsi qu'auprès de la ministre de la Culture et des Communications.

— Tout ce temps, j'ai remarqué, parmi les chefs de cabinet et les attachés politiques, ceux qui étaient gauchers.

— Et alors, qu'avaient-ils en commun ?

— Difficile à dire. Certains gauchers ont peut-être un trait de caractère qui leur est propre : un côté histrionique ou narcissique, comme disent les psys. Ils aiment se faire remarquer.

Après un stage dans le monde politique, Claude est revenu à la musique.

— La musique, c'est mon fil conducteur. Je m'y suis replongé avec grand bonheur. Je me suis impliqué dans un regroupement de petits chanteurs à Québec. J'ai suivi les stages de l'Alliance des chorales. Une directrice m'a beaucoup encouragé puis poussé à diriger moi-même, ce qui ne va pas de soi. Se retrouver en avant tout d'un coup et diriger, c'est une grande aventure, et ça prend une certaine audace.

— Effectivement, ça doit donner un choc !

— Mais le *feedback* était là. J'entendais : « Claude, on aime ça, chanter avec toi ! » Et puis avoir un chœur qui réagit, entendre les résultats, c'est comme... conduire une Formule 1 !

Depuis bientôt trois ans, Claude a maintenant son propre chœur.

Petite anecdote où le fait d'être gaucher a été mal accepté.

— J'ai assisté il y a deux ans à un colloque de chorales où se tenait une « classe de maître » avec une chef de chœur européenne. Les sujets étaient invités à se produire devant elle, et celle-ci critiquait leur jeu. Après une discussion, le maître de musique invite un des observateurs à sauter dans l'arène, et ma directrice me lance : « Vas-y ! » J'ai accepté. Tout s'est bien passé. Une seule remarque laconique du maître : « Il est une convention, un chef d'orchestre doit diriger de la main droite ! » Fin du premier acte.

— La suite ?

— Deux années ont passé. Je m'inscris de nouveau à un colloque, mais, cette fois, à la « classe de maître » en tant que participant avec quatre autres candidats. Nous serons choisis parmi une vingtaine qui se produiront devant le même maître européen.

— Un beau défi !

— Je m'installe donc au pupitre. Le chœur répond bien. Je suis content, car cela semble se dérouler mieux qu'avec d'autres stagiaires qui avaient pourtant une meilleure gestique que moi. Et le sentiment est présent dans cet extrait du *Requiem* de Mozart. Mais voilà que la chef revient à la charge, le visage fermé et le ton autoritaire.

— Monsieur, il va falloir que vous appreniez le métier de chef : vous savez, vous ne pouvez diriger de la main gauche !

— Non ! Je refuse ! Je suis gaucher et je vais diriger de la main gauche.

Surprise et étonnement du maître de musique, à ce que raconte mon interlocuteur, encore sous le coup de l'indignation. Puis elle poursuit son intervention :

– Sachez, monsieur, que les musiciens de l'orchestre n'accepteront pas que vous dirigiez de la main gauche. Il est une tradition de gestique main gauche et main droite que vous devez respecter et à laquelle vous ne pouvez déroger sans quoi les musiciens seront confondus.

– Désolé ! Quand je dirige l'orchestre qui accompagne le chœur, les musiciens acceptent ma façon de procéder. Par ailleurs, j'ai un chœur depuis deux ans qui chante *a cappella* ! Le cas échéant, l'orchestre s'adaptera.

Le gaucher s'est affirmé !

– Il y aura des conséquences fâcheuses ?

– Et comment ! Le maître invité ignorera ma présence pour le restant du stage.

Il poursuit sur la même lancée.

– Je suis incapable de diriger de la main droite : l'émotion ne passe pas. Et puis même si je fais la battue différemment, les musiciens suivent très bien. Ils ne s'en aperçoivent pas la plupart du temps. Je bats de la main gauche et je fais l'expression de la main droite, et tout va bien. Il existe aussi d'autres techniques d'enseignement ou moyens pédagogiques de direction d'orchestre : avec les sourcils, etc. C'est finalement une question de communication avec les musiciens ou les solistes.

– Il existe d'autres chefs gauchers ?

– J'ai vérifié : en Amérique du Nord, quelques grands chefs d'orchestre sont gauchers. Certains chefs de chœur, dont Jean-François Sénart[1], se sont penchés sur la question.

– Intéressant !

– Pour le gaucher réel, le vrai gaucher, Sénart – qui a dirigé au Québec – suggère d'inverser les effectifs du chœur afin de permettre au chef gaucher de conserver son habileté gestuelle. Pour ma part, j'ai tenté l'expérience récemment, en demandant aux basses de se placer à ma gauche et aux voix aiguës (soprani et alti) à ma droite. Le résultat ne fut pas très convaincant. Les choristes n'ont pas beaucoup apprécié, et la fusion des voix ne s'est pas produite. Un malaise s'est installé, de sorte

---

1. Jean-François Sénart, *Le geste musicien*, Éditions à cœur joie, 1995 : 32.

que nous avons repris la position habituelle. Rapidement, l'équilibre et l'harmonie sont revenus.

— Et les instrumentistes gauchers, alors ?

— Quelques musiciens populaires sont gauchers : Sting a fait inverser les cordes de sa guitare, Elton John chante et joue du piano. J'ai appris la flûte traversière vers six ans : je jouais alors comme un droitier. Je n'ai jamais eu de problème avec l'interdépendance des mains. J'ai la force de la main gauche, mais aussi, avec l'usage, une grande dextérité de la main droite.

— Les gauchers vivent-ils de la discrimination ?

— Oui, parfois, un certain mépris de la part des droitiers. Les gauchers essuient des remarques ironiques... comme si le fait d'être gaucher signifie qu'on est gauche.

— Devrait-on apporter certaines modifications à l'école ?

— Oui. Les satanés bureaux ! La barre de métal et la tablette pour écrire dans les locaux à l'université étaient quasiment tout le temps du mauvais bord. Donc, il est tout bonnement impossible de prendre des notes. Dans une salle de 300 places, il y avait seulement 10 sièges avec tablette à gauche, alors qu'il aurait dû y en avoir 30, puisque 10 % des gens sont gauchers, non ? À l'école, il faut laisser les enfants être gauchers.

— Et la conduite automobile ?

— Aucun problème pour changer de vitesse avec la main droite. D'ailleurs, je me sens solide en tenant le volant avec la main gauche. Par contre, en Angleterre, je n'ai pas voulu prendre le volant parce que je trouvais l'entreprise trop risquée !

— Dans la vie quotidienne ?

— Incontestablement, c'est à table que j'ai le plus souvent l'impression d'être à part des autres. Pourtant, quand je vais chez ma mère, c'est le contraire : nous sommes cinq gauchers contre un droitier. La personne qui partage ma vie est gauchère, ma mère, le copain de ma mère, celui de ma sœur et moi sommes tous gauchers. Seule ma sœur est droitière, donc en minorité ! Puis quand vient le temps de manger, les couverts sont déjà bien placés, la fourchette est à gauche et le couteau à droite.

— Et la souris de l'ordinateur ?

— J'ai réussi à transférer la souris à gauche. Ce n'est pas difficile. Plusieurs gauchers ignorent que cela est possible. J'ai également trouvé comment inverser les boutons, et le bouton de gauche – qui correspond à celui sous l'index – est bien sûr inversé au miroir. Quand je lis « bouton de gauche », je traduis « bouton de l'index ». Et voilà !

Vivre en gaucher, c'est, sans doute, vivre en face d'un miroir.

Daniel Laskarin

50 ans, ex-mécanicien et ex-pilote d'hélicoptère, sculpteur, directeur du Département des arts visuels à l'Université de Victoria

---◇---

« À l'école secondaire, j'ai étudié le latin et ça m'a fait bien plaisir d'apprendre qu'en latin le mot gauche, c'est le mot sinister, sinistra, *"sinistre", en somme. L'adolescent que j'étais, le rebelle, était très content de cette partie sinistre de sa personnalité, et le mot même affirmait mon caractère rebelle. »*

---◇---

J'ai rencontré Daniel, un gaucher, et Jessica, son épouse, un jour de l'An à Victoria, chez des amis qui pendaient la crémaillère.

– Mon souvenir le plus ancien ? Je ne peux pas dire. Sans doute les histoires de mon grand-père maternel – lui-même gaucher – qui nous racontait qu'à l'école, on lui avait donné des coups sur les jointures pour l'obliger à écrire de la main droite. Ça se passait dans le sud de l'Ontario.

– Est-ce qu'on encourageait les arts dans votre famille ?

– Pas du tout, bien au contraire. Mon père travaillait dans une manufacture d'acier et ma mère était maîtresse d'école. Nous habitions une région rurale, près d'un petit village de cinq mille habitants. C'était un milieu ouvrier de l'industrie automobile.

– L'apprentissage de l'écriture, autrefois, à la petite école, ça s'est passé comment ?

– C'était assez horrible quand j'écrivais : ce n'était pas très propre. Je me souviens que, dès l'âge de 10 ans, j'ai cueilli une jonquille et je l'ai dessinée. Mon souvenir est très net : j'ai eu l'impression d'assister à un miracle. La jonquille était là, et mon dessin était la réplique exacte de cette fleur. Quand ils dessinent, les enfants reproduisent leur perception, une représentation du monde tel qu'ils le voient, alors que, ce jour-là, la jonquille et mon dessin étaient identiques. Une révélation ! Je me suis rendu compte que j'étais capable de dessiner et que j'aimais ça.

Mais, chez nous, pas question de pousser un jeune vers les arts. Impossible d'aspirer être un artiste à moins de vouloir crever de faim ! J'ai donc attendu plusieurs années avant de vraiment pouvoir vivre de l'art. Chez moi, on s'attendait surtout à ce que je réussisse bien en classe, car on avait l'impression que j'étais plutôt intelligent. Ma mère m'a poussé. Vu mon talent je devais réussir mieux que les autres. D'ailleurs, j'étais déjà un perfectionniste. Les enfants autour de moi, les compagnons de classe n'avaient absolument aucune attente ou intuition que le fait d'aller à l'école et d'étudier puisse les mener quelque part. Je vous parle de la vie dans le sud de l'Ontario dans les années soixante. C'étaient les années prospères de l'industrie automobile. Les gens travaillaient fort, mais ils avaient de bons revenus et aimaient bien cette existence.

— Pourquoi êtes-vous gaucher ?

— Je ne le sais pas. C'est sans doute un accident de la nature, à la naissance ou durant la grossesse. Une sorte de hasard génétique. Je n'ai jamais fait de recherches ou vraiment fouillé ce que la science a révélé au sujet des gauchers. Maintenant que j'ai cinquante ans, je réfléchis beaucoup à la question. Le fait d'être gaucher a vraiment eu une grande influence sur ma vie, sur mes choix, et cela m'a rendu différent de bien des manières.

— Expliquez-moi un peu votre cheminement.

— J'ai fait mon cours secondaire, puis j'ai étudié un an en littérature, car je voulais devenir un écrivain.

— Un écrivain ?

— Oui, mais j'ai laissé tomber et j'ai appris à piloter les hélicoptères. Pilote, puis mécano. J'ai été apprenti mécanicien, et c'est ainsi que j'ai séjourné quelque temps au Burkina Faso en Afrique. À Wagadougou.

— Et vous avez aimé apprendre à piloter les hélicoptères ?

— Oui, beaucoup, mais, en même temps, je craignais d'avoir plus de difficultés qu'un autre. Les instruments de contrôle dépendent énormément de la main droite : c'est elle qui fait l'opération la plus délicate. J'ai l'impression d'avoir pris beaucoup plus de temps que les autres pour apprendre à voler convenablement. Le contrôle d'un hélicoptère fait appel aux deux pieds et aux deux mains, et la main droite est beaucoup sollicitée. Mais j'y suis arrivé. J'ai obtenu mes ailes de pilote d'hélicoptère. C'était payant et, en plus, mon statut sur le plan social s'est amélioré. J'ai piloté des *charters* en Colombie-Britannique, au Yukon, en Alberta pour des recherches géologiques, du travail en foresterie et, bien sûr, pour lutter contre les feux de forêt.

— Les feux de forêt ?

— Oui, c'était le plus dangereux et c'est ce que je préférais ! J'aimais le sentiment de peur et, en même temps, je me rendais compte que le fait d'être gaucher m'obligeait à travailler encore plus fort qu'un autre.

— Avez-vous une anecdote ou des détails à ce sujet ?

— En fait, j'ai la nette impression que je vois tout simplement la vie différemment et les rapports entre personnes de façon très spatiale. Ainsi, je comprends les mathématiques de façon spatiale, c'est-à-dire en trois dimensions.

— Ah bon ! Comment vous êtes-vous rendu compte de ce phénomène ?

— À force d'enseigner les arts. En fait, je me rends compte que je perçois les relations entre les gens de façon multidimensionnelle. De la même façon, si j'ai un texte à écrire, les idées me viennent de façon multidimensionnelle : c'est pour moi très difficile d'aligner les idées selon un mode ou un format linéaire, ce qui me semble tout à fait inadéquat.

— Ça fait longtemps que vous avez cette impression ?

— Depuis un cours en algèbre multidimensionnelle dans les années 1973, je crois.

— Vous avez été longtemps pilote d'hélicoptère ?

— Je pilotais des hélicoptères l'été pour faire de l'argent. Les hivers, je me suis remis à étudier. J'ai eu une blonde qui n'arrêtait pas de me dire que j'avais des talents artistiques. Elle m'a beaucoup encouragé à étudier les arts. Je suis donc allé à l'Université Simon Fraser étudier *Fine and Performing Arts*.

— Ce qui veut dire ?

— La danse, la musique, le théâtre et tous les arts visuels, mais, évidemment, on ne peut pas vivre ainsi. Puis j'ai étudié à l'École d'architecture pendant un an. J'ai détesté ! C'était trop orienté vers les affaires, le *business*. À ce moment-là, j'ai compris que je voulais enseigner les arts et travailler comme artiste. Et je deviendrais un artiste. J'ai cessé de voler.

— Vous avez cessé complètement ?

— Oui, car je me rendais compte que j'aimais surtout les choses dangereuses, puis, avec l'arrivée d'une famille, je voulais me consacrer à ceux que j'aimais et ne pas être absent de la maison six mois par année. De plus, je ne pouvais concevoir être seulement un pilote d'hélicoptère à 60 ans, un peu comme un chauffeur de taxi de 60 ans! C'est ainsi que j'ai accepté un poste d'enseignement ici, à l'Université de Victoria, et je suis encore dans cette université après plus de quinze ans et des poussières. Depuis sept mois, je dirige le Département des arts visuels.

— Et vous enseignez?

— Oui j'enseigne la sculpture et la théorie de l'art.

— Vous pouvez dessiner les gens, faire des portraits?

— Bah oui! Je crois que dessiner, c'est comme garder la forme physique : il faut s'entraîner! Vous savez, je ne me rappelle jamais du nom des gens mais de leur visage. Je peux faire leur portrait.

— Et votre vie de gaucher?

— Je me souviens qu'à l'école secondaire, j'ai étudié le latin, et ça m'a fait bien plaisir d'apprendre qu'en latin le mot gauche, c'est le mot *sinister, sinistra*, « sinistre », en somme. L'adolescent que j'étais, le rebelle, était très content de cette partie sinistre de sa personnalité, et le mot même affirmait mon caractère rebelle.

— Vous pensez qu'il existe des talents propres aux gauchers?

— Oui! Ils s'adaptent facilement, mais, pour le reste, je ne sais pas. Dernièrement, je me suis remis à la pratique du squash et je me rends compte que, si on est gaucher, on a un net avantage quand on frappe la balle. On surprend l'adversaire.

— Vous utilisez des outils de gaucher?

— Non, mais je me suis déjà acheté une paire de ciseaux. Je trouvais que la *grip* à gauche était plus pratique. En revanche, la lame n'allait pas bien du tout. Effectivement, les outils de droitiers sont mieux conçus, et je les utilise.

— Donc vous pouvez vous servir de votre main droite?

— Oui. Par contre, quand je suis au téléphone, j'utilise la main droite et l'oreille droite, car je veux que ma main gauche soit libre. De même, quand j'allais à l'école, je transportais mes cahiers de classe avec le bras droit aussi pour que ma main gauche soit libre. Peut-être pour gesticuler, je ne sais trop.

— Avez-vous déjà vécu de la discrimination?

— Non, si ce n'est quand j'ai voulu faire partie d'une équipe qui jouait au polo avec des vélos de montagne. Impossible pour moi de jouer : on m'a obligé à prendre le maillet de la main droite et j'ai refusé, car j'étais trop mal à l'aise.

— Votre épouse me racontait que vous aviez produit un livre de recettes. Assez particulier.

— Ah oui ! Je ramassais des recettes et j'avais envie de les rassembler. Vous savez, quand je cuisine, je ne suis pas une recette en lisant : une cuillère à soupe de ci, une tasse de ça. J'y vais plutôt selon les odeurs, le toucher, la texture, le goût. Alors, j'ai réuni mes recettes et je les ai présentées sous forme de diagrammes.

— Ah ! C'est inusité ! Jessica me racontait aussi qu'elle est bien impressionnée par votre façon de cuisiner. Elle est toujours surprise de voir que vous connaissez d'avance l'allure du plat. Si elle prépare une salade, elle sait ce qui sera dedans, mais elle ne sait pas de quoi elle aura l'air, alors que pour vous, c'est différent. Elle donnait l'exemple de la tomate : lorsque vous la coupez, vous savez déjà à quoi elle ressemblera dans l'assiette.

— Oui, c'est ce qu'elle raconte. Et je vous enverrai des illustrations de mon livre de recettes, si ça vous intéresse.

— Bien sur !

— Croyez-vous au caractère ou à la personnalité propre aux gauchers ?

— Selon moi, les gauchers pensent qu'ils ont un caractère particulier : ils aiment croire qu'ils sont un peu spéciaux, mais ça, c'est un peu une valeur occidentale basée sur l'individualité...

— Et, selon vous, que pense la société en général des gauchers ?

— On nous perçoit légèrement inférieurs. Les gauchers sont damnés et un petit peu ratés ou imparfaits, de quelque façon.

— Vous avez déjà joué d'un instrument de musique ?

— J'ai essayé la guitare, mais, bien sûr, les cordes étaient du mauvais côté, et je ne savais pas comment les inverser. Je crois que Jimmy Hendrix l'a fait. J'ai abandonné rapidement. Par contre, j'aime tous les genres de musique : la musique d'avant-garde, la musique contemporaine et même le rock'n roll agressif.

— Et les sports ?

— Je n'ai pratiqué aucun sport d'équipe, plutôt le sport solo.

— Que devrait-on faire à l'école pour les gauchers ?

– Rien du tout. Ils s'adaptent de toute façon. On devrait davantage travailler à rendre l'école plus accessible aux enfants ayant des troubles d'apprentissage, fournir davantage de livres, garnir les bibliothèques.

– Votre conseil aux parents de gauchers ?

– Accepter leurs enfants comme ils sont.

– Que pensez-vous des statistiques selon lesquelles les gauchers ont plus d'accidents et meurent plus jeunes ?

– Oui, j'ai entendu ça ! Je dirais que c'est à cause de toute la machinerie, tous les outils qui ne sont pas conçus pour les gauchers et qui deviennent dangereux.

– Vous sentez-vous différent des autres à chaque jour ?

– Dans la vie quotidienne, au restaurant, j'ai souvent l'impression d'être différent. J'essaie de m'asseoir là où je pourrai manger tranquillement de la main gauche sans déranger les autres.

– Vous enseignez la sculpture et vous avez produit diverses œuvres. Avez-vous connu d'autres gauchers remarquables ?

– Je ne suis jamais surpris de voir qu'il y a de très bons sculpteurs gauchers. Je crois que Michel-Ange était gaucher.

Jessica, son épouse, insistera pour m'expliquer comment Daniel a un très grand sens de l'équité, de la justice. Aussi, quand il fait quelque chose, il connaît d'avance le résultat, le produit fini.

– Il a une coordination main-œil absolument exceptionnelle. Il aurait fait un excellent chirurgien en orthopédie. Il est aussi très habile pour expliquer les choses et, souvent, il dessine au lieu d'expliquer en mots. Il produit des diagrammes. Ainsi, pour expliquer l'électricité à notre fille, il a dessiné. Daniel est très polyvalent : en sculpture, il a touché à différents matériaux et médias. Il s'adapte rapidement et il n'y a rien à son épreuve. Récemment, une sculpture consistait en un ours polaire sous forme de tapis élevé en plate-forme et avec un robot qui se déplaçait. Il ne connaissait rien en art robotique... et il a conçu un robot.

Débrouillard, créateur et inventeur... Un vrai gaucher.

Danielle Martin

35 ans, designer d'intérieur pour la maison, le commerce et le cinéma

─────────◄○►─────────

« Si quelqu'un me dit : "Tourne à gauche" ou "à droite", je suis dangereuse. On rajoute souvent : "Voyons, Danielle, l'autre gauche !", car je ne démêle pas facilement les deux directions. Je lève alors la main pour savoir si c'est la droite ou la gauche. »

─────────◄○►─────────

Je rencontre Danielle Martin au resto Citézen de la rue Saint-Denis à Montréal, dont elle a dessiné les meubles et l'aménagement intérieur. Le zen japonais l'a inspirée pour concevoir le bar en bois de merisier. Juste avant d'aller à son cours de karaté, elle m'explique sa vie de gauchère.

— Le souvenir est flou : c'est vers cinq ou six ans que je me suis rendu compte que j'étais gauchère. Puis, j'ai compris que ma mère l'était aussi. Cependant, elle écrit de la main droite. Je ne me suis jamais demandé pourquoi j'étais gauchère : je me sens comme ça, ça me flatte, je suis distincte des autres.

— Et l'apprentissage de l'écriture ?

— J'ai appris à écrire avec la main gauche, mais, évidemment, après l'écriture, les feuilles étaient assez barbouillées.

— Vous dessinez bien ?

— De tout temps, j'ai colorié et beaucoup dessiné.

— Vous avez fait du sport ?

— J'ai joué au base-ball avec mon frère plus âgé. J'ai même fait partie d'une équipe de balle molle. J'attrapais de la main gauche et lançais avec la même main : j'enlevais le gant et je lançais avec la main

─────────────────────────────

gauche, car c'était bien plus facile. Plus tard, j'ai eu un vrai gant de gaucher pour attraper de la main droite et lancer de la main gauche, mais je ne me suis jamais sentie vraiment à l'aise. Étant donné que j'avais commencé comme un droitier, c'est demeuré ainsi.

— Et la musique ?

— J'ai touché à quelques instruments de musique, comme la guitare : au début, je jouais à l'envers, puis j'ai pris des cours pour apprendre à jouer comme une droitière. Je me suis adaptée au point où je ne me suis jamais sentie mal à l'aise. Je me suis bien amusée. Je chantais. J'ai même écrit de la musique. J'avais de la facilité à transcrire ce que j'entendais à cause de ma bonne oreille. J'étais gênée et je chantais dans mon auto.

— Dans votre auto ?

— Oui, mais, bien sûr, je ne jouais pas de la guitare en conduisant !

— Vous êtes habile de vos mains ?

— Oui, et surtout dans la couture. Mon père aussi était habile. Il travaillait aux installations et réparations chez Bell Canada.

— Comment s'est bâtie votre carrière de designer ?

— Plus jeune, j'ai travaillé un peu en restauration. Après une 5e secondaire normale, je suis entrée aux Artisans du meuble. Ensuite, j'ai travaillé dans une boutique de décoration artisanale. Je me suis toujours intéressée à l'esthétique vestimentaire, à la mode, au design, à l'architecture. J'aime les belles choses, l'aspect visuel. Après mon cours en décoration, j'ai été embauchée dans un bureau de design pour créer des publicités. Ça m'a pris du temps à trouver ma voie, parce je suis plutôt timide. Lentement, j'ai glissé vers le cinéma.

— Ce milieu vous attirait ?

— J'étais impressionnée. Ça bougeait beaucoup : les plateaux, les caméramans, les acteurs. Il y avait beaucoup d'hommes.

— Vous vous êtes déjà sentie différente parce que gauchère ?

— Non, pas vraiment. Je pense que beaucoup d'artistes sont gauchers, habiles de leurs mains, créateurs. Je trouve que c'est un plus, un complément. Il y a plus d'artistes parmi les gauchers, je crois. Peut-être est-ce à cause d'une partie du cerveau, comme je l'ai déjà entendu. Pour moi, dessiner est facile et naturel. Je n'ai jamais associé ce talent au fait d'être gauchère. Cependant, je le considère comme naturel.

— C'est facile de dessiner ou de concevoir des meubles, pour vous ?

– C'est très facile pour moi de regarder un meuble et de le dessiner. Ça se fait tout seul. Je suis une visuelle et une tactile, c'est-à-dire que j'aime beaucoup les tissus, la matière et les textures. J'ai beaucoup de facilité pour passer de la deuxième à la troisième dimension.

– Plusieurs gauchers m'ont raconté des choses semblables.

– À l'école de design, j'aidais les autres. Je n'ai qu'à fermer les yeux, et ça se fait tout seul. De même pour dessiner et concevoir un meuble, ça prend quelques secondes. Mais je ne puis le dire aux clients.

– Et pourquoi donc ?

– Je ne pourrais leur charger les mêmes honoraires ! Par exemple, ce meuble que vous voyez là, contre le mur : je l'ai vu dans ma tête et l'ai dessiné en quelques secondes. Puis, l'ébéniste a repris le dessin et l'a réalisé.

– Vous utilisez des instruments pour gauchers ?

– Le seul instrument que j'utilise est un mètre à mesurer. Mais je dois faire très attention avec celui-ci : si je lis à l'envers, je ne dois pas confondre les 6 et les 9.

– Que pense la société des gauchers ?

– La société en général considère les gauchers comme une bande à part : « Ah ! tu es une artiste ! » Cependant, je me rends compte que les gens ont l'air intrigué quand ils me voient signer de la main gauche. Je tourne ma feuille à quatre-vingt-dix degrés.

Elle me fait la démonstration.

– Danielle, le fait d'être gauchère vous a-t-il déjà apporté des ennuis ?

– Je n'ai jamais réussi à identifier ou nommer correctement la droite et la gauche. Par exemple, au volant. Si quelqu'un me dit : « Tourne à gauche » ou « à droite », je suis dangereuse. On rajoute souvent : « Voyons, Danielle, l'autre gauche ! », car je ne démêle pas facilement les deux directions. Je lève alors la main pour savoir si c'est la droite ou la gauche.

– J'ai déjà entendu des gauchers me raconter ça. Dans la vie de tous les jours, comment la gauchère vit-elle ?

– Dans la vie quotidienne, j'ai vraiment l'impression d'être différente quand je signe mon nom. Dans les amphithéâtres, s'il y a des tablettes attachées aux chaises, immanquablement j'utilise celle de la chaise à côté : donc, j'occupe deux chaises à la fois !

– Des conseils aux éducateurs ?

– Il est important de laisser les enfants utiliser la main la plus habile.

– Que conclure des statistiques qui indiquent que les gauchers ont plus d'accidents ?

– Je ne suis pas surprise : s'il se produit plus d'accidents chez les gauchers, c'est qu'il y a plus de créateurs parmi eux, donc plus de personnes dans la lune. Ils sont ailleurs.

– Ils sont plus rêveurs ?

– Oui. Ils sont plus intuitifs.

Enfin, Danielle raconte comment son intuition est aiguisée au point où parfois elle fait des rêves prémonitoires, ce qui la trouble passablement. Voici cette anecdote particulière.

– Je débutais un projet avec un architecte que je connaissais à peine. Une nuit, j'ai fait un rêve d'une précision déconcertante : cet architecte et moi étions en jeep et, tout à coup, nous tombions dans la boue. Le lendemain, quelle surprise j'ai eue de voir arriver cet architecte dans la même jeep que celle de mon rêve !

– Effectivement, c'est curieux.

– Après quelques semaines, ce projet est tombé à l'eau, comme enlisé dans la boue.

– Vous aviez prévu le résultat dans votre rêve.

– Je n'aime pas particulièrement le sentiment de savoir d'avance ce qui va arriver. Je ne peux expliquer comment cette intuition ou cette assurance s'installe dans mon esprit. Parfois, je suis inquiète d'avoir les antennes aussi sensibles. Cela fait partie de la fragilité des êtres en changement, sans doute.

– Le fait d'être gauchère vous dérange t-il autrement ?

– Non. Dans le fond, j'aime bien être différente, ne pas faire partie de la majorité.

Danny Maltais

24 ans, bédéiste et éditeur, Les Éditions pouzzolane

—◦◊◦—

« Je me souviens qu'à l'école, le professeur disait :
"Je prends juste les copies propres." C'est pas parce
que j'étais cochon. C'était parce que j'étais gaucher ! »

—◦◊◦—

C'est au Salon du livre du Saguenay que j'ai « trouvé » ce gaucher, casquette sur la tête en train de dessiner un chat pour une fillette de cinq ans.

Il habite une maisonnette sur la rive-sud de Montréal, sorte d'habitation pour lilliputiens perdue parmi des pâtés d'appartements en hauteur. Danny m'a expliqué au téléphone qu'il travaille la fin de semaine comme agent de sécurité et dessine la semaine. Dès mon arrivée chez lui, je constate que j'ai encore adopté le fauteuil de prédilection du chat de la maison qui me fait sentir intruse.

— J'ai toujours été gaucher. Même au primaire, je n'ai jamais essayé d'utiliser la main droite. Je suis né gaucher. Ma grand-mère paternelle était gauchère. Elle avait un talent en dessin incroyable et faisait des portraits.

Danny est originaire du Saguenay. Il a suivi un cours en arts plastiques au cégep.

— J'ai toujours voulu faire ça. Jeune, je dessinais avec mon père : je l'imitais, mais je l'ai surpassé. Durant les cours au secondaire, j'étais le petit niaiseux, le drôle. Je m'amusais à caricaturer le prof. Depuis plusieurs années, je veux me faire des sous pour pouvoir dessiner à mon goût. Je n'ai pas terminé mon cours secondaire et je suis entré sur le marché du travail. J'ai fait du nettoyage de maisons après le déluge[1] de

---

1. En juillet 1996, inondations importantes au Saguenay après des pluies diluviennes.

juillet 1996, et ce, pendant deux ans. Puis, j'ai travaillé un peu dans la construction pendant cinq ans à temps partiel. J'ai fondé très jeune Les Éditions pouzzolane. J'ai sorti mon premier livre de bandes dessinées à 21 ans. J'en ai déjà publié quatre. Je suis bien équipé. Dans la remise, en arrière, j'ai installé le chauffage, c'est isolé, et j'ai deux belles tables à dessin. Je vous montrerai tout à l'heure.

– J'aimerais bien. Vous semblez très déterminé. Est-ce un attribut de gaucher ?

– Oui, je suis bien déterminé. Si je veux quelque chose, je l'ai. C'est sûr : je réussis tout ce que je fais. Je suis heureux de ma vie actuelle. Je suis agent de sécurité dans un centre de recherche scientifique sous haute surveillance. Ça fait juste un an et demi que je vis dans la région de Montréal. J'ai harcelé le gars pendant une semaine parce que c'est là que je voulais travailler. Finalement, j'ai obtenu le poste.

– Comment ça s'est passé quand vous étiez plus jeune ?

– J'ai toujours utilisé la main gauche. On m'écœurait, un peu plus jeune : on m'appelait « la patte gauche ». Je faisais fureur dans la classe avec mes dessins. J'ai eu un certain succès au secondaire, c'était plaisant.

– Et l'apprentissage de l'écriture ?

– La chose que je détestais le plus, c'était de me salir. À l'école, le professeur disait : « Je prends juste les copies propres. » Je n'étais pas cochon, j'étais gaucher ! C'est terrible de se tacher comme ça. Je me fais des carreaux. J'ai toujours une feuille à côté de ma main pour ne pas me salir.

– Vous aimez être gaucher ?

– Sans blague, j'ai toujours été fier d'être gaucher. Je suis fier d'être différent. J'ai des idées bien précises. Je vais réussir à percer avec mes livres et je n'en démordrai pas. J'ai toujours voulu faire ça. Avant, je voulais jouer au hockey, mais le rêve se brise avec le temps. Au fond, je suis entêté. Il faut que ça marche à ma manière, j'aime avoir le contrôle de mes affaires. Et c'est moi qui les gère, qui fais les démarches pour tout. C'est pour ça que j'ai ma propre maison d'édition.

– Vous travaillez beaucoup ?

– Actuellement, je travaille seize heures par semaine comme agent de sécurité. Je suis vraiment dans une situation idéale. Je peux dessiner à mon goût. J'ai déjà de l'argent de côté, je ne dépense pas, je n'ai besoin de rien. Et regardez le divan sur lequel vous êtes assise. Eh bien ! C'est clair : il est neuf, et je l'ai payé comptant. Je suis un personnage très déterminé. C'est dans mon tempérament. Est-ce parce que je suis gaucher? En fait, produire des bandes dessinées, c'est mon but, et je ne fais pas de compromis.

– Comment procédez-vous?

– Il y a des cahiers dans toutes les pièces de la maison, mais pas des maudits cahiers à anneaux, des calepins! Dans la salle de bain, dans le salon, dans la chambre à coucher. Ma tête travaille vingt-quatre heures sur vingt-quatre. J'écris toutes les idées. Ouvrez ce calepin et voyez: je numérote mes idées.

Je regarde: des idées ou réflexions numérotées: 644, 645, etc.

– C'est peut-être un peu con, mais je ramasse mes idées. Je vis juste pour ça. Ma blonde est avertie. Je porte des pantalons style Cargo. Eh bien! Il y a toujours un calepin dans mes poches. J'ai des centaines de calepins, peut-être trois cents. J'écris depuis huit ans. Je connais tout ce qui se fait en bandes dessinées. Je vais à la bibliothèque municipale chaque semaine. Je lis dix bandes dessinées par semaine, et ce, depuis dix ans. Je lis tout ce qui me plaît. Et je fais plein de scénarios de textes, des sortes de capsules un peu philosophiques. Au côté du lit, j'ai une lampe de poche et j'écris la nuit, s'il le faut.

– Avez-vous réfléchi au fait d'être gaucher?

– Je crois que les gauchers ont des talents spéciaux: en arts, en musique, en écriture, en dessin. Ils sont plus déterminés et ils ont beaucoup d'inspiration. Peut-être que c'est ça qui m'a rendu spécial. Je pense que oui: en tant que gaucher, je détiens des talents spéciaux qui m'aident à faire mon métier. J'approfondis plus mes dessins. Par contre, je ne sais pas ce que la science dit: je ne me suis pas beaucoup informé. Je ne sais pas.

– Dans la vie de tous les jours, comment cela se passe?

– Certains objets me causent une grande frustration. Par exemple, quand je jouais au hockey, je rêvais d'avoir un équipement de hockey de gardien de but. Les gauchers ont souvent un avantage dans les sports. Au hockey, les gardiens gauchers ont un avantage: José Théodore, le gardien des Canadiens de Montréal, est gaucher. Puis, au base-ball, j'étais un frappeur ambidextre. J'avais une mitaine de gaucher pour attraper avec la main droite et lancer de la main gauche.

– Et quand vous faisiez du travail de construction?

– Quand je faisais de la construction, les ciseaux à tôle étaient tous conçus pour les droitiers. Tous les gauchers vivent de la frustration. Quand j'étais jeune, je travaillais sur les terrains de jeu. C'était difficile de faire du découpage et du bricolage avec les ciseaux de droitier.

— Que pense la société des gauchers ?

— La société en général ne refuse pas les gauchers, mais elle les dénigre un peu par des blagues. Par exemple : patte gauche. À l'époque où l'on vit, le monde est maintenant ouvert, même pour les gauchers, mais on reste comme une race à part. Autrefois, par exemple, on n'acceptait pas les Noirs. J'ai même pensé à une histoire de BD pour les gauchers. Je vous l'ai dit : je n'arrête pas d'avoir toutes sortes d'idées. Mon mode de vie est adapté à ce que je vais faire. Comme j'ai peur de perdre mes idées, je les écris tout le temps.

— Pour cette raison, vos calepins.

— Ce n'est pas rare de voir que les autres prennent mes idées. Ainsi, dans le film *Rapport minoritaire* avec Tom Cruise, eh bien ! le scénario, j'y avais pensé trois ans avant que le film sorte... je pourrais vous le montrer dans mes cahiers et vous pourriez vérifier que je dis vrai.

— Des conseils pour l'école ?

— Un jour, il faudra faire des livres pour gauchers ou encore adapter les *Cahiers Canada* pour les gauchers : qu'ils soient conçus à l'inverse de ce qu'ils sont maintenant. On devrait aussi donner des trucs aux jeunes, au primaire et au secondaire, par exemple, leur montrer à ne pas salir leurs cahiers.

— Dans la vie quotidienne, quand avez-vous plus l'impression d'être un gaucher ?

— Lorsqu'on reçoit du monde à la maison. Je m'arrange pour être assis au bout d'une table, je prends moins de place.

— Si vous aviez le choix ?

— Je suis fier d'être gaucher et je serais encore un gaucher. Bien qu'il y ait plusieurs gauchers qui sont artistes, je n'ai pas d'amis dans le milieu artistique. Je me tiens avec du monde bien normal.

Denis Latulippe

42 ans, actuaire en chef, Régie des rentes du Québec

————◇————

> *« Le plus bel outil, c'est la scie ronde : le gaucher offre son corps et ses yeux. Il faut être prudent et vigilant pour ne pas se faire massacrer par cet instrument. »*

————◇————

Difficile d'attraper ce gaucher, haut fonctionnaire à la Régie des rentes, d'autant que notre rencontre s'est tenue dans les jours qui ont suivi le début d'une période cruciale : la consultation au sujet des modifications au régime des rentes (voir le document : *Adapter le régime des rentes aux nouvelles réalités du Québec*, publication d'octobre 2003). J'ai eu l'idée de l'inviter à l'heure du lunch pour réussir à fixer le papillon pendant quatre-vingt-dix minutes : il a accepté. C'est donc avec un grand plaisir que je l'ai reçu à la maison. Inutile de préciser que j'avais pris soin de dresser la table en plaçant le verre à eau du côté gauche. Il se présente chez moi avec la ponctualité des monarques, vêtu élégamment d'un costume et d'une cravate.

— Je me suis vraiment rendu compte que j'étais gaucher quand j'ai commencé à écrire. En même temps, mon grand-père gaucher m'a pris en charge : j'ai donc eu très tôt un repère et un modèle d'identification. Ce grand-père avait été chef de gare à Cacouna. Il venait me chercher chez mes parents, m'amenait faire des courses, des randonnées. Il y a beaucoup de gauchers dans ma famille. À une certaine époque, on cherchait à corriger les gauchers.

— Pourquoi êtes-vous gaucher ?

— Dites, c'est bien la question numéro trois, n'est-ce pas ? Il est écrit « gauche ». Vous voulez dire gaucher ?

————————————————————

– Oh! Je n'avais rien remarqué. Ne me dites pas que j'ai fait cette erreur! Mille excuses! Vous avez l'œil. Je suis impardonnable.

– Pourquoi je suis gaucher? J'ai toujours eu l'impression que c'était une question de génétique. Pourtant, je n'ai jamais vraiment cherché à comprendre. Je sais cependant que ce n'est pas un vice de fabrication, mais bien une caractéristique du produit!

– Vous écrivez de la main gauche?

– Exact. L'apprentissage de l'écriture s'est bien déroulé. Il y avait cependant la question du poignet inversé. Je salissais le cahier, et mes doigts étaient noircis. Je détestais les cahiers à anneaux et les cahiers à ressorts. Je n'aimais pas que mes travaux soient malpropres. Puis, assez rapidement, je me suis intéressé aux mathématiques. Je ne détestais pas le français. J'étais un élève appliqué. J'aimais l'école et n'avais pas de difficulté.

– Vous a-t-on dit que vous aviez la bosse des maths?

– Effectivement, au primaire puis au secondaire, de sorte que le choix de carrière a été assez facile. J'étais bon également en sciences physiques.

– Comment avez-vous choisi d'être actuaire?

– Je me suis rendu compte très vite que j'étais attiré par l'aspect théorique des sciences et non par l'aspect bricolage: par exemple, je n'aurais pas aimé être un ingénieur. Par contre, faire des liens avec les sciences pures et les sciences sociales me passionne. J'ai donc fait mes études en actuariat, puis une maîtrise en administration, et une autre en politique sociale. Enfin, j'ai passé un an à Londres à la London School of Economics.

– Bien des grands esprits sont passés par cette école.

– Mais ce n'est pas parce que vous êtes à cette école que vous en êtes un!

– Oh là! Pas question de faire un raisonnement avec des erreurs de logique. Avez-vous déjà eu le sentiment d'être différent parce que gaucher?

– Je suis gaucher, c'est ma caractéristique. Mais je suis né ainsi et je ne m'en fais pas un titre de gloire. Par contre, je me suis souvent senti différent en utilisant les outils qui sont tous faits pour les droitiers. Quelle histoire! Le plus bel outil, c'est la scie ronde: le gaucher offre son corps et ses yeux. Il faut être prudent et vigilant pour ne pas se faire massacrer par cet instrument.

— J'ai déjà entendu cette remarque de la part de gauchers...

— Je me suis aussi senti différent quand j'ai voulu apprendre la guitare. J'ai commencé à jouer comme un droitier. J'ai suivi des cours pendant deux ans. J'avais l'impression de ne pas avoir une bonne oreille : ce ne fut donc pas un succès. Je me suis souvent posé la question : est-ce que j'aurais eu plus de succès si la guitare avait été faite pour les gauchers ?

— Vous ne le saurez jamais.

— Le fait d'être gaucher apporte bien des ennuis ou embêtements lorsqu'on fait du bricolage. C'est loin d'être un avantage. Il ne faut pas faire d'erreur. Par contre, j'aime bien faire partie d'une minorité : c'est rigolo, on peut se distinguer.

— Croyez-vous aux talents ou à l'habileté des gauchers ?

— Non, pas du tout. L'organisation cérébrale est-elle différente ? Je n'en sais rien. Par ailleurs, je me rends compte que la thèse qui veut que les gauchers aient une prédilection pour l'intuition ou la vision globale des choses me séduit.

— Expliquez.

— En effet, je n'aime pas les détails et j'aime appréhender les choses globalement, de façon synthétique. Les grands enjeux, les grandes orientations me passionnent alors que si l'on doit faire une analyse des petits détails, j'ai envie de me sauver. Effectivement, sur le plan professionnel, de me trouver là en charge de la démarche d'évaluation et de consultation publique sur l'évolution du Régime des rentes du Québec est une chance extraordinaire.

— Vous êtes dans votre élément !

— C'est ce que je me dis souvent. Tout l'aspect création, l'innovation, le défi d'aller plus loin me passionnent. Quand on pense que la réserve actuarielle approche les dix-huit milliards et que la Régie des rentes distribue par année six à sept milliards en rentes, on peut juger de l'importance des enjeux.

— Ce n'est pas un petit bas de laine !

Tout au long de la discussion, mon invité utilise la main gauche pour gesticuler ou encore pour manger ou prendre le verre d'eau. Par contre, il verse l'eau de la carafe avec la main droite.

— Et les outils pour gauchers ?

— Je n'utilise pas vraiment d'instruments pour gauchers, même pas la souris d'ordinateur. J'ai toujours eu un souci d'efficacité. Ainsi, je travaille avec la souris dans la main droite, alors que la main gauche occupe le clavier.

— Que pense la société des gauchers?

— En société, les gauchers sont respectés. La perception est positive et a sans doute beaucoup évolué au fil des ans. Autrefois, ils étaient mal perçus. Maintenant, on attribue aux gauchers des capacités intellectuelles considérables : on croit qu'ils sont intelligents.

— Qu'en pensez-vous?

— Rien du tout.

— Les gauchers sont-ils avantagés dans les sports?

— Dans certains sports, ils ont un avantage. Curieusement, pour le hockey, le golf et le base-ball, je suis droitier. Par contre, j'utilise la main gauche pour les sports de raquette. Tactiquement, j'estime que les gauchers ont un avantage, car ils déjouent l'adversaire. Au tennis, par exemple, ils font leur coup droit du côté du revers, ce qui désarçonne souvent l'adversaire droitier.

— Vous avez déjà vécu une certaine discrimination?

— Non, pas vraiment de discrimination mais des plaisanteries, bien sûr.

— Dans la vie quotidienne, dans quelle situation avez-vous souvent le sentiment d'être gaucher?

— C'est vraiment lorsque j'écris que ma gaucherie se remarque le plus. À table, car c'est plus exigu. Un gaucher à côté d'un droitier, ce n'est pas évident. Cependant, dans les repas en groupe, j'aime mieux me trouver au milieu plutôt qu'au bout d'une table, et me sentir ainsi exclu.

— Des conseils aux parents?

— Il faut accepter les enfants gauchers tels qu'ils sont et ne pas essayer de les corriger.

— Les statistiques indiquent que les gauchers ont plus d'accidents et meurent plus jeunes. Quelle est votre interprétation?

Ses yeux s'écarquillent.

— Je suis très sceptique. Alors, c'est significatif à combien?

— J'attendais ce genre de réponse de la part d'un expert en statistiques! Je ne sais pas du tout.

— Bien, admettons que c'est significatif. On peut avancer le fait que les gauchers s'exposent davantage – par exemple, avec une scie – et, de ce fait, les accidents sont plus probables.

— Remarquez-vous si les gens sont gauchers ?

— Non, je ne remarque pas si les gens sont gauchers ou droitiers. On reconnaît un gaucher à le voir fonctionner dans ses gestes quotidiens.

— Et si vous aviez le choix, seriez-vous encore gaucher ?

— J'aime ça, être gaucher : on est différent, pas trop, on n'est pas marginalisé. On est un peu à part. J'aime bien éviter l'uniformité excessive.

Étonnant, cet homme ! Son côté humain m'a réconciliée avec les mathématiques et les mathématiciens. J'étais également surprise et très heureuse de ses suggestions pour améliorer le questionnaire d'entrevue. Ainsi, il a suggéré d'ajouter une question qui touche l'identité fondamentale en bas âge, à savoir si la personne jeune a connu un autre individu repère significatif pour valider le fait d'être gaucher. Le modèle d'identification cher aux psychologues. Également cette autre question : si vous aviez le choix, seriez-vous encore gaucher ?

Étienne C.-W.

14 ans, étudiant, tromboniste

« Ils s'en foutent tous que je sois gaucher ! »

Étienne est venu visiter sa grand-mère à Québec durant le temps de Pâques. J'ai été accueillie un matin dans le grand salon de la résidence, située rue de Bougainville. Étienne est élancé et calme. Il a l'air dégagé et est vêtu d'un chandail en polar.

— J'ai toujours été gaucher. Déjà bébé, je prenais les objets avec la main gauche et je suis plus fort du côté gauche. Mes parents me l'ont dit très tôt, peut-être à trois ans. Mes amis sont tous droitiers.

— Pourquoi es-tu gaucher ?

— Je n'en ai aucune idée. Parce que mon père me l'a dit ! Je ne sais rien de ce que la science aurait dit sur les gauchers. Je ne suis pas allé voir dans Internet. Ça ne m'intéresse pas vraiment.

— Que dit la biologie ?

— Je ne sais pas, j'aime bien mon cours de biologie, mais on n'a pas encore étudié le cerveau. C'est pour bientôt, j'ai très hâte.

— Comment s'est passé l'apprentissage de l'écriture ?

— Normalement. À l'école, ça s'est bien passé. J'ai toujours écrit de la main gauche. J'ai appris à écrire très vite. Je me souviens qu'avec le crayon, ma main se salissait un peu.

— Tu aimes lire ?

— Oh oui ! Je lis beaucoup.

— Qu'est-ce que tu lis ?

— N'importe quoi. De la science-fiction. Ces temps-ci, je lis des classiques : *Moby Dick* de Melville et *1984* de George Orwell, et j'écris.

— Tu écris quoi ?

— Des histoires. Mais je n'aime pas les montrer aux gens.

— Tu n'as pas toujours vécu au Québec ?

— Non. Je suis né à New York, à Manhattan, en 1989. Et j'ai toujours vécu à New York jusqu'en 1999, année de mon arrivée au Québec. Aucune histoire à raconter ou anecdote où j'aurais eu des problèmes parce que je suis gaucher.

— Les gauchers ont-ils, selon toi, des habiletés particulières ou des talents qui leur sont spécifiques ?

— Non, je ne crois pas qu'il existe des talents ou habiletés spécifiques aux gauchers.

— Est-ce que toi tu te trouves particulièrement bon en quelque chose ?

— Oui, je suis très bon aux échecs, dans les jeux stratégiques. Je joue avec mon père ou dans Internet. Mon père est écrivain, mon grand-père était religieux. Je ne sais pas comment dire ça : un *minister*. Mon oncle paternel est botaniste. Ils s'en foutent tous que je sois gaucher !

— Est-ce que tu dessines ?

— Non.

— Est-ce que tu fais de la musique ?

— Ah oui ! Je joue du trombone. J'ai commencé l'année dernière, et ça va très bien. Je fréquente une école spécialisée en musique et, tous les jours, nous faisons de la musique pendant au moins une heure et demie. Ça, c'est à part les répétitions, les *bands*, les groupes de jazz. J'adore.

— Pourquoi le trombone ?

— L'an dernier, j'ai essayé plein d'instruments et il fallait que je choisisse. J'ai choisi le trombone parce que c'est différent et original.

— Le fait d'être gaucher a-t-il orienté ton choix ?

— Non, pas vraiment. Je tiens le trombone avec la main gauche, c'est elle qui supporte et qui est la plus forte, et je bouge la coulisse avec la main droite. Je n'ai aucun problème.

— As-tu déjà vécu des situations de discrimination parce que tu es gaucher ?

— Non, jamais. Je me souviens, par contre, que j'avais de la difficulté avec les ciseaux et j'en ai encore. Ça me prend vraiment des ciseaux pour gaucher pour arriver à couper le papier. À part ça, ça n'a jamais été difficile et je n'ai pas le souvenir de personnes qui auraient refusé que je sois gaucher.

— Que pense la société des gauchers ?

— Ça ne dérange pas trop. On entend dire que les gauchers sont plus talentueux, qu'ils vivent moins longtemps, mais je ne sais pas.

— Tu crois à la personnalité du gaucher ?

— Non, pas du tout.

— Est-ce qu'ils sont plus intelligents ?

— Non, ils ne sont pas plus intelligents.

— Tu pratiques certains sports ?

— Aux États-unis, j'ai joué beaucoup au base-ball, mais, ici, il fait trop *frette*. Je jouais comme un gaucher. J'avais un gant de gaucher, j'attrapais avec la main droite et je lançais avec la main gauche. Et je frappais avec la *batte* du côté gauche. Je crois qu'au base-ball, les gauchers ont un avantage, surtout les lanceurs gauchers. Je suis gaucher au golf. Ici, j'ai remplacé le base-ball par le volley-ball.

— Des suggestions pour l'école ?

— Rien. Je n'ai jamais eu de problème, je ne crois pas que quelqu'un en ait. Par contre, je dirais à un parent d'enfant gaucher : laissez votre enfant choisir et n'essayez pas de le changer.

— Pourquoi les gauchers ont-ils plus d'accidents et pourquoi décèdent-ils plus jeunes ?

— Oh ! Ce sont des rumeurs, une légende urbaine comme on dit.

— Et si tu avais le choix, serais-tu encore gaucher ?

— Oui, si j'avais le choix, je serais de nouveau gaucher. C'est le *fun*. On est différent, on est plus unique.

— Tu connais d'autres gauchers remarquables ?

— Non !

France Fontaine

56 ans, adjointe à la vice-rectrice à l'enseignement, Université de Montréal

―――――◄○►―――――

> *« On nous oblige à vivre comme des droitiers. Les gauchers, par la force des choses, développent des capacités d'adaptation un peu rares. Il nous faut accepter la non-conformité, être différent, rentrer dans le moule et, en même temps, il faut survivre. »*

―――――◄○►―――――

— Avant moi, mes parents s'en étaient aperçus : je déplaçais les couverts, vers un an et demi. Mon père appréhendait le fait que je sois gauchère.

— Pourquoi donc ?

— Il était certain qu'à l'école, on allait me forcer à écrire de la main droite. C'est ce qui est arrivé. J'ai appris à écrire avec la main droite. Je me souviens que, entre la première et la deuxième année, pendant l'été, je me demandais : « De quelle main est-ce que j'écris ? » En deuxième année, je penchais plus à écrire avec la gauche, alors j'ai réappris. Avec la gauche, cette fois !

— Beau méli-mélo !

— Mon père s'est montré surpris : « Comment ça, ils t'ont laissée écrire de la main gauche ? » Et puis, j'ai encore des difficultés. La gauche et la droite, pour moi, ça ne veut absolument rien dire. Comment me souvenir que c'est la main droite ? Eh bien ! Je porte ma bague du côté droit.

— Vous avez eu des problèmes ?

— Quand je suis allée passer mon permis de conduire, j'étais très stressée. Je me disais dans ma tête : « Le côté droit, c'est celui de ma bague. » À présent, j'ai encore ce genre de problème en voiture. Je me souviens qu'au début de mes sorties avec les garçons, un de mes *chums* ne comprenait pas du tout que je ne sois pas latéralisée. Un jour, nous nous rendions ensemble quelque part en voiture, et il conduisait. Il m'a demandé s'il fallait tourner à gauche ou à droite. J'ai été totalement incapable de répondre ! Il a arrêté le véhicule et m'a regardée d'un air tout à fait ahuri.

— Il n'avait jamais vu ça !

— Exactement. J'ai donc appris à écrire des deux mains et, aujourd'hui, je n'ai toujours aucun point de repère. Est-ce parce que quelque chose dans mon cerveau est à l'envers ? Je l'ignore.

— Y a-t-il d'autres gauchers dans votre famille ?

— Je suis la seule parmi les trois filles de la maison à être gauchère.

— À part pour l'écriture, vous utilisez les deux mains ?

— J'ai appris à tricoter comme une droitière, mais la laine était tellement serrée que le tricot terminé était trop petit de plusieurs tailles ! Sur le plan de la dextérité fine, je suis bilatérale : c'est-à-dire que je suis constamment mêlée. Pour ce qu'on appelait à l'époque les arts ménagers, j'ai appris avec les deux mains. Je sais faire du crochet avec la main droite et la main gauche. Quand je bricole et que je dois visser une ampoule électrique, je « zigonne », car je n'ai aucun repère. Et Dieu sait que j'ai bricolé puisque mon mari et moi avons déjà restauré complètement une maison à la campagne.

— Vous avez déjà fait de la musique ?

— Je n'ai jamais été très douée. J'ai chanté.

— Et le sport ?

— Dans les sports, je peux me débrouiller avec la gauche et la droite.

— Et les outils de gaucher ?

— J'ai des ciseaux de gaucher, car ceux de droitier me blessent.

— Votre vie de gauchère a donc été semée d'embûches.

— On arrive à compenser par une certaine intelligence de système. Mais l'incompréhension des gens, c'est autre chose. Il y a quand même un avantage à être gaucher : on développe un évident niveau de dextérité des deux mains. Quand je visse ou que je peins, je peux utiliser les deux.

— Croyez-vous au talent ou à une habileté propre aux gauchers ?

— Non ! Sinon que, comme on oblige les gauchers à vivre comme des droitiers, ils développent, par la force des choses, des capacités d'adaptation un peu rares. Il faut accepter la non-conformité, être diffé-rent, rentrer dans le moule et, en même temps, on doit survivre.

— Ça prend un bon sens de l'humour.

— On fait bien des blagues, mais j'ai quand même réussi à faire ma vie.

— Racontez donc votre cheminement de carrière.

— J'ai fait une onzième année scientifique. Sciences maths, comme on disait à l'époque. On me destinait à être une secrétaire bilingue. Mais un prof est venu à la maison et a convaincu mes parents que j'avais du talent en mathématiques. De sorte que pour terminer ma onzième année scientifique (sciences maths), j'ai dû aller dans une école de garçons.

— Une école de garçons ?

— Oui, une classe de 11ᵉ année à Saint-Jean-sur-Richelieu, l'école Beaulieu. Nous étions deux filles dans une école de garçons. C'était au milieu des années soixante. Au début, le principal ne voulait pas entendre parler d'avoir des filles dans son école. Donc, je me rappelle que la première journée, je suis restée à la maison.

— Ils vous ont refusé l'accès à l'école de garçons ?

— C'est ça ! Mes parents ont fait des représentations à la commis-sion scolaire et, finalement, nous avons été acceptées. Avec des garçons. Nous avons très bien réussi. J'étais arrivée première, et la direction de l'école ainsi que les professeurs ont trouvé que cela était stimulant pour la classe.

— Pas si mal pour une fille !

— Puis, de là, j'ai fait un bac en mathématiques à l'Université de Montréal. À 20 ans, j'étais professeur au Séminaire à Saint-Jean. Ensuite, j'ai fait une maîtrise en mesure et évaluation à l'Université de Montréal où j'ai été conseillère pédagogique pendant dix-huit ans. Enfin, j'ai réussi un doctorat en mesure et évaluation. J'ai aussi fait un séjour à l'UQÀM comme adjointe à la doyenne. Finalement, je suis revenue, il y a quelques années, à l'Université de Montréal comme adjointe à la vice-rectrice à l'enseignement. J'occupe toujours cette fonction.

— Quelles modifications devrait-on faire à l'école pour faciliter la vie des gauchers ?

Grand soupir.

— Il faudrait penser à aménager partout des lieux de travail pour que les gauchers, jeunes ou vieux, puissent se sentir à l'aise. Je pense que si dès l'école on accepte mieux les gauchers, ils pourront mieux vivre leur vie de gaucher.

— Avec le recul, que pense la gauchère de toutes ces années dans le milieu de l'enseignement ?

— J'ai la nette impression que le fait qu'on m'ait permis d'écrire de la main droite puis de la gauche a eu comme conséquence... que je n'ai jamais réussi à vraiment avoir de repère pour reconnaître la gauche et la droite. Et cela demeure un problème chronique. Je dois constamment faire attention. Bien sûr, avec le temps, être gaucher est devenu en quelque sorte de l'exotisme. Encore aujourd'hui, je me rends compte que des gens avec qui je travaille depuis des années n'ont jamais remarqué ma gaucherie. En fait, il faut s'uniformiser, s'intégrer parfaitement.

— Dans la vie quotidienne ?

— J'ai toujours des difficultés en voiture. Avec mon conjoint, nous avons convenu d'un code et jamais nous n'utilisons les mots « gauche » ou « droite ». À l'époque, je faisais un signe avec la main gauche ou la main droite, mais, parfois, mes gestes se trouvaient en périphérie de son champ visuel, de sorte qu'il ne voyait rien ! Alors, nous utilisons : de « ton » côté, de « mon » côté, et ça fonctionne.

— Remarquez-vous quand quelqu'un est gaucher ?

— J'ai remarqué plusieurs gauchers à la télévision. À l'émission *À la di Stasio*, je crois que Josée di Stasio est gauchère ou ambidextre. Et à l'émission *Fortier*, Sophie Lorain est gauchère.

— Si vous aviez le choix ?

— Je serais de nouveau gauchère. Tout comme j'aime bien mes yeux bleus ! J'ai un regret : je n'aurai jamais appris à distinguer la gauche et la droite, et je crois que je n'y arriverai jamais.

Gary Luskey

49 ans, gynécologue-obstétricien, hôpital Saint-Mary's de Montréal

---

*« À tous moments, le gaucher doit être plus attentif
à sa sécurité, dans n'importe quelle situation,
même pour ouvrir une porte. Il doit faire plus
attention. »*

Le docteur Luskey m'a reçue chez lui en fin d'après-midi d'une
journée normale, passée à l'hôpital à faire subir des ultrasons : trente-
deux examens entre huit heures trente et seize heures trente. Je suis
étonnée d'apprendre que l'hôpital Saint-Mary's est le plus important
centre d'obstétrique à Montréal, avec en moyenne quatre mille cinq
cents accouchements par année.

– J'étais enfant unique. Dès la maternelle, ma mère, elle-même
gauchère, a insisté auprès de l'institutrice à Ottawa pour qu'on me laisse
écrire avec la main gauche. Quand on utilisait l'encre, ça faisait un
fameux dégât. On n'avait pas le droit d'écrire avec un stylo-bille avant la
troisième année. J'ai appris à tourner ma copie. Je me suis toujours dit
que l'écriture hébraïque – j'ai souvent côtoyé au cours de mes études au
secondaire et au collège des gens de religion juive –, qui va de droite à
gauche sur la feuille de papier, est vraiment l'écriture idéale pour les gauchers.

– Effectivement. Je n'y avais jamais songé ! Pourquoi êtes-vous
gaucher ?

– Est-ce un dommage cérébral ? Je ne sais pas. J'ai souvent entendu
des blagues au sujet des gauchers : un événement neurologique aurait
causé le fait qu'ils soient gauchers.

– Avez-vous déjà eu l'impression d'être différent parce que gaucher ?

– Oh oui! Souvent. Par exemple, juste dans le fait d'ouvrir une porte : si on ouvre la porte avec la main gauche sur la poignée, on ouvre du mauvais côté. À table, c'est toujours compliqué. Je pense que, dans un monde de droitiers, la vie est plus difficile pour les gauchers. Ils ont plus d'accidents, le saviez-vous ?

– Je l'ai entendu dire.

– Je pense qu'ils sont souvent en mode de survie dans un monde de droitiers. Ils doivent faire plus attention. Pour ma part, je remarque sans cesse quand les gens sont gauchers, surtout au travail. Par exemple, la plupart des gauchers sont aussi capables d'utiliser la main droite. Ils deviennent ambidextres par la force des choses.

– Comment s'est passé votre entraînement comme chirurgien ?

– Eh bien! C'est un peu ce que je vous expliquais tout à l'heure. On ne nous laissait pas le choix. Je me souviens qu'un patron m'a dit : « Il faut que tu te places de "ce" côté de la table d'examen » ou encore : « Si tu te places de "ce" côté de la table d'examen ou de la civière, tu peux utiliser la main que tu veux. » Ça n'avait pas de bon sens! Ce patron n'avait aucune sympathie pour celui qui était plus habile de la main gauche. Il le forçait à se placer du côté de la table où il était le plus mal à l'aise. Je suis demeuré gaucher, je coupe, je fais des incisions, des sutures, et je couds avec la main gauche. J'ai eu un patron, le docteur Paul Béliveau, qui était un chirurgien du côlon. Il avait inventé des instruments pour gauchers. Je me souviens qu'il m'avait invité à utiliser ses instruments, mais, surprise, j'en étais incapable. Par exemple, j'étais tellement habitué à me servir de la pince hémostat pour droitiers avec la main gauche que j'ai décidé de continuer à utiliser les outils pour droitiers. Attendez, je vais vous montrer!

Sur ce, mon interlocuteur me fausse compagnie et revient au bout de trois minutes avec une pince hémostatique et il me fait la démonstration. Apparemment, cet instrument se trouvait dans un tiroir de la cuisine!

– Regardez! Si on doit défaire la clampe, il faut effectuer un certain mouvement pour ouvrir la pince, mouvement qui nécessite obligatoirement une torsion des doigts. Allez comprendre quelque chose : cet outil est bel et bien conçu pour droitiers. Pourtant, je l'utilise parfaitement avec la main gauche. Regardez-moi faire! Tiens, essayez vous-même!

Ce que je tente avec la main droite, puis la gauche. Je comprends une des raisons pour lesquelles je n'ai pas choisi le métier de chirurgien :

je suis très malhabile de mes doigts. Gauche de mes deux mains, on pourrait dire.

— Je pense que tous les gauchers sont habitués à s'adapter. Mais évidemment, c'est une question de survie quotidienne. Pour ma part, à l'hôpital, si je prévois une épisiotomie, je précise toujours à l'avance au personnel de la salle d'opération que je suis gaucher et que j'attends les instruments pour les utiliser avec la main gauche. On s'habitue à tout ! Mais si je dois faire une intervention d'urgence, une césarienne, par exemple, et que je me trouve à la salle d'opération avec les infirmières, eh bien, malgré mes vingt-deux ans dans le même milieu, je dois encore leur rappeler de me préparer les instruments pour la main gauche ! Il faut dire à la décharge du personnel que je suis le seul gaucher parmi les trente médecins.

— Trente ?

— Oui, nous sommes une équipe de trente médecins obstétriciens-gynécologues.

— Intéressant. Cela signifie qu'il y a moins de gauchers dans ce groupe que dans la population en général où ils sont estimés à 10 %. Pourquoi avez-vous choisi l'obstétrique ?

— Il y a plusieurs raisons. D'abord, j'aime bien l'aspect médecine interne, l'aspect chirurgie et aussi le petit côté psychiatrique. Parce que j'aime parler aux gens. J'aime bien parler, comme vous avez dû vous en apercevoir ! Après mon cours de médecine, j'ai pratiqué en Jamaïque pendant quatre ans. J'étais alors un gars pieds nus, en sandales, les cheveux longs, la queue de cheval, vous voyez le genre ?

— Les années du *Peace and Love* !

— *Make love, not war !* J'ai beaucoup aimé le travail là-bas. D'ailleurs, je m'étais spécialisé en médecine de plongée. Puis, je suis revenu au Canada. Vers 1976, je me suis intégré à l'équipe d'obstétriciens de l'hôpital Saint-Mary's. Nous faisons un travail d'équipe formidable et nous avons acquis une expertise particulière en grossesses à risque. C'est très stimulant intellectuellement.

— Êtes-vous gaucher dans les sports ?

— Au base-ball, j'ai eu un gant pour gaucher. Lorsque j'ai joué au hockey, j'ai brisé à quelques reprises ma montre bracelet que je portais du mauvais côté. En fait, quand on est gaucher, on a parfois l'impression d'être handicapé : prenez par exemple les pupitres ou les tables de travail dans les amphithéâtres. La tablette est toujours du mauvais bord. Bien peu de chaises peuvent être utilisées de façon similaire par les droitiers et les gauchers.

— Que savez-vous de ce qu'en dit la science ?

— Je ne sais pas si on est plus artiste que les autres. Certains le croient. Pour ma part, je dessine comme un enfant, mais je suis plutôt habile dans la rénovation et les plans de maisons.

— La musique ?

— Je n'ai pas du tout d'oreille et je n'ai aucun talent musical. J'ai déjà joué un peu de trompette, mais c'était terrible !

— Vous avez déjà vécu de la discrimination ?

— Oui, un peu, mais vraiment pas beaucoup.

Puis, il s'enfonce dans le fauteuil et soupire profondément.

— Je reviens à ce patron en chirurgie. Il n'avait pas raison. Il me forçait à me placer du côté où je n'étais pas du tout à l'aise, ce qui augmentait les risques. Vraiment, ça n'avait absolument aucun sens !

— Que faites-vous, maintenant que vous êtes patron ?

— Je dis tout simplement aux étudiants : « Vous vous placez du côté où vous êtes le plus à l'aise. » Et je pense que les droitiers aiment bien travailler avec moi, car ils sont tout à fait à mon opposé et ils peuvent facilement continuer mon travail. Je crois être un meilleur professeur pour les droitiers que pour les gauchers, parce qu'ils sont en face de moi et ne sont pas du tout inversés pour travailler de l'une ou l'autre main.

Il est encore songeur.

— Quant je repense à la plongée sous-marine, je constate que l'équipement est encore conçu pour les droitiers. Les gauchers doivent s'adapter, car il n'y a pas de risque à prendre ! Tous les équipements de sécurité à déployer ou les manettes sont toujours placés du même côté, à droite. C'est plus difficile et hasardeux pour un gaucher de les manipuler ! Mais ça fait partie de l'apprentissage, de l'adaptation et de la survie. À tous moments, le gaucher doit être plus attentif à sa sécurité, dans n'importe quelle situation, même pour ouvrir une porte. Il doit faire plus attention.

— Que pense la société des gauchers ?

— Je crois que la société en général ne les remarque pas. Au fond, elle s'en moque. On ne fait aucun effort pour faciliter la vie aux gauchers puisqu'ils sont une minorité.

— Des suggestions pour l'école ?

– Selon moi, on devrait tenter de faciliter la vie aux gauchers. Qu'il n'y ait pas de meubles ou d'accessoires uniquement pour droitiers ou gauchers. J'ai trois enfants, et l'un des fils a commencé à être gaucher, mais il se corrigeait lui-même sans que je m'en rende compte. Je ne sais pas comment cela s'est produit. Le monde n'est pas fait pour les gauchers. Ils vivent un stress supplémentaire.

Guy Gauthier

49 ans, études en cinéma, en électricité, en administration, chef d'entreprise en irrigation horticole, flûtiste

---

« Je remarque si les gens sont gauchers. Quand on observe le moindrement, on voit que le geste vient d'ailleurs. Il y a une dissonance. Par contre, la société en général ne considère pas du tout les gauchers. Ils sont une quantité négligeable. C'est homéopathique, anecdotique. Une ou deux blagues, et c'est tout. »

Guy a le souvenir d'avoir appris très tôt à écrire, même avant d'aller à l'école. Il le faisait de la main gauche. Chez lui, il y avait un prélart avec des lettres dans la cuisine. Il savait dessiner les lettres avant d'entrer à l'école.

— Je savais écrire, mais on devrait plutôt dire que je traçais les lettres. Car apprendre à écrire, c'est tout un travail : l'orthographe, la grammaire...

— C'est parce que vous étiez précoce et que vous étiez doué que vous avez commencé à écrire si tôt ?

— J'ai été précoce pour l'apprentissage de l'écriture sans doute à cause du prélart. Mais apprendre à écrire à l'école, c'est une autre histoire. Quand on écrit de la main gauche, on efface à mesure. Il faut faire des contorsions puisqu'on écrit dans le mauvais sens. À l'école il y avait des transparents, des plumes. Je me souviens que ça ne marchait pas du tout : c'était dysfonctionnel. Il fallait attendre que ça sèche, écrire petit bout par petit bout. Pour cette raison, le gaucher est forcément plus lent que les autres. Puis il y avait les cahiers à anneaux... Mais, on s'habitue à tout. On détache les feuilles, on écrit, puis on les remet dans le cahier.

Ou encore, on se tord le poignet, on fait des contorsions ou on écrit dans les airs... Je lisais un peu.

— Et vous lisez toujours ?

— Oui, je suis un bon liseur.

— Quels auteurs aimez-vous ?

— Umberto Eco, John Le Carré. Il y en a plusieurs...

Sa famille comprend plusieurs gauchers du côté paternel : des oncles, des tantes, des cousins. Le grand-père venait de la région de Montebello dans l'Outaouais.

— Mon père et mon grand-père ont été ingénieurs de train : ils conduisaient les grosses locomotives à vapeur. Je n'ai jamais vécu de répression. Je n'ai pas été brimé non plus et n'ai jamais entendu d'allusions négatives au fait d'être gaucher. Même mes oncles et mes tantes n'ont jamais été brimés. Il faut croire que la masse critique de gauchers dans la famille était telle que ce n'était pas la main du diable qui parlait !

— Pourquoi êtes-vous gaucher ?

— Selon moi, c'est un facteur génétique. Ce n'est sûrement pas appris !

— Avez-vous l'impression d'être différent parce que gaucher ?

— Non ! Hormis le fait que dès qu'on fait un travail manuel, on fait face à un monde où les outils sont fabriqués pour les droitiers.

— Vous ne croyez pas à des caractéristiques particulières au gaucher ou à une psychologie du gaucher ?

— Pas du tout. Mais dans la vie, surtout si on travaille manuellement, il faut s'adapter. Même à l'ordinateur, c'est frustrant. Ça fait plus de quinze ans que j'utilise un ordinateur et, constamment, de façon quotidienne, je dois me servir du clavier numérique qui est toujours situé à droite. C'est donc ma main droite — ma main non dominante, donc la moins habile — qui doit appuyer sur les touches qui correspondent aux chiffres. Quant aux souris, eh bien, la mienne est neutre. Elle est placée à gauche de l'ordinateur. Mais les vraies souris ergonomiques sont toutes faites pour les droitiers. À la maison, j'ai mon ordinateur à moi. En fait, nous avons deux ordinateurs en réseau. La main gauche est pour la souris. Je fais d'ailleurs de la conception assistée par ordinateur (CAD ou Computer Aid Design) avec le logiciel le plus accepté internationalement, Autocad.

— Vous avez travaillé en électricité. Ça pose un problème, pour un gaucher ?

— Et comment ! Voyez-vous, les outils sont une plaie, un casse-tête du fait qu'ils sont nettement dangereux. Il faut que les gauchers aient un degré d'attention supplémentaire, une vigilance accrue.

— Expliquez-moi.

— Les outils électriques : par exemple, la scie ronde et particulièrement les perceuses. Avec la scie ronde, on ne voit pas quand on coupe. Et pour arrêter la perceuse, le bouton est placé du côté opposé à la main. Il faut comprendre que le gaucher utilise l'instrument de façon inverse : de ce fait, le bouton pour activer est souvent déclenché sans qu'il s'en aperçoive. Ou encore il désire que la perceuse s'arrête et elle continue de percer frénétiquement, ce qui occasionne souvent des problèmes, surtout si on doit l'arrêter d'urgence. En somme, il faut se battre avec les outils, quand on est gaucher ! On fait souvent face à un réel danger.

— Ça vous a causé des problèmes ?

— Je me souviens d'un accident lorsque je travaillais en électricité : j'étais juché en haut d'un escabeau, sur un chantier de construction. La mèche de la perceuse a dû se coincer dans un trou, de sorte que le mécanisme est devenu un peu fou. La perceuse a continué de tourner. Même qu'elle tournait sur elle-même jusqu'à ce que la barre qui la retenait m'arrive en plein visage. J'ai fait une chute de quelques pieds : j'ai atterri sur le sol, complètement étourdi, et j'ai vu des étoiles. Je me souviens que la perceuse a continué de tourner sur elle-même jusqu'à ce que le fil s'entoure sur lui-même complètement et qu'il se débranche tout seul. J'ai eu de la chance ! Mais, vous me faites penser : il est très possible que les gauchers soient plus souvent victimes d'accidents de travail. Il faudrait voir les statistiques.

— Effectivement, elles indiqueraient ce phénomène.

— Je comprends facilement pourquoi. Les outils sont dangereux, surtout les outils électriques.

— Et la conduite automobile, alors ?

— Étant donné la conduite à gauche en Angleterre, en Australie, au Japon, il semblerait qu'il y ait moins d'accidents chez les gauchers dans ces pays. Les gauchers ont sans doute le réflexe de s'en aller vers la gauche en cas d'urgence. Dans un pays comme ici, le gaucher s'en va directement dans la voiture qui arrive en sens inverse. Dans le monde du travail manuel, en construction ou autres, les gauchers accomplissent souvent des gestes qui les mettent en danger.

— Les ouvriers gauchers sont souvent aux prises avec des situations dangereuses ?

— Sans aucun doute, mais il faut être réaliste : on ne peut demander à une entreprise d'avoir des instruments pour gauchers. Et puis les vis vissent toutes en sens horaire, de sorte que tous les gauchers vissent à l'envers. Plus on travaille manuellement, plus on côtoie un monde potentiellement dangereux. Il faut s'adapter dans un monde hostile, et c'est sans doute la raison pour laquelle les gauchers, dans leur ensemble, sont plus souples et s'adaptent facilement aux changements.

— Les gauchers sont-ils plus souvent artistes ?

— J'ai une cousine artiste, mais est-ce parce qu'elle est gauchère ? Je ne sais pas. Je dessine bien. J'ai déjà fait de l'aquarelle, de la peinture.

— Et la musique, alors ?

— J'ai appris à jouer d'un instrument de musique. Je joue encore de la flûte. J'ai plusieurs flûtes, d'ailleurs. Des flûtes douces, soprano, alto, ténor. En faisant quelques recherches, j'ai trouvé qu'au Moyen Âge, on était capable de modifier les flûtes pour les gauchers avec de la résine. Malheureusement, toutes les flûtes maintenant sont faites pour les droitiers.

— Vos compositeurs préférés ?

— Monteverdi, Bach.

La science n'a pas encore fait grand-chose pour expliquer le phénomène de la gaucherie, croit-il.

— J'ai vérifié à plusieurs reprises dans Internet, et ce n'est pas très impressionnant. Par exemple, on ne s'entend pas sur les proportions : est-ce 2 %, 10 %, 13 %, 30 % ? Par contre, les gauchers auraient tous un caractère ou un trait de personnalité particulier : ils sont habitués à s'adapter. Qu'on le veuille ou non, on doit constamment faire face à l'adversité, même si elle est non violente. Donc le gaucher est obligé de s'adapter. Si on rencontre un autre gaucher, on sympathise.

— Vous remarquez si les gens sont gauchers ?

— Oui, bien sûr. Quand on observe le moindrement, on voit que le geste vient d'ailleurs. Il y a une dissonance. Par contre, la société en général ne considère pas du tout les gauchers. Ils sont une quantité négligeable. C'est homéopathique, anecdotique. Une ou deux blagues, et c'est tout.

— Avez-vous déjà vécu de la discrimination ici ou à l'étranger ?

— Non. Pourtant, j'ai séjourné à deux reprises en Inde. Je savais qu'il existe un code là-bas : la main gauche, c'est la main sale, la main des mauvaises tâches. Dans toutes sortes d'endroits, j'ai mangé avec la main gauche, et on ne m'a jamais jeté des regards de désapprobation. Je me surveillais. Je m'étais dit que j'essayais avec la main gauche et que, si ça ne fonctionnait pas, je mangeais avec la droite. Vous savez, manger du riz avec votre main non dominante, ce n'est pas facile ! Sans doute ont-ils été indulgents parce que j'avais un statut spécial d'étranger.

— Et le sport ?

— J'ai joué autrefois au football, au basket-ball, au base-ball, au hockey. Au basket, je dribblais avec la main gauche. Au base-ball, j'avais de la difficulté, parce que je devais mettre le gant à l'envers : ça m'a pris bien du temps, et j'ai fini par avoir une *mite* de gaucher, de sorte que je pouvais recevoir avec la main droite et lancer avec la main gauche. Je jouais aussi au hockey comme un gaucher.

— Vous avez des suggestions de modifications à apporter à l'école ?

— On ne peut pas vraiment adapter l'environnement pour les gauchers. On ne peut pas changer de côté les poignées de porte. Selon moi, dans la mesure où la société est hostile, il faut enseigner et apprendre aux gauchers à fonctionner avec leur gaucherie. Par exemple, si le clavier numérique est à gauche à l'école et que le jeune commence à travailler avec un clavier à droite, il aura des problèmes. Il est préférable de s'habituer dès le départ sans quoi, dans l'entreprise ou dans le milieu du travail, ce sera difficile : si le gaucher n'est pas déjà habitué, il sera décalé par rapport aux autres. Mieux vaut donc qu'il s'adapte tout de suite. Par contre, il est important que les enseignants soient sensibilisés au fait que les gauchers existent. Si l'étudiant a des difficultés, il faut vérifier s'il est un gaucher qui doit s'adapter, en plus d'apprendre. Donc, il est important de garder l'œil ouvert et être sensibilisé.

— Et les parents ?

— L'enfant gaucher doit sentir que ce n'est pas un défaut d'être un gaucher.

— Et dans la vie quotidienne, ça se passe comment ?

— C'est incontestablement devant le clavier, tous les jours, que je trouve l'état de gaucher difficile. Je me dis que le clavier numérique à droite, ça n'a pas d'allure ! C'est frustrant, à la longue...

— Si vous aviez le choix, seriez-vous encore gaucher ?

— Si c'était à refaire, je serais de nouveau gaucher. Pourquoi pas ? C'est une particularité que j'ai. Je ne me suis jamais dit : « Ah zut ! Si je pouvais être droitier ! » Je n'ai jamais regretté ma gaucherie. C'est un élément distinctif, et j'en suis bien fier.

Jean

42 ans, ingénieur forestier, chercheur en hydrogéologie et batteur à ses heures

--------<o>--------

> *« Ma mère m'a dit: "C'est pas bien de manger avec la main gauche. Il faut de bonnes manières. Tu dois changer de main et prendre la droite pour tenir ta cuillère." »*

--------<o>--------

J'ai croisé ce grand gaillard dans un Salon du livre. Il s'est intéressé à mon livre sur le cerveau, puis a accepté de jouer le gaucher remarquable. Lorsque je le rencontre en fin d'après-midi à l'heure de l'apéritif, il arrive de chez le dentiste. Il a encore la joue gelée, mais rien n'y paraîtra. Il s'est apporté une bouteille de bière dans un sac. Je lui offre des noix d'acajou : il les prend de la main gauche et il tient aussi son verre de la main gauche.

Jean a commencé très tôt à souffrir de sa gaucherie.

– Ma mère m'a dit : « C'est pas bien de manger avec la main gauche. Il faut de bonnes manières. Tu dois changer de main et prendre la droite pour tenir ta cuillère. »

Pas de chance, si tôt dans la vie ! Ça doit marquer un homme. Heureusement, elle ne l'a pas placé au sous-sol avec les rats, sort qu'a connu Jean-Paul Riopelle à pareil âge[1]. Jean est le troisième enfant d'une fratrie de cinq, le troisième fils. Après lui, une fille puis un quatrième garçon. Il n'y avait pas de maternelle à l'école du quartier. Déjà, Jean dessinait et coloriait beaucoup de lui-même avec la main gauche.

Mais voilà que les difficultés recommencent à l'entrée à l'école.

----

1.   Hélène De Billy, *Riopelle*, Art Global, 1996 : 15.

– La maîtresse m'a forcé! J'ai reçu des coups de règle sur les doigts. C'était une école publique. J'ai bien essayé avec la main gauche : elle n'a pas voulu. Forcé de le faire, j'ai donc commencé à écrire de la main droite. J'entends encore : « Non! Il faut écrire avec la main droite. » J'ai obtempéré et réussi à apprendre. Puis, je suis arrivé à tracer de belles lettres carrées. J'écrivais très, très bien. Mais, plus tard, il m'a fallu écrire en lettres cursives ou en lettres attachées.

– En quelle année?

– Vers la troisième année. Alors, j'ai connu de nouveau des difficultés. Et depuis toujours, j'écris très mal. J'ai même des problèmes pour me relire. Ça ne s'est jamais arrangé...

– Vous êtes-vous déjà senti différent parce que gaucher?

– Très tôt, je me suis senti différent. La vie est plus difficile quand on est gaucher. À la maison, ma mère était sévère et tenait aux bonnes manières, à la bienséance, comme on appelait à l'époque.

– Vous avez fait du sport?

– Oui, beaucoup. Je me suis rapidement aperçu que le matériel sportif fourni à l'école était fait pour les droitiers. C'est frustrant, à la longue. Je me suis adapté. J'étais très sportif : j'ai joué au hockey. Il m'a fallu emprunter le bâton de hockey de mes frères droitiers. Puis, j'ai joué au base-ball. J'ai commencé par utiliser la *mite* de base-ball de mes frères aînés.

– Expliquez.

– Un droitier attrape avec la main gauche et lance avec la main droite. C'est ainsi que je faisais quand j'étais dans la ligue Atome 2. J'attrapais la balle avec la main gauche. Je jetais rapidement la *mite* par terre, puis je me dépêchais de lancer la balle avec la main gauche. Pas question de lancer avec la main droite!

– Vous m'avez raconté que vous jouiez de la batterie. Avez-vous débuté jeune?

– Très tôt, j'ai eu le goût de jouer de la batterie. Je suis allé plusieurs fois dans un magasin d'instruments de musique. Tout est aménagé pour les droitiers : la caisse claire ou *basedrum* est à droite au lieu d'être à gauche. La pédale de cette caisse claire est activée par le pied droit au lieu du pied gauche, les cymbales Hyatt, placées à gauche au lieu de la droite, etc. Souvent, je rendais visite à un ami droitier qui avait une batterie. Quand je jouais chez lui, je devais tout inverser, ce qui n'allait pas de soi.

– Vous avez dû finir par vous acheter une batterie?

— J'ai attendu longtemps, jusqu'à 26 ans !

— Vous avez été bien patient !

En effet, pendant la rencontre de cet après-midi, mon interlocuteur mentionne à deux ou trois reprises qu'il a acquis l'instrument de ses rêves, le jour de son anniversaire, à 26 ans, au retour d'un stage à Amos.

— Voyez-vous, une batterie, ce n'est pas un instrument de salon ! Il y avait un piano chez nous. Ma sœur a appris pendant dix ans. Mais moi, je voulais jouer de la batterie. Alors, je jouais à ma manière dans le salon : je me suis acheté des bâtons de *drummer*. Je plaçais les coussins, et ce sont eux qui recevaient les coups ! Ma mère avait beau cacher ses coussins, elle n'a pas réussi à me dompter.

— Vous avez appris à jouer du *drum* sur les coussins du salon ?

— Oui ! J'avais une mémoire auditive très développée. Je mettais les disques sur la « table tournante », mais je ralentissais la vitesse pour pouvoir entendre plus lentement et apprendre le *beat* comme il faut. Je pouvais alors décortiquer sélectivement ce que j'entendais : la caisse claire, les cymbales, etc. Puis, je reproduisais le tout. Je faisais divers sons avec différents objets comme mes livres, mes crayons...

Il n'était sans doute pas trop reposant pour la maman, le fils batteur... C'est Mozart qu'on assassine ?

— J'avais aussi une imagination débordante. Je voulais inventer comme mon père, qui était « patenteux » et réparait n'importe quoi dans la maison. Mon père possédait un tour à bois, un tour à fer, etc. J'aimais le regarder faire. J'étais le plus bricoleur des fils.

— Qu'avez-vous inventé ?

— J'ai inventé du tabac.

— Du tabac ?

— J'ai emprunté une boîte de tabac vide chez une tante. J'y ai mis du bran de scie trouvé dans l'atelier de mon père, j'ai ajouté du vin de cerise et un peu d'huile à moteur. Ça ressemblait au tabac. Je suis allé chez le dépanneur pour le vendre : je ne sais pas pourquoi, ils n'en n'ont pas voulu !

— Quoi d'autre ?

— J'ai toujours aimé les jeux de construction et j'ai joué beaucoup avec le Meccano et les blocs Lego.

— En quoi les gauchers sont-ils différents ?

— Les gauchers ont souvent beaucoup d'imagination. C'est d'ailleurs cette qualité que je peux utiliser dans mon travail de directeur de recherche. Je dois innover. Les gauchers sont aussi plus sensibles : ils ont une sorte de côté féminin, un côté intuitif très développé. Ils sont aussi plus habiles de leurs mains pour bricoler.

— Les gauchers accusent-ils des faiblesses ?

— Ils sont désavantagés dans les habiletés verbales : selon mes observations, les droitiers sont nettement plus habiles.

— Vous étiez bon à l'école ?

— J'aimais les mathématiques, la physique, la chimie. La composition, le français, c'était ma mort. Dans le cours de philosophie ou de français, il fallait écrire un texte pour résumer : ouach ! J'ai quand même appris à écrire sans faute, mais ça ne s'est pas fait tout seul !

— Vous disiez que vous avez une bonne mémoire auditive.

— Oui, je pense. J'ai appris à lire la musique sur le tard, juste après avoir acheté la batterie. Quand j'ai décidé de m'acheter cet instrument, mes proches m'ont demandé : « Es-tu tombé sur la tête ? »

— Ils ne comprenaient pas.

— Puis, j'ai fait partie d'un groupe, d'un *band* de plusieurs musiciens : trois saxophones, deux trompettes, une *base guitar*, etc. Nous pratiquions dans un local à l'île d'Orléans avec un professeur du conservatoire de musique. Mais je ne lisais pas encore la musique.

— Et alors ?

— Je faisais semblant de lire les partitions. Je jouais à l'oreille. Mais les profs et les autres s'en apercevaient : quand la pièce était terminée, évidemment, ils arrêtaient de jouer subitement, et je donnais un coup de plus... Je me débrouillais. Vous savez, je suis un autodidacte. Plusieurs de ces musiciens étaient des chauffeurs d'autobus qui avaient des périodes d'inactivité le jour. Ils prenaient donc des cours de musique.

— Vous avez une oreille préférée ?

— J'ai une préférence pour l'oreille gauche. Lorsque je parle au téléphone, je pose le combiné sur cette oreille.

— Et pour les yeux ?

— L'œil gauche est aussi le meilleur. Je suis atteint de myopie importante : ce serait un facteur héréditaire, une déformation de la cornée. J'entends mal si je n'ai pas mes lunettes ou mes verres de contact. Si je réponds au téléphone et que je ne vois rien, on dirait que j'entends mal parce que ma vue est embrouillée.

Curieux phénomène ! Je suis un peu sceptique.

— Vous possédez des instruments pour gaucher ?

– Aucun. Seulement des instruments pour droitiers. Les plus difficiles à utiliser sont ceux qu'il faut faire démarrer avec une poignée : scie mécanique, tondeuse à gazon, moteur hors-bord, souffleuse à neige. Il faut utiliser la main droite, et c'est toujours mon côté le plus faible.

– C'est encore plus frustrant pour un gars fort d'avoir de la difficulté à démarrer tous ces moteurs... Que pense la société des gauchers ?

– J'estime que la société en général et particulièrement le milieu scolaire ont beaucoup évolué. Les gauchers ne sont plus des cas comme autrefois. Ils ne sont plus marginalisés. Mais si c'était à refaire, j'aimerais qu'on nous laisse le crayon dans la main gauche. Les parents ne devraient pas brimer leurs enfants gauchers.

Jean, un gaucher, donc, écrit avec la main droite. La souris de l'ordinateur est placée à droite, et le tableau et le lutrin qui supportent le texte ou les chiffres sont placés à gauche de l'écran. Il n'aime pas que sa conjointe déplace ses affaires dans sa salle de travail, à la maison. « Ça, ça va à gauche ! » lui rappelle-t-il souvent.

Dans la vie quotidienne, il préfère que sa compagne marche à sa gauche sur le trottoir. Au cinéma, elle s'assoit à gauche. Dans le lit, cependant, elle dort à sa droite : est-ce pour dégager l'espace et qu'il puisse la toucher avec la main gauche ?

– Sans doute ! explique-t-il un peu médusé que je demande cette précision.

– Et votre vie de gaucher ?

– J'aurais aimé utiliser davantage mon imagination débordante, par exemple, en travaillant en publicité. Toujours est-il que j'écris des scénarios de films : déjà une comédie et encore un *suspense*. Je crois que les gauchers ont l'esprit tordu.

Jean-Claude

66 ans, ingénieur en télécommunications à la retraite, a conçu des postes de radiodiffusion, de télévision, de transmission téléphonique, de réception-satellite, des systèmes de réseau hertziens (micro-ondes), au Québec et à l'étranger

---◇---

« Je me sens gaucher de tout mon corps, sauf pour l'écriture. Je refuse d'écrire de la main gauche : c'est trop laid ! Pour moi, autrefois, gaucher signifiait moins développé, moins intelligent. »

---◇---

Jean-Claude est le mari d'une ancienne connaissance à moi, originaire d'un petit village du Lac-Saint-Jean. La famille compte sept enfants. Les cinq filles sont enseignantes, et les deux garçons, ingénieurs. Le frère cadet vit à Singapour depuis trente ans. Les deux frères ont eu et ont encore des projets de travail communs.

Il m'aborde en disant qu'il n'apportera rien de neuf.

– Tu vas être déçue. Je ne suis pas un vrai gaucher. J'ai toujours trouvé laid et inesthétique d'être gaucher. Ces gens ont l'air d'infirmes ! Je n'ai jamais voulu ressembler à un gaucher, surtout quand j'écris.

– Voyons donc, Jean-Claude, tu exagères pas mal !

– Tu sais, c'est ma génération. J'étais le seul de ma classe. Je n'ai jamais accepté cette particularité pour l'écriture que je percevais comme une infirmité. Puis quand on a commencé à écrire, je n'ai jamais voulu me servir de la main gauche. Pas question. Je me suis dit que j'apprendrais avec la main droite. Je me faisais attacher la main gauche à la chaise, derrière le dos, et j'ai appris à manipuler le crayon de la main droite. J'y suis arrivé, sans peine. J'en suis fier !

Ils écrivaient alors avec des transparents, à l'école. Ce n'était pas facile. Jean-Claude était un premier de classe. Il ne voulait pas qu'on remarque sa gaucherie. Pour cette raison, il a aussi appris à manger de la main droite. Mais il coupe la viande de la main gauche. Curieusement, sa fille, qui est droitière – et violoniste – coupe aussi ses aliments avec la main gauche.

– Quand j'entends des gens faire des remarques sur ma gaucherie, du genre « Ah! tu es patte gauche? », ma sensibilité est encore heurtée, au point où je m'empresse de répondre que j'écris et je mange de la main droite! Je n'aime pas quand les gens s'acharnent en disant: « Ah! Tu joues au tennis de la main gauche? Tu frappes avec le marteau de la main gauche? »

À l'heure de la préparation du repas, je vois Jean-Claude couper un oignon avec le couteau dans la main gauche et tenir l'oignon de la main droite; puis il tartinera un morceau de pain de beurre avec la main gauche. Il n'a jamais eu l'impression d'être très différent.

– Jean-Claude, dis-moi, pourquoi es-tu gaucher?

Assis au fond du fauteuil de son bureau, il me regarde, les bras croisés, avec un petit sourire ironique:

– Caprice de la nature!

Je l'invite alors à me raconter pourquoi il est devenu un ingénieur.

– C'est le goût des réalisations, de construire: des ponts, des maisons, des tours, de grands édifices et, avant tout, le goût de la technologie.

Son parcours: les études primaires dans son village, quatre années au séminaire à Joliette, puis cours scientifique (à Pointe-aux-Trembles, au collège Roussin) et, enfin, à Polytechnique en électricité.

– À cette époque, le génie en électricité comprenait également l'électronique. Je suis devenu ingénieur en télécommunications. Mais les vrais termes qui définissent ma spécialité: radio, télévision, téléphone, satellites.

Il réalisa tous ses rêves. Jean-Claude suit encore la technologie: en fait, leur maison où je vais depuis quarante ans est la plus *high-tech*, la plus robotisée que je connaisse. C'est là que j'ai vu – de mes yeux vu – les instruments les plus modernes: première télécommande de télévision vers 1969, le premier ordinateur, le premier micro-ondes vers 1972, le premier agenda électronique (*think pad*), le premier téléphone cellulaire, la première caméra Internet ou webcam, le premier enregistreur vidéo numérique, le premier lecteur MP3, le premier ordinateur à connection Internet sans fil, et j'en passe. Cette maison est donc bien informatisée. Est-il besoin de dire que, lors du verglas de 1998, ils n'étaient pas mal pris et ont dépanné le voisinage avec les « patentes » de Jean-Claude ? Bien sûr, ils avaient une génératrice à l'électricité. Ils étaient les seuls complètement autonomes dans la rue : chauffage central normal, éclairage, radio, télévision, ordinateur, micro-ondes.

— Jean-Claude, utilises-tu des instruments pour gauchers ?

— Non ! Au contraire : j'ai appris à utiliser tous les instruments pour droitiers sans jamais rechercher ceux pour gauchers. J'ai également appris à utiliser le « couteau à patates » des droitiers, le tire-bouchon, la scie à chaîne, et j'en suis bien fier.

Mais il frappe toujours du marteau de la main gauche.

— Tu sais, je me sens gaucher de tout mon corps, sauf pour l'écriture. Je refuse d'écrire de la main gauche : c'est trop laid ! Pour moi, autrefois, gaucher signifiait moins développé, moins intelligent. J'ai été surpris que le président Clinton soit gaucher, puis le premier ministre Charest. Ce n'est pas esthétique de les voir signer des ententes avec la main gauche !

Mon hôte ne croit pas à la personnalité propre au gaucher. D'ailleurs, il n'a jamais fait la distinction et n'a jamais accordé d'importance à la gaucherie. Il connaît peu de gauchers, si ce n'est un beau-frère et un neveu. Et ce, dans tout son entourage.

— As-tu déjà joué d'un instrument de musique ?

— Non. Si j'avais joué du violon, c'est sûr que j'aurais joué comme un droitier. Mais je ne me serais pas vu jouer de la guitare de la main gauche. Je me rappelle avoir fait partie de la fanfare, au collège : ça faisait de belles sorties pour voir les filles. Et tiens, ça me revient, je jouais de la *bella lyra*. Je tenais le xylophone de la main droite et je frappais avec le bâton de la main gauche !

Il n'a jamais vécu de situation où, culturellement, le fait d'être gaucher ait été mal accepté. Pourtant, il a travaillé beaucoup en Afrique, dans les pays musulmans, en Asie. Aucun souvenir non plus de personnes qui ont refusé sa gaucherie.

— Avec le temps, la perception a changé. On a banalisé les gauchers depuis, mais je persiste à croire que mes parents ont bien fait de m'obliger à écrire de la main droite. Je les en remercie. Je suis content d'utiliser mes deux mains. Quand je fais quelque chose de la main gauche et que je suis fatigué, je change tout simplement de main, ce que ne peuvent généralement pas faire les droitiers. Et si j'avais un enfant gaucher, je lui aurais donné l'exemple !

— Ah bon !

– Je persiste à affirmer qu'être gaucher est une sorte de particularité physique, comme être grand, petit, homosexuel, etc. Dans la vie quotidienne, à table, ma gaucherie est apparente seulement quand je dois couper la viande.

– C'est exact.

– Je coupe avec ma main gauche, mais je mange avec la main droite. Dans la cuisine, je fais tout de la main gauche, mais je bois de la main droite : je me suis habitué. Je ne voudrais pas qu'on me voie boire de la main gauche !

– Et la souris d'ordinateur, alors ?

– J'ai deux ordinateurs et les deux souris n'ont pas le bouton inversé.

– Tu as connu beaucoup de gauchers ?

– Je connais peu de gauchers : dans mon temps, on les cachait ou encore, heureusement pour moi, on les changeait.

Je serai interdite d'apprendre par une golfeuse du même village du Lac-Saint-Jean d'où vient Jean-Claude qu'un tournoi de golf pour gauchers est organisé depuis plusieurs années à Saint-Prime et connaît un succès qui ne se dément pas. C'est un frère à elle, Lamontagne de son nom, lui-même gaucher, qui a eu cette idée. Chaque année, on refuse des inscriptions.

Jean-François Bergeron

32 ans, entraîneur du club de natation de Sainte-Foy, ancien athlète de triathlon, nageur longue distance, inventeur du EB System

---◇---

« Je suis un pur gaucher. Quand des spécialistes de l'activité physique mesurent ma force, c'est mon côté gauche qui est un peu plus fort, et, lorsque je me blesse, c'est toujours du côté droit. »

---◇---

J'ai rencontré Jean-François presque six mois jour pour jour après le Défi ultramarathon qui devait le faire connaître au Québec. Vous vous souvenez peut-être de cette émission spéciale du 21 août 2003 sur RDI : cet athlète a tenté de parcourir à la nage la distance comprise entre Trois-Rivières et Québec, ce qui fait pas moins de 127 kilomètres. Il a nagé jusqu'à Neuville : 15 heures 30 minutes. Le 3 juillet 2000, il avait déjà effectué, en 12 heures 39 minutes, le tour de l'île d'Orléans, une distance de 77 kilomètres, et traversé le lac Saint-Jean à 20 ans en 1993, de Péribonka à Roberval.

– Ce projet de Défi Trois-Rivières–Québec à la nage, comment vous est-il venu ?

– L'idée est née le 1er mars 2001. J'étais avec des jeunes nageurs en compétition à Trois-Rivières, et nous sommes allés sous le pont Laviolette, en bordure du fleuve. Je me suis demandé s'il était possible de nager du pont de Trois-Rivières au pont de Québec.

– Vous avez commencé à nager à quel âge ?

– Je ne me souviens plus. Je suis un peu poisson. J'ai vécu petit enfant au bord du lac Saint-Jean. Ça se perd dans mon souvenir. Je me suis mis à faire de la compétition à l'âge de 11 ans. Pendant plusieurs années, j'ai fait du triathlon : natation, vélo, course. Après treize ans, je détiens encore quelques records en triathlon, et des records de vitesse en marche olympique. Les sports d'endurance, les limites de la machine humaine...

Il mesure 1,96 m, soit 6 pi 5 po, et pèse 97,5 kg, soit 215 livres. C'est un magnifique athlète. Beau sourire, belles dents, l'air calme et serein. Comment en est-il arrivé là ? Au départ, il fait ses études secondaires au Juvénat de Dolbeau, puis il poursuit au cégep de Saint-Félicien en sciences pures et sciences humaines. Il prépare alors un bac en activité physique à l'Université de Montréal. Un vrai passionné de la science de la performance. Il abandonnera les études, car ses activités sportives et son entraînement prennent beaucoup de temps. Il complétera plus tard une mineure en... création littéraire à l'Université Laval : il adore écrire des pièces de théâtre. Puis il apprend la graphologie en autodidacte, ce qui l'amène à la psychanalyse. Il suit une formation pendant six ans à l'École freudienne de Québec.

— Je n'ai pas terminé mon analyse.

— Pourquoi ce défi de 127 kilomètres ?

— Parce que ça n'a jamais été fait. C'est quatre fois la distance de la Manche et c'est bien plus difficile. Idée farfelue peut-être, mais le projet a suivi son chemin. J'ai étudié le parcours, effectué des calculs sur les variations de courant, etc. Et j'ai mis mon projet à exécution le 21 août 2003.

— Quel exploit ! Quelle distance avez-vous parcourue ?

— Seulement 98 kilomètres. J'ai raté mon coup : j'ai eu un malaise intestinal. Les gens n'en revenaient pas : j'avais prévu à quinze minutes près l'heure à laquelle je passerais à tel endroit près du rivage. Je ne me suis pas trompé dans mes prévisions, un vrai tour de magie. Je m'y étais préparé pendant dix-huit mois. Mais je reprends le défi l'été prochain, le 10 août 2004[1]. Le départ est prévu à deux heures du matin. J'ai dit à ma grand-mère que je réussirais. Je me donne ce défi, et je vais y arriver. Je m'entraîne tous les jours : quatre heures par jour, six jours par semaine, et ça augmentera bientôt jusqu'à huit heures.

Je vois dans ses yeux une grande détermination, une flamme. Mais qu'est-ce qu'il s'en demande ! Jean-François est donc né sur le bord du lac Saint-Jean et va à l'école primaire à Roberval.

— Lorsque j'ai appris à écrire de la main gauche, je traçais les lettres à l'envers : par exemple, le *j* avait le crochet inversé. En plus, c'était difficile

---

1. Il a effectivement réussi son exploit.

parce que ma main gauche passait par-dessus ce que je venais d'écrire à la plume. Ça frottait au lieu de glisser. Vous savez, en graphologie, on étudie beaucoup la souplesse du trait, et Dieu sait que les gauchers n'écrivent pas facilement avec la main gauche !

— Y a-t-il des gauchers dans votre famille ?

— Je ne crois pas. Ma mère est ambidextre : elle aurait été gauchère, mais elle s'est fait réprimander à l'école.

— Avez-vous le sentiment d'être différent du fait que vous êtes gaucher ?

— Non, malgré le discours des autres et les croyances populaires. Si certains gauchers croient se différencier, peut-être est-ce pour flatter leur ego sans avoir de preuve... Par contre, j'ai entendu dire que, chez les gauchers, ce serait le côté opposé du cerveau qui serait dominant, soit l'hémisphère droit, celui qu'on appelle l'hémisphère des arts ; il n'est pas rationnel mais plutôt émotif. Je n'en sais rien. Je ne sais pas non plus s'il existe des habiletés ou talents particuliers aux gauchers. J'ai vécu dans un environnement qui prédisposait au développement d'habiletés particulières ou, au moins, au bricolage et aux inventions.

— En quel sens ?

— J'avais un budget illimité !

— Ah bon !

— Ça me venait de mon grand-père qui suivait tous mes projets. Je créais plein de choses étant enfant et adolescent. J'ai même eu le prix du bricoleur à l'école.

— Qu'est-ce que vous avez inventé ?

— J'ai créé une table à dessin vers l'âge de 14 ans : elle pouvait s'ajuster et se pencher. Puis une luge, une catapulte qui a, d'ailleurs, comporté plusieurs modèles, une arbalète, des voitures téléguidées, des bateaux téléguidés, des hydroglisseurs, des avions ultralégers, des fusées.

— Des fusées ?

— Oui, j'étais fasciné par les avions et les fusées. Enfant, je pensais étudier en aéronautique. Mais, finalement, j'ai perdu cette envie. Aujourd'hui, j'organise des événements... Comme le Tour de l'île d'Orléans. J'ai toujours eu beaucoup d'idées.

— Et vous inventez encore des choses ?

— J'ai actuellement cinq inventions concernant le domaine de la natation, mais je ne peux en parler. Toutefois, l'une d'entre elles — j'y travaille depuis trois ans — sera bientôt brevetée. J'attends le brevet américain. J'ai aussi déposé le projet de brevet international. Je choisirai les pays importants prochainement. Le brevet comporte vingt-quatre revendications dans lesquelles je défends les caractéristiques de la méthode d'enseignement et les spécificités de mon prototype. Le *eb-System* est à la fois un appareil et une méthode pour enseigner la natation sous l'eau.

— Racontez un peu.

— Quand on explique le mouvement de la natation aux jeunes, c'est souvent trop abstrait, et les jeunes nageurs n'ont pas conscience de leur corps dans l'eau. Pour cette raison, j'ai conçu un appareil qui est placé dans le fond de la piscine et qui permet au nageur de corriger son mouvement. Cela concrétise l'apprentissage de la nage, que ce soit le papillon, la nage sur le dos, la brasse ou le crawl.

— Vous ne manquez pas d'idées !

— Quand j'avais mon centre de conditionnement physique, Select Gym, j'ai eu un projet de télé qui s'appelait *Physioforme*. Il devait durer six mois, puis il a finalement duré trois ans. Je suis fasciné par le mouvement et la performance sportive.

— Vous utilisez des instruments de gaucher ?

— Pas du tout.

— Même pas de ciseaux ?

— J'ai déjà eu une paire de ciseaux pour gaucher. Maintenant, j'ai des ciseaux avec les anneaux ronds des deux côtés, mais je coupe avec la main gauche. Je suis un pur gaucher. Quand des spécialistes de l'activité physique mesurent ma force, c'est mon côté gauche qui est un peu plus fort et lorsque je me blesse, c'est toujours du côté droit.

— Vous croyez que les sportifs gauchers ont des avantages ?

— Je ne sais pas. On dit qu'à la boxe, les gauchers sont supérieurs. Sans doute l'effet de surprise. Je ne sais pas, je n'ai jamais fait de boxe.

— Vous avez déjà étudié un instrument de musique ?

— J'ai été obligé d'apprendre la flûte au secondaire, mais je crois que j'étais sous-doué.

— Avez-vous des suggestions pour l'école ?

— Rien à dire.

— Des conseils pour les parents ?

— Laissez vivre vos enfants gauchers !

Jean-Pierre S.

61 ans, licence en chimie-physique, enseignant au secondaire en chimie organique, coopérant au Cameroun pendant cinq ans dans les années 1970

———————◆———————

« Un parent devrait être heureux qu'un enfant soit gaucher, car il sera capable de s'adapter. N'est-ce pas un signe d'intelligence ? »

———————◆———————

Chimiste de formation, sa perception du phénomène de la gaucherie en est toute teintée.

— Je ne me souviens pas à quel âge je me suis rendu compte de ma gaucherie, mais je suis certain d'avoir entendu mes proches dire que j'étais gaucher avant d'entrer à l'école ; j'ai commencé tôt, vers l'âge de cinq ans. J'ai eu de la chance : une tante religieuse était directrice à l'école élémentaire que je devais fréquenter. À l'époque, les règles existaient, mais n'étaient pas suivies à la lettre. Sans doute ai-je bénéficié d'un passe-droit.

— Ce fut donc aisé ?

— Ma première journée d'écriture a eu lieu l'automne. Je suis entré en classe avec une feuille d'érable rouge et une pomme. Pour un jeune élève, une pomme est le cadeau le plus important qu'il puisse offrir à sa maîtresse. Quel beau mot ! Son enseignante, je devrais dire.

— Allez, continuez.

— Tous les élèves sont installés autour de la classe. Sur des doubles lignes au tableau noir, chacun recopie des lettres comme *a*, *b* ou *p*. La religieuse observe l'écriture. Lorsqu'elle juge la graphie satisfaisante, elle reconduit l'élève à son pupitre. Puis elle montre à chacun comment écrire son nom dans le cahier à deux lignes. Au tableau, la religieuse voit mon écriture tout à fait acceptable malgré ma main gauche. Elle me propose de regagner mon pupitre. Arrive le grand événement : écrire mon nom. Je me souviens parfaitement. La religieuse écrit d'abord mon nom entre les deux lignes. Je dois le recopier. Je commence avec application, il va sans dire. Je trace J-e-a-n P-i-e-r-r-e- S-. Mais la cloche sonne ! La religieuse me dit : « On continuera demain. »

— Sauvé par la cloche !

— C'est vous qui le dites ! En fait, j'étais passablement frustré.

— Pourquoi êtes-vous gaucher ?

— Je l'ignore. Je ne peux qu'émettre l'hypothèse que des molécules chimiques de mon cerveau sont différentes et font que je suis gaucher. C'est sans doute un phénomène physico-chimique. Il suffit de peu de chose dans la structure moléculaire pour modifier un comportement. Qu'une molécule soit alpha ou bêta, dextrogyre ou lévogyre, et les propriétés sont modifiées. Un biochimiste pourrait vous en dire davantage.

— Vous étiez le seul gaucher de la famille ?

— Oui. Dans mon cas, le facteur héréditaire est probablement à exclure. Aucun gaucher ni du côté maternel ni du côté paternel, et cela pour trois générations. On se demandait d'où pouvait bien venir mon handicap, si handicap il y a. Il semble que la gaucherie ait des origines génétiques. Il y a certainement des facteurs hormonaux. Lesquels ? La chimie du cerveau est excessivement complexe...

— Avez-vous eu le sentiment que vous étiez différent parce que gaucher ?

— Oui, et je dois avouer que ça me faisait un petit velours d'être différent, car j'étais capable d'écrire avec ma main gauche et de l'utiliser davantage. Cette différence me stimulait. Je ne me sentais aucunement diminué face aux autres, mais plutôt supérieur, puisque je pouvais effectuer les mêmes tâches que les droitiers, et mieux qu'eux. Ne dit-on pas que les gauchers sont habiles des deux mains ?

— J'ai déjà entendu ça.

— Par contre, le fait d'être gaucher m'a apporté certaines difficultés concernant l'habillement, surtout durant l'enfance : j'ai été réprimandé à cause de ma manière de faire mes boucles avec mes lacets. Remarquez que je ne sais pas encore... J'ai aussi un problème à nommer la droite et la gauche. Par exemple, les gants : lequel est le droit ? lequel est le gauche ? Même chose pour les souliers ou les bottes. Un enfant droitier doit avoir les mêmes difficultés, non ?

– Je ne sais pas. Quand ils sont jeunes, peut-être que tous les enfants ont ces problèmes. Vous faites du sport?

– Dans tous les sports que j'ai pratiqués plus jeune, enfant ou ado, j'étais gaucher: hockey, base-ball, volley-ball, football, tennis. Je suis persuadé que les gauchers possèdent des habiletés particulières dans tous les sports, mais surtout dans les sports individuels.

– Pourquoi donc?

– Le gaucher déroute son adversaire. Le droitier réplique toujours une seconde ou deux en retard. Le gaucher, parce qu'il fonctionne dans un monde de droitiers, est en mesure de décoder rapidement les gestes, les mouvements, les feintes de son adversaire droitier. Douce revanche pour le gaucher. Il serait intéressant de savoir combien de duels, surtout à l'épée, furent remportés par des gauchers...

– Et maintenant?

– Je joue au golf et j'adore... En principe, je devrais utiliser des bâtons pour gauchers, mais je joue droitier. Bizarre! Je fais tout de la main gauche à l'exception du golf. Pourquoi? Je ne sais franchement pas. Je dois vous dire que j'ai commencé à jouer au golf en Afrique...

– Ce n'est pas commun!

– C'est vrai! Au club de golf, il y avait seulement des bâtons pour droitiers. Je me suis sans doute adapté. Même aujourd'hui je ne me sens pas vraiment à l'aise avec des bâtons pour gauchers. J'ai essayé, mais c'est ardu. Plus que bizarre.

– Avez-vous vécu ici ou en Afrique des situations où, culturellement, le fait d'être gaucher a été mal accepté?

– J'ai beaucoup voyagé en Amérique du Nord et je n'ai jamais eu de mauvaises expériences ou des remarques désobligeantes concernant le fait d'être gaucher. Cependant, il en va différemment dans un pays musulman. Dans ces pays, la main gauche représente le mal. De plus, c'est avec cette main que l'on s'essuie après avoir déféqué. Il faut savoir que dans nombre de ces pays – du moins dans l'arrière-pays – on mange avec ses doigts. Donc, il faut être prudent et ne pas utiliser la main gauche pour manger, pour «piger» dans un plat. Je me rappelle une expérience vécue par un collègue de travail en Afrique.

– Racontez.

– Ce collègue était gaucher. Un jour, il est invité pour un repas dans une famille africaine. Il est le seul Blanc présent. Tout un événement! Sur la table se trouvent différents mets dont les couleurs sont parfois douteuses, entre autres, un grand plat contenant une substance verte épaisse, que les Africains nommaient *N'gollé* – je ne sais vraiment pas comment ça s'écrit ; ce plat semble être le mets principal. Tous mangent avec les doigts. Les personnes attablées trempent allègrement quelques doigts de la main droite, y font coller la substance avant de porter le tout à leur bouche. Mon ami ne fait pas attention : il se sert de sa main gauche... Quoi de plus normal pour un gaucher !

— Et alors ?

— Son geste étonne les convives... L'hôte retire le plat et jette son contenu.

— Oh là là ! La bévue !

— Au Cameroun, où je me trouvais, il y avait environ 20 % de musulmans, le reste étant composé de catholiques, de protestants et d'animistes. À vrai dire, je ne me souviens pas d'avoir eu des étudiants africains gauchers. De toute évidence, on devait contraindre les enfants gauchers à changer de main, tout comme on le faisait au Québec autrefois.

— En effet !

— Là-bas, le prof blanc qui écrit de la main gauche est plus ou moins un sorcier. Il est accepté, car il occupe un poste qui lui donne un statut social. Même chose pour un diplomate, ingénieur, ministre du culte, missionnaire, prof, religieux, technicien. Mais le gaucher doit être sur ses gardes pour ne pas enfreindre les us et coutumes. Chose étonnante : sur les 17 profs canadiens, quatre étaient gauchers dont une femme. Une proportion de 25 % environ.

— Étonnant !

— Autre coïncidence. Écoutez, je ne crois pas à l'astrologie... Mais sur les 17 profs, plus de la moitié étaient Taureau. Je suis gaucher et Taureau. Et sur les quatre profs gauchers, trois étaient Taureau.

— Ouais...

— Une amie gauchère a fait un voyage au Sénégal. Elle a pris l'habitude de porter un bracelet à clochettes pour se rappeler de ne pas utiliser sa main gauche !

— Croyez-vous au caractère ou à une personnalité propre au gaucher ?

— Oui. Je connais des gauchers et des gauchères qui manifestent une certaine fierté du fait d'être différents : ils sont fiers de montrer leur facilité d'adaptation. C'est à mon avis la grande caractéristique des gauchers. J'irai même plus loin : je pense que les gauchers ont une certaine tendance à se penser supérieurs. Ils ne se cachent pas pour dire qu'ils sont adroits des deux mains. Les habiletés motrices des gauchers sont plus grandes. Les gauchers que je connais ont généralement beaucoup d'imagination : sans doute parce qu'ils voient la vie différemment, sous un autre angle. Leur cerveau ne décode pas de la même manière que celui des droitiers.

— Pouvez-vous faire d'autres observations concernant les caractères propres aux gauchers ?

— Ils sont plus sensibles, plus émotifs. Cela pourrait-il aussi venir d'une plus grande coopération entre les deux hémisphères cérébraux ? C'est à voir. Y aurait-il un neurotransmetteur particulier chez les gauchers ?

— Pas que je sache !

— Par contre, je pense que les gauchers ont de la difficulté à visualiser des objets en trois dimensions. En chimie organique, je n'arrivais pas à visualiser des molécules dans l'espace.

— Tiens ! C'est curieux. Plusieurs gauchers me disent plutôt le contraire : qu'ils ont beaucoup de facilité à visualiser les choses en trois dimensions. Avez-vous un souvenir particulier de personnes qui ont refusé votre gaucherie ?

— Non. En général ma gaucherie fut bien acceptée. Cependant, à quelques reprises, des étudiants m'ont fait remarquer que je leur bouchais la vision du fait de ma position devant le tableau. Par ailleurs, j'avais un préjugé très favorable pour les gauchers. Je leur disais souvent : « Les gauchers vont loin. »

— Et dans la vie de tous les jours ?

— Dans un avion, c'est le cauchemar si un gaucher n'est pas assis sur le bord de l'allée de droite ou près du hublot à gauche. Pas facile de lever son verre ou sa fourchette, car le bras gauche entre en collision avec le bras droit du voisin. Un gaucher ne doit jamais être assis entre deux personnes à table, car il y aura nécessairement interférence avec le droitier situé à sa gauche. Combien de fois j'ai dû changer de place à cause de certains regards ou remarques... pas méchantes ou agressives, mais subtiles !

— C'est toujours le gaucher qui a tort.

— Vous avez compris ! Lorsque je mets la table, j'inverse la position des couverts. Combien de fois ma mère, mes conjointes m'ont-elles fait remarquer que je procédais à l'envers ?

Autre chose : l'éclairage vient généralement de la gauche, et il faut présenter la main droite à quelqu'un. Un gaucher a tendance à *dévisser* plutôt qu'à *visser*.

— Que pense notre société des gauchers ?

— On est souvent étonné par la manière de faire des gauchers. Leur débrouillardise en confond plusieurs.

— Avez-vous des conseils à donner à un parent de gaucher ?

— Lorsque le jeune enfant utilise sa main gauche, il ne faut pas le forcer ou l'obliger à prendre sa main droite. Être gaucher n'est pas une tare, c'est tout simplement une manifestation cérébrale différente des droitiers. Un parent devrait être heureux qu'un enfant soit gaucher, car il sera capable de s'adapter. N'est-ce pas un signe d'intelligence ? Il serait intéressant de compiler les quotients intellectuels des gauchers et de les comparer avec ceux obtenus par des droitiers. Existe-t-il une telle étude ? Nombre identique de droitiers et de gauchers pris au hasard provenant du même milieu social, même origine ethnique et même âge.

— C'est un terrain glissant, les recherches avec le QI...

— À mon avis, l'intelligence d'un individu se rapporte beaucoup plus à son adaptabilité qu'aux réponses à des questions que je qualifierais d'insignifiantes et non pertinentes.

— Vous avez raison. Que pensez-vous des statistiques indiquant que les gauchers ont plus d'accidents et meurent plus jeunes ?

— Un gaucher doit être plus attentif dans la manipulation d'outils ou d'appareils.

— Effectivement.

— Si les gauchers meurent plus jeunes, cela peut s'expliquer ainsi : leur cerveau travaille plus fort que celui des droitiers. Les signaux entre les deux hémisphères cérébraux sont nombreux et exigent de l'énergie. Les importantes interactions chimiques dans le cerveau des gauchers épuisent, à la longue, le système et doivent avoir des effets sur les phénomènes physico-chimiques de l'organisme. Si les structures moléculaires des diverses substances sont différentes chez les gauchers, les effets et les conséquences sont certainement différents.

— Autre chose ?

— Une dernière remarque. J'espère que les paroles suivantes ne vous choqueront pas. Je ne sais pas si les gauchers sont tous identiques concernant l'intimité...

— Mais qu'est-ce donc ?

– Voici : mon père avait une connaissance qui détenait une mercerie pour hommes. À plusieurs reprises, j'ai fait confectionner des habits sur mesure par un de ses tailleurs. Le tailleur me demandait chaque fois : « De quel côté portez-vous ? » Je dois vous dire que la première fois, je n'ai pas compris. Le tailleur m'avait dit : « Je dois savoir, pour la fourche... vous savez, votre appendice. » Évidemment, c'est du côté gauche. Un gaucher a des érections du côté gauche. Remarquez que nous ne sommes pas de meilleurs amants pour autant... c'est différent... semble-t-il.

Bon ! Je sais tout des gauchers, maintenant.

Josée

50 ans, cours en arts plastiques, bibliothécaire

« Je pense que les gauchers sont plus souvent artistes. Je veux dire qu'ils sont attirés, qu'ils ont une prédisposition pour les arts. C'est notre cœur. »

C'est à la bibliothèque municipale que j'ai remarqué la gaucherie de Josée. Je n'étais pas le moins du monde étonnée quand elle m'a raconté qu'elle avait étudié en arts plastiques et visuels.

— Personne dans ma famille n'était gaucher. Nous sommes quatre filles. Je suis l'unique gauchère et la seule qui a étudié en arts. Pourquoi je suis gauchère ? Je n'en ai absolument aucune idée. Je ne me suis jamais arrêtée à ça. Ma main gauche est mon instrument d'écriture.

— À l'école ?

— Ça s'est bien passé. Non, ça n'a jamais été difficile.

— C'est bon à entendre !

— Pourtant, j'ai des amies gauchères qui sont venues à la même école que moi, qui ont connu les mêmes religieuses, et elles ont des souvenirs très différents ! J'étais tranquille. J'ai redoublé une année et, cette année-là, nous étions sept « doubleuses ».

— Sept ?

— En quatrième année, si je me souviens bien. Il y avait une religieuse qui nous frappait. Je n'ai jamais rien dit à la maison, mais d'autres parents se sont plaints, et cette religieuse n'est jamais revenue. Je crois qu'elle avait des problèmes psychiatriques, la pauvre.

— Donc, rien à raconter qui fut difficile.

— Aucune difficulté à apprendre à écrire, mais j'écris de la main gauche. Je me rappelle que ma main se salissait avec le crayon. Et les cahiers à anneaux, quelle affaire! Quant au cours de tricot, ce fut toute une histoire.

— Pourquoi donc?

— La religieuse disait: «Je ne peux pas t'enseigner à coudre, ni à tricoter. Il faut prendre l'aiguille de la main droite. Je ne sais pas quoi faire avec toi.»

— Vous utilisez des instruments de gaucher?

— Je n'ai jamais eu de ciseaux de gaucher quand j'étais enfant et je crois que c'est bien plus tard que je me suis acheté ces ciseaux pour gaucher. Selon moi, les gauchers doivent s'ajuster. Quotidiennement, ils vivent des situations où ils doivent s'adapter.

— Ça vous embête quand les gens remarquent que vous êtes gauchère?

— Je me fais dire que je suis différente. «Comment tu fais? C'est bizarre, tu es capable d'écrire de la main gauche.» Pas anormale, mais pas loin! Petite, les remarques me frappaient, m'étonnaient. Je n'ai jamais vécu de discrimination. Je n'ai jamais aimé non plus essuyer des remarques. Par contre, je ne crois pas avoir été brimée. Et personne n'a vraiment refusé ma gaucherie. Mais la société en général fait sentir les gauchers un peu différents... à part, pas tout à fait normaux.

— Vous croyez que les gauchers ont des talents spéciaux?

— J'ai remarqué que les gauchers dessinent bien, qu'ils sont plus attirés par les arts visuels. Je pense que les gauchers sont plus souvent artistes. Je veux dire qu'ils sont attirés, qu'ils ont une prédisposition pour les arts. C'est notre cœur. Dans mon entourage, j'ai des amies gauchères. Deux sont ce que vous appelleriez des «gauchères contrariées». L'une est incroyable: elle a des talents en cuisine, en habillement, une perfectionniste! Elle réussit tout ce qu'elle fait.

— Que dit la science au sujet des gauchers?

— Selon moi, la science n'a pas apporté grand-chose ou, du moins, je ne m'y suis jamais vraiment intéressée. Mais, effectivement, il y a de plus en plus de recherches sur le sujet. Spontanément, je ne peux rien vous dire. Je me souviens que, chez les détenus, il y avait beaucoup de gauchers.

— Vous avez travaillé avec des détenus?

— J'ai fait beaucoup de choses: après mon cours en arts puis en pédagogie, j'ai travaillé comme éducatrice à l'établissement de détention d'Orsainville. Puis, j'ai été enseignante en santé mentale dans le champ de l'intégration sociale des adultes : personnes âgées, psychiatrisées. Et je suis employée à la bibliothèque municipale depuis... quinze ans déjà.

— Vous avez déjà étudié la musique ?

— J'ai étudié un peu le piano pendant quatre ou cinq ans, sans problème. Toutes les filles à la maison ont étudié le piano. Certaines répétaient plus que d'autres. Je ne joue plus. Par contre, j'adore la musique, qui est très présente dans ma vie. J'en écoute beaucoup : musique du monde, notamment musique arabe et française, des chansonniers. Je suis aussi très intéressée par les arts. Je vais souvent à des expositions. Je lis régulièrement *Vie des arts* à la bibliothèque, et ça m'intéresse énormément.

— Et les sports ?

— J'en ai pratiqué plusieurs : le ski alpin, le ski de randonnée, la marche. Mais très peu les sports de raquette. Les fois où j'ai joué, je me servais de la main gauche.

— Dans la vie quotidienne ?

— Je lis encore les journaux les quotidiens et les revues à l'envers : je commence par la fin. À table, enfant, je me cognais souvent. J'étais mal à l'aise. Coincée entre deux droitiers, ce n'est jamais drôle. À la maison, ça m'enrage souvent de voir comme on n'a pas d'outils. Il faudrait que je les invente ! Je trouve qu'on « taponne » et qu'on force plus, on est moins habile. Évidemment, le couteau à pain n'est pas fait pour les gauchers.

— Des modifications à l'école ?

— Mon Dou ! Les cahiers : plus de spirale, s'il vous plaît ! C'est impossible d'écrire avec ça. Avec les fameux cahiers à anneaux, on se blesse. Maintenant, je prends des tablettes.

— Avez-vous des conseils à donner aux parents d'enfants gauchers ?

— Eh bien ! Les laisser aller. Chez moi, je n'ai jamais senti qu'on me considérait de façon différente. Il ne faut certainement pas les encourager à changer de main. Ça c'est sûr, sûr, sûr.

— Et ces statistiques qui indiquent qu'il y a plus d'accidents chez les gauchers ?

— Je suis très surprise. Je n'ai jamais entendu ça. Je ne savais pas. Je n'ai aucune explication.

— Si vous aviez le choix, seriez-vous encore gauchère ?

— Oui, car j'aime écrire de la main gauche. Et on devient ambidextre, on est bien plus habile des deux mains. On n'est jamais mal pris ! Par contre, si j'avais pratiqué le métier de commerçante, j'aurais ouvert un magasin de gauchers. Comme les gauchers doivent pester! Ils se sont tus. Maintenant, on les classe mieux, du moins, je pense. Il y a de l'espoir pour la génération montante.

Julie

25 ans, ballerine et psychologue

---◄○►---

« Je n'aime pas l'expression "être gauche". Elle devrait être bannie, car elle est très péjorative. Je ne vois pas pourquoi le gaucher serait plus maladroit. »

---◄○►---

J'ai remarqué cette élégante jeune femme alors qu'elle s'affairait comme bénévole dans un encan chinois d'œuvres d'art. Elle signait des reçus avec la main gauche.

— C'est étrange. Dans la famille de ma mère, les garçons sont pour la plupart gauchers, tandis que, dans la deuxième génération, ce sont les femmes qui sont gauchères (pas toutes, mais une certaine partie). Dans ma famille immédiate, je suis la seule à être gauchère.

— Donc, vous n'avez pas eu de modèle gaucher.

— C'est exact. J'aurais sûrement aimé partager certaines frustrations ! Ma famille m'a toujours valorisée en tant que gauchère. Je me suis même toujours sentie spéciale et privilégiée. D'ailleurs, je suis aussi la seule avec des cheveux blonds : tous les autres ont les cheveux bruns. À l'école primaire, on parlait souvent d'enfants adoptés et du fait que les parents voulaient parfois attendre avant de dire à leurs enfants qu'ils avaient été adoptés. Comme j'étais différente, j'ai pensé que c'était mon cas !

— C'est vrai ?

— Sans toutefois en faire un cas ! Plus tard, j'ai appris que ma grand-mère paternelle avait les cheveux pâles et que j'avais des oncles et des cousines qui étaient gauchers...

— Pourquoi êtes-vous gauchère ?

— La science semble un peu dépassée par le phénomène. Elle formule toutes sortes d'idées, et rien n'est absolument vrai. Par exemple, que le cerveau gauche ayant eu des lésions, le gaucher développe ses facultés à droite (la partie gauche de notre corps est dirigée par la partie droite de notre cerveau). On entend aussi dire que, chez 30 % des gauchers, les facultés du cerveau gauche et du cerveau droit sont inversées. Pour moi, tout ça n'explique rien et, surtout pas pourquoi notre monde n'est pas plus adapté à la population gauchère.

— C'est juste.

— Ma mère disait que je prenais les choses de la main gauche, que j'ai semblé vouloir écrire de la main gauche. Je n'ai jamais été astreinte à utiliser ma main droite. Sur ce plan, j'ai toujours été acceptée. Tant mieux !

— Parce que vous ne vous seriez pas laissée faire ?

— C'est mon droit d'être gauchère, après tout ! Et pour quelle raison aurait-on pu m'en empêcher ? Je trouve terrible d'avoir obligé les gens, autrefois, à utiliser leur main droite. On leur manquait totalement de respect. Ces histoires-là me surprennent toujours.

— Comment s'est effectué l'apprentissage de l'écriture ?

— À l'école, le professeur est très rarement gaucher. Donc, bien sûr, c'est une droitière qui m'a enseigné comment écrire. Finalement, il faut se débrouiller soi-même ! Comment une personne droitière peut-elle apprendre à un gaucher à tenir un crayon de la main gauche et, plus encore, comment placer sa main sur sa feuille ?

— C'est ce que plusieurs me racontent.

— Écrire le poignet tordu par en haut ou alors placer sa feuille à l'horizontale. Pour sauver mon poignet, j'écris parfois de bas en haut : je place ma feuille presque complètement à l'horizontale, ainsi il n'y a aucune torsion dans mon poignet et dans mon bras. Au secondaire, j'ai dû me trouver une autre technique pour passer les examens, car ma main élançait.

— Racontez-moi.

— À mon école, au moment des examens, il fallait toujours écrire avec des stylos à encre effaçable. Je détestais ces stylos. Comme ma main passait sur mon écriture, j'effaçais mes réponses au fur et à mesure ! Et un halo bleu s'étendait sur l'ensemble de ma feuille. J'ai trouvé une solution à cette situation : je traînais toujours une feuille blanche avec moi et je disais à la maîtresse : « Excusez-moi, madame, est-ce que je peux prendre une feuille blanche pour mettre en dessous de ma main afin de ne pas effacer ce que j'écris ? Je suis gauchère. »

— Avez-vous déjà eu le sentiment que vous étiez différente parce que gauchère ?

— Je me suis toujours sentie spéciale, hors norme, et, en tout temps, j'en ai été très fière. Mes parents m'ont constamment aidée : ils voulaient que je fonctionne aussi bien que les droitiers. Tout s'est bien passé pendant plusieurs années. Mais, à mon arrivée à l'université, j'ai été consternée. Dans un des amphithéâtres, j'ai compris que je serais condamnée à m'asseoir toujours au bord de la rangée pour bénéficier d'un bureau pour gaucher. Dans cette salle qui comptait au moins quatre cents places, une seule rangée comprenait des tablettes accrochées à gauche de la chaise. Navrant ! J'ai essayé quelquefois de me mettre au centre, pour avoir une meilleure écoute, mais avec une tablette du côté droit, j'étais beaucoup trop mal à l'aise.

— On dit que les stylos à plume sont interdits aux gauchers.

— Sauf en Angleterre où j'ai pu acheter un stylographe pour gauchère. Dans ce pays, il y a beaucoup d'outils pour gauchers. Je pense que les Anglais sont plus éveillés à cette réalité et qu'ils veulent apporter des solutions.

— Ils sont très cool. Croyez-vous qu'il existe des talents ou habiletés particulières chez les gauchers ?

— Ils ont sûrement plus de facilité à s'adapter à diverses situations et se doivent d'être plus créatifs. Ils sont plus facilement ambidextres, puisque leur main droite est beaucoup sollicitée. Par exemple, à la maison, je n'avais qu'une seule paire de ciseaux, pour gaucher. Je ne l'avais pas toujours sous la main, alors j'ai appris à me servir des ciseaux pour droitier. Je suis donc aussi habile à couper de la main droite que de la main gauche. Cela arrive souvent aux gauchers.

— Autre chose à dire au sujet des instruments ?

— Le satané couteau à pain ! Je ne l'aime pas trop ! Je veux parler du couteau qui laisse un morceau de pain entre la lame et le manche de bois parallèle. Et les fourchettes à dessert : ça me rend triste chaque fois que je les vois. Chez mes parents, il y en a de très jolies, avec de la nacre sur le manche. Elles ne me sont d'aucune utilité, puisque la lame de la fourchette est placée du mauvais côté.

Très grande, élancée, je me rappelle qu'elle a été ballerine.

— Vous avez fait de la danse, je crois.

– De la danse classique pendant dix-sept ans, puis j'ai touché à toutes sortes de danse (moderne, flamenco, tango, jazz). La danse est peut-être un des seuls milieux où la gauche et la droite sont aussi importantes l'une que l'autre. Tout y est symétrique. Nous faisons toujours les exercices à gauche et à droite. C'est une manière d'équilibrer le corps. Les quatre membres sont sollicités également.

– Et dans votre métier, le fait d'être gauchère est-il un avantage ?

– Non. Je ne pense pas que le fait d'être gauchère influence mon jugement ou ma vision des choses.

– Avez-vous déjà vécu ou vivez-vous de la discrimination associée au fait d'être gauchère ?

– Non, jamais. Je n'ai jamais dû cacher le fait que je suis gauchère. Mais mon sentiment est partagé. Je n'aime pas les remarques du genre « Ah, tu es une patte gauche ! », ou encore « Regarde ! Elle est gauchère ! » Elles m'énervent. Rien de désobligeant, mais tout de même ! Ces réflexions me surprennent encore. On ne tape plus sur la main gauche à l'école. Il est fini, ce temps-là, c'est arriéré. Je n'aime pas l'expression « être gauche ». Elle devrait être bannie du vocabulaire, car elle est très péjorative. Je ne vois pas pourquoi le gaucher serait plus maladroit.

– Croyez-vous au caractère ou à la personnalité propre du gaucher ?

– Il est plutôt débrouillard, il lui est plus facile de s'adapter puisqu'il doit toujours le faire dans un monde de droitiers. Je vois beaucoup d'artistes gauchers. J'ai souvent trouvé que les gauchers avaient davantage de talents artistiques. Moi, je dessine, je peins, je sculpte et je danse. J'ai déjà joué un peu du piano et un peu de guitare.

– Pratiquez-vous un sport ?

– Au badminton ou au tennis, je manie les raquettes des deux mains. Je joue un match avec les deux : je change la raquette de main selon le côté d'où vient la balle.

– C'est assez déconcertant pour l'adversaire : j'en ai déjà fait l'expérience.

– De façon étonnante, j'ai autant de force des deux côtés, et ça marche !

– Quelle perception la société dominante a-t-elle des gauchers ?

– Notre société a très peu de considération pour les gauchers. Tout l'environnement est fait pour les droitiers.

– Avez-vous des conseils à donner à un parent de gaucher ?

– Aider le jeune enfant à trouver la façon d'écrire la plus adaptée. En faire un être normal et non un objet de curiosité. Lui procurer des outils spécialisés pour gaucher.

– Les statistiques indiquent que les gauchers ont plus d'accidents et meurent plus jeunes. Quelle est votre explication ou interprétation ?

– Ces statistiques m'étonnent. Je n'ai jamais rien entendu de tel. C'est peut-être un hasard... Par contre, le fait que les instruments ou la machinerie fabriqués pour les droitiers sont utilisés par les gauchers peut augmenter les accidents de travail.

– Adhérez-vous au Mouvement de libération des gauchers ?

– Oui, en un sens. Autrefois, on empêchait les gens d'écrire de la main gauche. Maintenant, c'est très peu commun. Je n'ai jamais entendu parler de gens de mon âge qui se soient fait corriger pour écrire avec la main droite. On laisse les gauchers beaucoup plus tranquilles, et c'est bien.

– Si vous aviez le choix, seriez-vous encore gauchère ?

– Oh oui !

– Dans quelle situation de la vie quotidienne avez-vous le plus l'impression d'être différente ?

– Quand je signe mon nom à la banque et que la corde pour le crayon est trop courte ! Quand je suis assise à une table avec plusieurs personnes dont une à ma gauche, et que je me heurte à son bras en mangeant ! Idéalement, je ne me mets pas dans cette position-là et je choisis plutôt la place à gauche, complètement.

– Certains appellent cela « les bouts de table ». C'était la place du gaucher dans les grandes familles.

Laurence

23 ans, avocate

« Je suis une patte gauche, c'est officiel. Je suis habituée de me faire taquiner. Si je fais un dégât, j'entends : "Tiens, la patte gauche !" Mais ce n'est pas prononcé avec méchanceté. »

— Très tôt mes parents ont vu que j'étais gauchère : je ramassais ma suce et je prenais le biberon de la main gauche. D'aussi longtemps que je me souvienne. Attendez... Ça se passe à la prématernelle. Il n'y a pas de ciseaux pour moi. À la maison, j'avais, bien sûr, des ciseaux verts – les ciseaux de gauchers sont verts, le saviez-vous ? –, car maman m'en avait acheté. En tout cas, tout au long du primaire, j'ai essayé de découper avec la main droite. Je n'ai jamais réussi. Je crois que j'ai apporté à l'école les ciseaux de chez nous, ce qui a réglé le problème.

— Pourquoi êtes-vous gauchère ?

— Je suis née ainsi. Ma mère était gauchère, mais, la pauvre, ils l'ont forcée à être droitière ! Ce n'est pas anormal d'être gaucher, on ne le décide pas.

Laurence a appris à écrire avec la main gauche, mais pas en inversant le poignet. D'ailleurs, cela ne lui cause aucun problème. Sauf dans les cahiers à anneaux ou dans le livre des invités à la maison de campagne familiale sur une île perdue dans le Saint-Laurent :

— On me taquine quand j'écris dans le livre des invités, ça ne fait pas beau : j'ai beau me forcer, je n'y arrive pas ! Il faut dire qu'on écrit seulement sur la page de droite, d'un seul côté de la feuille.

Ah ! l'écriture avec les stylos à plume ! Évidemment, Laurence n'a pas de stylo à plume. Son père a été très frustré de ne pouvoir lui offrir ce cadeau à son entrée à l'université. Ce qui ne l'empêche pas d'être maladroite avec ce beau stylo chic qu'il lui a offert.

— La semaine dernière, au bureau, je faisais signer une série de contrats à un client avec chemise griffée et tout. Il était à ma gauche, j'ai fait un faux geste, et j'ai taché sa belle chemise. J'étais très gênée, mais il n'en a pas fait cas. Un vrai gentleman ! Je suis une « patte gauche », c'est officiel. Je suis habituée de me faire taquiner. Si je fais un dégât, j'entends : « Tiens, la patte gauche ! » Mais ce n'est pas prononcé avec méchanceté.

Les gauchers auraient un sens artistique développé, entend-elle.

— Dans mon cas, c'est complètement faux ! Si j'époussette, eh bien, je remets les bibelots bien en ligne, pas du tout avec art.

Au piano, qu'elle a étudié pendant sept ans, Laurence n'a jamais compris pourquoi quand elle jouait avec les deux mains, que ce soit des gammes ou des arpèges, la main gauche allait bien. En revanche, la main droite était toujours en retard par rapport à la gauche. Mystère. Par contre, elle n'a aucun talent pour chanter.

— Je « fausse » comme ce n'est pas possible. Je n'ai jamais appris à chanter juste.

Dans le sport, Laurence croit que les gauchers ont des réflexes plus rapides que les droitiers. Où a-t-elle pris ça ? Nouveau mystère ! Elle n'a jamais réalisé d'exploits particuliers dans les sports, mais n'a pas connu de difficulté non plus : à huit ans, son père lui achète un gant de baseball de gaucher, c'est-à-dire pour attraper avec la main droite et lancer avec la main gauche. Pour frapper la balle avec le bâton, elle se souvient, vers 12 ou 13 ans, de l'attention des beaux garçons qui s'approchaient d'elle et tenaient à lui enseigner comment frapper : « Ah, attends, il faut que tu fasses comme ça ! » Et ils faisaient le geste avec moi ! Ce fut d'ailleurs l'occasion des premiers flirts, et mes amies m'enviaient d'être gauchère.

À table, elle occupe évidemment le bout de table.

— Je suis mal latéralisée. Quand je mets les couverts, je me trompe. En outre, je ne peux pas utiliser les verres à vin ou les assiettes à salade. Une fois, au cours d'un repas, je me suis rendu compte que mon voisin de droite et moi mangions tout à coup dans la même assiette ! L'un de nous a commis une erreur, mais est-ce lui ou moi ?

Un instrument la frustre : le couteau à trancher le pain, dans la maison, à l'île.

— Il est impossible de l'utiliser avec la main gauche puisque la lame n'est pas du bon bord !

Et puis un autre instrument, aussi. Ce cadeau qu'elle a fait à son copain : un véritable tire-bouchon Laguiole acheté en France à prix d'or. Elle ne peut l'utiliser, car le petit couteau pour couper le capuchon de la bouteille est tourné du mauvais côté.

Laurence utilise donc de préférence la main gauche, l'oreille gauche, le pied gauche. Toutefois, l'œil gauche a subi des modifications. Avec toutes les heures passées à étudier ses examens du Barreau l'an dernier, sa vision de l'œil gauche a passablement diminué. « Ça ne revient pas », a-t-elle entendu dire le spécialiste consulté. Heureusement, elle a passé ses six examens, ce dont elle n'est pas peu fière.

Un trait de caractère de gaucher ? La détermination, sans doute.

Marc Deshaies

39 ans, commandant de bord à Air Canada Jazz, ingénieur, bricoleur, agent de voyages

---◦▸---

« Les gauchers se démènent plus ! Tels les petits canards... qui pataugent en dessous de l'eau "comme des malades". Je pense que les gauchers ont la vie un peu plus dure. »

---◦▸---

Le vol vers Winnipeg prend du retard. La porte du cockpit étant ouverte, je vois les deux pilotes bavarder et rire. Je me dis tout à coup que les aviateurs doivent sans doute posséder une excellente perception de l'espace en trois dimensions. Ça y est : on annonce que le vol est retardé en raison du délai d'embarquement des bagages. D'ailleurs, je ressens les vibrations et j'entends du bruit dans la soute aux bagages, au-dessous de moi. La tentation est forte d'aller m'enquérir auprès des deux pilotes s'ils ont des collègues gauchers. Je demande donc à l'hôtesse la permission de leur dire un mot.

– À quel sujet ? me demande-t-elle

Je lui explique.

– Venez avec moi.

Surprise ! Le copilote est lui-même gaucher. C'est trop compliqué d'organiser une rencontre avec lui, car l'équipage anglophone est de Vancouver où se terminera leur série de vols. Pendant la discussion, je suis amusée de constater que le commandant, maître à bord après Dieu, semble déçu de se faire voler la vedette par le copilote, un gaucher...

Quelques jours plus tard, au retour, même scénario : je tente de trouver un pilote de ligne gaucher. On m'a assigné le siège 1B tout à l'avant. Il est 22 h 30. J'ai de la chance : l'agente de bord m'informe de la présence dans l'avion d'un commandant de bord gaucher. Il fait le trajet dans la cabine comme passager, puisque tout un équipage retourne dormir à sa base de Québec.

Le copilote vient d'abord prendre place dans le siège 1A juste à côté de moi. Le roman de Yann Martel, *Histoire de Pi*, sous le bras. Tiens! Un pilote qui s'intéresse à la littérature. Il bavarde avec moi durant la manœuvre de roulement vers la piste de décollage. Nous traversons des zones de turbulence durant l'ascension avant d'atteindre l'altitude de croisière.

— Le mal de l'air, vous connaissez?

— Oui, je l'ai eu une fois dans un simulateur de vol défectueux! Mais vous savez, à l'avant, ça « brasse » pas mal moins que dans la cabine.

Au tour du commandant de bord en route pour sa destination finale à titre de passager de venir prendre le siège juste à côté de moi. Il m'aborde en me montrant son annulaire droit à l'ongle noirci.

— Gaucher et gauche! J'étais pressé de « corder » mon bois pour aller à des funérailles et je me suis fait tomber dessus une grosse bûche.

Puis il me raconte son cheminement. La conversation est animée.

— Comment et pourquoi êtes-vous devenu pilote?

— C'est simple : mes parents étaient sédentaires, et on n'allait jamais nulle part! Moi, j'avais le goût de l'aventure, du voyage. Je lisais Tintin. La première fois que je suis venu à Québec, j'avais 16 ou 17 ans. Je passais pour me rendre étudier à Jonquière au Centre québécois de formation aéronautique.

— Vous avez commencé à voler juste après?

— Pas du tout. Quand j'ai terminé mon cours de pilotage, je n'avais pas d'emploi. Je suis allé faire mon cours d'ingénieur.

Il lève alors le petit doigt de la main gauche me montrant l'anneau de fer.

— Vous portez à l'annulaire de la main gauche l'anneau de fer. Quelle est sa signification?

— Après le bac en génie, nous recevons le jonc. C'est pour rappeler aux ingénieurs qu'ils ne sont pas infaillibles[1].

---

1. Voir le site www.ironring.ca. M. Xavier Maldague, du Département de génie de l'Université Laval, lui-même un gaucher, m'informe que l'ingénieur porte cet anneau de fer dans l'auriculaire de « la main qui travaille ». Le port de cet anneau est exclusif aux ingénieurs canadiens.

— Pourquoi un cours d'ingénieur?

— En aviation, tout est axé sur la sécurité. Le permis de pilote n'est valide que si le titulaire obtient et garde son certificat médical. S'il advenait que j'aie des problèmes de santé, que je rate l'examen médical et que je perde mon permis, je serais sans emploi. Il faut toujours protéger ses arrières et être polyvalent. Pour cette raison, j'ai obtenu un diplôme universitaire. J'ai étudié à l'École polytechnique à Montréal et j'ai bien aimé. Puis j'ai travaillé pour Air Satellite à Baie-Comeau, à Air Canada Jazz alors appelé Air Alliance comme premier officier pendant deux ans, puis, je suis devenu commandant. Mais il y a eu grève en 1997. Après le règlement du conflit, la compagnie ayant un surplus d'effectifs a offert aux pilotes la possibilité d'obtenir un congé sans solde. De sorte que je suis allé travailler pour une compagnie de *charters* comme premier officier sur les gros porteurs que sont les Lockheed 1011 : 362 passagers et 11 membres d'équipage.

La question me brûle les lèvres :

— Est-il plus difficile de piloter un gros ou un petit appareil?

— C'est la même chose, à part sur le tarmac où il faut faire les virages plus grands.

— Et dans les airs?

— Contrairement à la croyance, ce ne sont pas des surhommes qui pilotent les gros avions. Les gros appareils sont plus stables, donc moins affectés par les turbulences. Ils ont souvent munis d'instruments sophistiqués. À l'inverse, les pilotes des petits avions ont la vie plus dure : conditions de travail plus difficiles, salaires inférieurs, moins d'équipement, etc.

Notre Dash 8 vient de se poser à l'aéroport Jean-Lesage à Québec. Nous convenons d'un autre moment pour terminer.

— Je vais lire votre questionnaire en m'en allant chez moi.

— Regardez plutôt devant vous en conduisant la voiture!

— Pas de problème : les gauchers peuvent faire plusieurs choses à la fois!

Dix jours plus tard, je le reçois à la maison.

— Si je suis gaucher, c'est une tendance naturelle. Peut-être suis-je endommagé par la nature ou ai-je une malformation... puisque je suis droitier sauf pour l'écriture. J'étais le seul gaucher de la famille. Le problème, quand j'écris de la main gauche, c'est que la main traîne sans cesse sur ma feuille. Quand je faisais du dessin technique, je salissais toujours mon dessin. Je mettais alors de la gomme émiettée afin que la main glisse. Je protégeais ainsi mon travail. J'ai toujours été assez pointilleux et méticuleux. Je n'aimais pas quand mes dessins étaient malpropres. Je n'aimais pas non plus avoir la main noire. À l'école, on ne m'a jamais « chicané », ni frappé. Mais, en fait, je ne suis peut-être pas un vrai gaucher.

— Expliquez.

— Je fais beaucoup de choses de la main droite. Dans les exercices physiques, je suis plus fort à droite. Si je frappais quelqu'un, je frapperais avec la droite. Mais je dévisse avec le bras gauche.

— Et dans le sport ?

— Dans les différents sports, c'est variable. Au base-ball, j'attrape avec la main gauche et je lance avec la main droite.

— Comme un droitier.

— Quand j'étais en 2e secondaire, je jouais au hockey et j'ai été blessé. J'ai eu le tendon du pouce gauche sectionné par un coup de patin. Alors, pendant quelque temps, je me suis amusé à écrire avec la main droite. Je pense que c'est important de développer des habiletés des deux mains. Quand je jouais au hockey, j'étais capable de jouer des deux côtés de la patinoire. Dans les sports de raquette, j'utilise la main droite, puisque c'est mon bras le plus fort. Je suis aussi droitier au golf. Je cloue et je visse avec la main droite.

— Vous êtes habile de vos mains ?

— Je travaille pas mal avec les outils et j'utilise la scie ronde de la main droite. J'ai des ciseaux de droitier. C'est mon œil gauche qui est le meilleur, comme mon oreille.

— Et avec le casque d'écoute ?

— Dans le poste de pilotage avec le casque à deux écouteurs, une seule oreille écoute vraiment. Le commandant de bord est assis à gauche et l'officier, à droite.

— Votre métier requiert-il des habiletés que vous détenez parce que gaucher ?

— En fait, mon métier me demande de pouvoir utiliser les deux mains. J'ai appris à alterner main gauche et main droite. Selon qu'on s'assoit à gauche ou à droite dans le poste de pilotage, qu'on soit commandant, instructeur de vol ou premier officier, il faut pouvoir utiliser et être habile avec les deux mains.

— Croyez-vous qu'il existe des habiletés ou talents particuliers chez les gauchers ?

— Je n'ai jamais cherché à le savoir. Peut-être sommes-nous plus observateurs. Mais je sais que j'ai une facilité pour percevoir le relief et particulièrement pour dessiner en trois dimensions. Quand je faisais du dessin technique, il fallait dessiner des blocs de bois en trois dimensions. Je n'avais qu'à fermer les yeux, je les voyais et je les dessinais. Au fond, je suis un visuel.

— Que dit la science à propos des gauchers ?

— Je n'ai jamais cherché à le savoir.

— Utilisez-vous des outils de gaucher ?

— Absolument aucun.

— Vous pensez qu'il existe un caractère ou une personnalité propre au gaucher ?

— Non, bien que les gauchers soient obligés de s'adapter.

— Vous remarquez quand les gens sont gauchers ?

— Non, pas du tout, je ne fais pas attention. Je ne sais même pas si j'ai des amis gauchers ! Mais les droitiers, eux, le remarquent. Parfois, j'entends : « Ah ! tu es gaucher ! » Ça me laisse indifférent. Ça ne me dérange pas vraiment. Ça me frappe toujours quand quelqu'un remarque ou fait des blagues. Selon moi, on n'est jamais restreint et inférieur parce qu'on est gaucher. En fait, je suis très habile de mes mains, je suis aussi créateur. J'ai fait mes plans de maison que j'ai dessinés sans difficulté.

— Vous avez déjà vécu de la discrimination du fait d'être gaucher ?

— J'ai visité quelques pays où, culturellement, il ne faut pas utiliser la main gauche. En touriste évidemment, c'est différent. Mais on m'a averti et expliqué. Par exemple, la main gauche est utilisée pour l'hygiène. Donc, on ne doit jamais rien toucher avec cette main. En ce qui concerne la conduite automobile, j'ai beaucoup aimé conduire à gauche en Afrique du Sud et en Thaïlande. C'est quand il s'agit de traverser les rues que c'est difficile. En fait, dans ces pays-là, c'est plus difficile de traverser la rue que de conduire.

— Que pense la société en général des gauchers ?

— Je ne sais pas. On se fait dire : « Tu es gaucher, tu es gauche. » On entend des blagues.

— Vous avez déjà étudié la musique ?

— En musique, j'ai appris le glockenspiel à l'école, mais j'étais un zéro en musique !

– Que devrait-on faire à l'école pour les gauchers ?

– À l'école, il faudrait faire écrire les enfants gauchers comme en arabe... de droite à gauche. Ils n'auraient pas besoin de traîner la main dans ce qu'ils viennent d'écrire !

– Pourquoi y a-t-il plus d'accidents chez les gauchers ?

– Oh ! C'est vrai ce que vous dites ? Ça m'étonne. Je ne suis pas prêt à le croire. Je ne suis pas convaincu du tout. Enfin ! Les gauchers se démènent plus... tels les petits canards qui pataugent en dessous de l'eau « comme des malades ». Je pense qu'ils ont la vie un peu plus dure.

Tout au long de la conversation, Marc fait des gestes avec la main gauche, croise la jambe gauche sur la jambe droite.

– Vous aimez votre métier de pilote ?

– J'aime beaucoup l'aspect flexibilité de l'emploi de pilote. Il y a beaucoup de temps libre, et ça m'a permis d'avoir dans le passé cette petite entreprise de construction. Je fais aussi un peu de construction pour moi-même. En tant qu'agent externe, je travaille également pour une agence de voyages. D'ailleurs, j'aime voyager. J'aurai bientôt trois semaines de congé, ce qui me permettra de séjourner en Birmanie.

– Vous avez connu d'autres gauchers remarquables ?

– Nous sommes tous remarquables !

Marie N.

49 ans, neuropsychologue dans un service de psychiatrie infantile

———◦◦———

« Dans le fond, je suis plus gauche que gauchère. »

———◦◦———

Je rends visite à Marie dans son bureau à l'hôpital. Elle m'a raconté au téléphone qu'elle n'est pas une vraie gauchère, que je serai sans doute déçue. Avant la rencontre, elle m'offre une pomme que nous partagerons : elle la coupe en quartiers avec la main droite. Quand elle finit de remplir le court formulaire avec ses coordonnées, elle écrit avec la main droite. Quand arrive le temps de signer, elle change le crayon de main et signe avec la main gauche. Du jamais vu ! Je ne comprends pas.

Je comprendrai un petit peu plus tard.

— J'écris avec la main gauche, mais, pour le reste, je suis droitière.

— Racontez.

— En première année, j'écrivais avec la main gauche. Mais peu avant Noël, je me suis coupé la main avec un verre en tombant. Je devais être en train d'aider ma mère. J'ai dû porter un pansement. J'ai donc été obligée d'arrêter d'écrire pendant quelque temps. Je me souviens que la directrice a dit : « Ce n'est pas parce que tu as un pansement dans la main... », puis j'avais répondu : « C'est avec cette main-là que j'écris, ma sœur ! » Et alors elle avait lancé : « Ah ! Une petite gauchère ! » De fait, j'exagérais mon bobo : elle n'aimait pas ça.

— Y a-t-il des gauchers dans votre famille ?

— Mon père était un vrai gaucher, mais on l'a forcé à écrire de la main droite. Il mange aussi avec sa main droite.

— Êtes-vous gauchère ?

— Tout est plus naturel du côté gauche. Même toute petite, j'étais portée à utiliser la main gauche. Sur papier, j'écrivais avec la main gauche. Mais quand j'allais faire les dictées au tableau, je me servais des deux mains. Lorsqu'un bras était fatigué, je changeais de main. L'apprentissage de l'écriture a été un peu difficile, parce que j'étais souvent frustrée. J'aimais beaucoup écrire, mais ma feuille devenait toute grise à cause de la mine du crayon. Ce n'était pas agréable, j'avais les côtés des mains sales. Nous avions un uniforme, une tunique bleu marine avec un chemisier blanc. Le bord de ma manche était toujours souillé ! Ensuite, on a commencé avec les vraies plumes à l'encre ! Je poussais sur ma plume et je faisais des dégâts. Avec la plume ou le crayon-feutre, il faut laisser sécher, sinon tout est barbouillé.

– Vous étiez plus habile d'un côté ?

– Non, pas vraiment. En fait, j'étais probablement dyspraxique. Au fond, je suis plus gauche que gauchère. J'ai toujours pensé que j'étais « nounoune ». Je ne sais jamais d'avance comment faire les choses. Ça m'arrive encore : quand je dois utiliser la force, je prends mon côté droit, mais si je dois être plus habile, c'est la main gauche. Quand je faisais du tricot, je ne savais pas si je devais utiliser la main gauche ou la main droite. Pour moi, c'était tout à fait pareil. Nous avions des cours de tricot une fois par semaine. Je ne savais pas où était rendue la laine : il fallait que je compte le nombre de rangs à chaque début de cours. Comme j'étais souvent mêlée, la religieuse s'approchait de moi. Je me souviens qu'elle avait mauvaise haleine. Elle m'a souvent humiliée.

– Ce ne sont pas de très bons souvenirs.

– Enfant, je faisais toutes sortes de choses. J'ai fait de la peinture à numéros pendant cinq ou six ans. Je me souviens : main gauche ou main droite, je n'étais pas meilleure. En fait, j'étais mal à l'aise, « gauche » avec les deux mains. Mon père m'appelait « la gauche ». C'est très bon pour l'image de soi ! J'ai tout essayé : macramé, couture, crochet, faire des boucles. Quand je dois coudre un bouton, je procrastine encore. En plus, je n'ai pas de bons yeux. Je prends l'aiguille plutôt de la main droite.

– Et maintenant ?

– J'ai décidé à un moment donné d'écrire de la main droite. C'était il y a cinq ans environ.

– Pourquoi donc changer de main si tard ?

– Je me disais que ça salirait moins, que ce serait plus facile d'écrire de droite à gauche. Quand j'écrivais de la main gauche, le pouce guidait le crayon et déplaçait le travail. J'ai donc décidé de changer de main. Mais j'écrivais à l'envers, en miroir. Par exemple, le mot FAIT donnait

TIAF. Finalement, j'y suis arrivée. J'écris désormais avec la main droite. Cependant, je signe encore de la main gauche.

— Il y a une raison?

— Surtout pour des questions légales: ma signature en bas des cartes de crédit ou à la banque serait trop différente.

— Vous avez fait un peu de sport?

— C'est en faisant du sport que j'ai regretté d'être une fille. Quand j'étais plus jeune, il existait beaucoup de sports pour les garçons mais pas pour les filles. Je trouvais ça injuste. Je suis une adepte de plein air: j'aime faire du camping, de la randonnée pédestre, du patin. Je suis une enfant du dehors.

— Que dit la science au sujet des gauchers?

— Pour la gaucherie, il y a d'abord un facteur héréditaire. Une lésion développée en bas âge peut aussi influencer le choix de la main. Chez les dyslexiques héréditaires, on sait qu'il y a plus de gauchers. On a pensé que les gauchers avaient plus de chances d'être dyslexiques. Ce n'est pas ce que j'observe dans notre équipe de travail en psychiatrie.

— Avez-vous des conseils pour le milieu scolaire?

— À l'école, je trouve important de laisser faire les enfants qui veulent écrire de la main gauche. Il faudrait, par contre, s'assurer qu'ils ont des tablettes et des tables devant eux qui soient confortables pour écrire. Il faut aussi accepter qu'ils écrivent plus gros. Être moins rigide, moins sévère. Ils doivent s'adapter, mais aussi se sentir acceptés. Dans les écoles, ceux qui enseignent le hockey devraient être vigilants et ne pas mettre à part ceux qui sont gauchers: ils ont leur façon de faire à eux.

— Vous utilisez des instruments de gaucher?

— Non. J'utilise encore des ciseaux pour droitiers.

— Votre vie de gauchère a-t-elle été difficile?

— J'ai mis mes limites juste à l'adolescence et, du fait que j'étais hypermétrope, astigmate, un peu gauchère, ça allait mal! «Gauchère, maladroite», comme on me le disait souvent! J'ai d'ailleurs toujours été gauche à table. Je faisais souvent des dégâts. À table, les vrais gauchers se voient: ils ont avantage à manger comme des droitiers! Il y a des choses que je n'ai jamais osé faire étant donné que je suis gauche. Par exemple, je n'ai jamais essayé la poterie. Je me disais que je ne serais pas bonne. Puis, comme mon père me disait que j'étais pesante comme une roche, je me suis décidée tard à danser. J'ai même attendu jusqu'à l'université. Maintenant, j'adore. J'ai fait de la danse africaine, du flamenco. C'est difficile parce que les gestes se font des deux côtés. Il faut se concentrer. J'aime bien.

— Dans quelle situation avez-vous le plus l'impression d'être gauchère ?

— Dans la vie de tous les jours, c'est sans contredit quand je signe mon nom. Comme tout à l'heure, après avoir répondu au questionnaire. J'ai dû changer de main pour signer mon nom. J'ai bien vu votre réaction !

— Si vous aviez le choix, est-ce que vous seriez encore gauchère ?

— Eh bien ! Vous aurez compris que je ne suis pas gauchère, je suis gauche !

Marie Robert

42 ans, avocate, présidente fondatrice de la Fondation Marie-Robert pour la recherche sur les traumatisés crâniens

« Je ne me suis jamais sentie différente sur le plan intellectuel ni inférieure parce que j'étais gauchère. »

Lourde présence de tracteurs semi-remorques sur cette portion de l'autoroute 20, à la hauteur de LaSalle en ce matin d'octobre. J'ai hâte de rencontrer maître Robert et sa mère, les deux instigatrices de cette fondation qui veut promouvoir la recherche sur les traumatisés crâniens.

Conduire et chercher une adresse sur une artère à six voies est une entreprise hasardeuse. Je dois me rendre à l'évidence : je suis allée trop loin et dois faire demi-tour. Je pénètre dans une grande cour de triage de remorques. Un homme descend d'une caravane avec un téléphone cellulaire ou un *walkie-talkie*.

« La *Fondation* comment ? *Marie-Robert* ? Connais pas ! »

Sapristi ! Si ça continue, je serai en retard. Je poursuis rue Notre-Dame, direction ouest. Soudain, sur la droite, le numéro 6450 et sur une enseigne : *Association du camionnage du Québec*. L'étincelle jaillit alors dans ma tête : voilà ! La Fondation doit être hébergée par cette association.

Me voilà enfin arrivée à destination. Une femme, madame Gaulin, m'accueille chaleureusement, bien qu'intriguée par ma présence. Elle m'indique le vestiaire. Maître Marie Robert arrive alors tout sourire, élégante, vêtue d'un tailleur et chaussée de petits talons hauts.

– Madame Déry ?

L'entrevue se déroulera dans la salle du conseil d'administration de l'Association du camionnage. La mère de Marie, Claire Garon-Robert, assistera et participera à l'entrevue.

— Je n'ai jamais perçu de différence étant enfant. Mon frère aîné est droitier.

— Pourquoi êtes-vous gauchère ?

— C'est la nature qui m'a faite gauchère. J'ai toujours eu plus de facilité à écrire de la main gauche. D'ailleurs, j'ai appris à écrire avec cette main. L'apprentissage de l'écriture a été difficile, surtout le passage des lettres détachées à l'écriture cursive. J'avais de la difficulté avec les *f*, les *d* et les *t*. Je me suis dit : « Tu as un problème, tu as un handicap physique. » Il me fallait tourner ma feuille. Je n'aimais pas les cahiers à spirale : on écrit mal avec une bosse sous la main ! J'ai finalement appris à écrire ainsi. Je me suis adaptée.

— Avez-vous déjà senti que vous étiez différente parce que gauchère ?

— « Je ne me suis jamais sentie différente sur le plan intellectuel ni inférieure parce que j'étais gauchère. » Au contraire, il me semble que c'est un avantage puisque je peux me servir de mes deux mains. Je n'ai jamais cru qu'il y avait des talents ou des habiletés particulières chez les gauchers.

En me racontant tout ça, Marie est songeuse. Elle joint les mains sur la table et lance avec un sourire :

— C'est sûr que les gauchers sont plus intelligents !

Au tour de la mère de Marie d'intervenir, avec un air un peu moqueur.

— Je crois que les gauchers sont plus têtus et tenaces. L'histoire de la Fondation et du combat de Marie en réadaptation en sont une illustration.

— Racontez un peu. Vous avez subi cet accident de la route qui a changé le cours de votre vie. Mais avant cet accident, vous aviez déjà terminé vos études ?

— J'ai réussi mes examens du Barreau à 25 ans. Je travaillais dans un bureau d'avocats depuis cinq ans quand s'est produit cet accident.

— Vous vous en souvenez ?

— Non. On a dû m'en faire le récit. J'étais en route pour le mariage d'une avocate de mon bureau, dans l'Outaouais. Je ne suis jamais arrivée !

Donc, ce 6 juillet 1991, traumatisme crânio-cérébral, fractures multiples : à la mâchoire, à l'orbite gauche, au cubitus gauche, aux chevilles gauche et droite en plus de contusions cérébrales diffuses, d'œdème. L'indice de coma Glasgow initial était à 4/15, puis il s'est amélioré à 6/15. Période d'amnésie traumatique de vingt-deux jours et hospitalisation à l'hôpital Charles-Lemoyne pendant soixante-seize jours.

— Au début de la période de réveil, j'ai écrit différents messages où j'exprimais que je voulais vivre.

La mère de Marie a apporté une liasse de documents et me montre ces messages. Madame Robert est infirmière de métier.

— Marie a présenté une hémiparésie gauche et a dû réapprendre à parler et à marcher. Dans les premières semaines après son accident, elle dormait vingt heures sur vingt-quatre tellement elle était fatiguée.

— Une période difficile.

— Oui, très. Par la suite, elle a été suivie en réadaptation en externe pendant de longs mois.

Marie raconte à son tour.

— Je me rendais compte peu à peu que jamais, sans doute, je ne pourrais de nouveau pratiquer mon métier d'avocat. J'ai alors songé à créer la fondation.

— Toute une entreprise.

— Plusieurs personnes m'ont assistée dans cette démarche, à commencer par ma mère, puis maître Massicotte, mon ancien patron, puis le docteur Provost, le neurochirurgien, ainsi que divers organismes, dont la Société de l'assurance automobile du Québec.

— Mais tout ne s'est pas passé très facilement.

— Oh non! Durant toute la période, je me trouvais encore en réadaptation. Certains thérapeutes m'ont découragée d'entreprendre la création de cette fondation. Je les entends encore : « Il faut que tu entres dans le moule », « Marie, tu choisis entre la recherche ou ta réadaptation. »

— Me Robert, vous gardez un souvenir un peu amer de ces gens?

— Oui. Ces personnes à l'esprit limité et borné, qui, parfois. m'infantilisaient et me décourageaient de poursuivre dans cette voie, m'effrayaient un peu, même beaucoup. J'ai quand même choisi la recherche.

Madame Robert renchérit.

— Il a fallu qu'elle soit têtue et déterminée!

— Vous conservez des séquelles de cet accident, et particulièrement du traumatisme crânio-cérébral?

— Bien sûr. Mon élocution est plus lente. Ma pensée est moins vive. Je me dois de faire une seule chose à la fois. J'ai des problèmes avec plusieurs types de mémoire.

— Ça ne paraît pas.

— J'ai dû abandonner mon métier de plaideur, puisque je me serais trouvée très désavantagée : impossible de plaider avec verve et aisance, suivre un procès et représenter adéquatement des clients. J'ai donc choisi de défendre une seule cause, celle de la recherche sur le traumatisme crânio-cérébral.

— Toute cette récupération a été un long processus.

— Ça n'est jamais terminé. Je connais encore des problèmes de vision : une diplopie.

— Vous voyez double.

— J'ai subi une intervention chirurgicale en mai 1992 en neuro-ophtalmologie, puis une autre en chirurgie plastique au visage, puisque j'avais de la vitre dans les joues.

— De la vitre qui provenait du pare-brise de la voiture ?

— C'est bien ça.

— Et vous éprouvez encore de la douleur ?

— J'ai appris à tolérer cette sensation de lourdeur du côté gauche... On s'habitue à tout, vous savez. Il faut laisser le temps faire les choses.

Madame Robert témoigne.

— Il faut du temps et du courage. Tout s'est déroulé lentement depuis plusieurs années. Avec le temps, Marie a gagné en endurance physique et cognitive, et la fatigabilité a peu à peu diminué. Cependant, sa capacité de travail n'est pas encore et ne sera sans doute jamais ce qu'elle était autrefois. Elle combat la fatigue par sa ténacité et la volonté de toujours se dépasser.

Marie ajoute :

— La Fondation pour la recherche sur les traumatisés crâniens a maintenant dix ans. J'ai beaucoup travaillé pour récupérer dans différents domaines. Sur le plan physique, la danse, surtout le ballet jazz, m'a aidée à retrouver le plaisir et la capacité d'évoluer malgré mes problèmes d'équilibre. J'ai encore des problèmes aux deux chevilles. Mes chaussures doivent avoir un talon : sans quoi, mon pied ne peut me propulser.

— Si nous revenions au fait que vous êtes gauchère.

— Les gauchers sont habitués de s'adapter à plusieurs situations difficiles. Pour cette raison, je crois que les droitiers sont limités par rapport aux gauchers.

— À l'école ?

— Je suis convaincue qu'on devrait faire certaines modifications à l'école pour rendre la vie plus facile aux gauchers. Il faut encourager les enfants à utiliser, bien sûr, la main gauche s'ils veulent écrire ainsi !

— Et dans la vie quotidienne ?

— C'est à table que j'ai le plus l'impression d'être différente. Ou encore lorsque je plie les draps avec mon conjoint.

— Il est droitier ?

— Oui. L'un plie d'un côté et l'autre plie de l'autre, ce qui nous amuse.

— Et vous dormez de quel côté du lit ?

— Je couche à gauche. Lorsque nous marchons, je me place aussi à gauche.

— Si c'était à refaire ?

— Bien sûr, je serais de nouveau gauchère. C'est une qualité, un atout !

Marie-Charlotte K.

41 ans, médecin de brousse, adepte de sports extrêmes

« J'ouvre les portes, les pots de confiture avec la main droite, mais ma main fine, celle qui écrit, qui dessine, qui coud, c'est la gauche. »

Marie-Charlotte est un oiseau de passage. Je l'ai attrapée à Québec, en visite chez sa mère. Elle était revenue du Népal depuis trois jours. La veille de notre rencontre, elle a passé la journée sur la Côte-Nord avec Urgences-Santé à effectuer en avion la desserte de soins d'urgence à des malades inaccessibles. Elle se présente chez moi un samedi, peu après l'heure du lunch : toute menue, élégante, coiffure à la mode, petits bottillons à bout carré, jupe portefeuille longue et anorak épaisseur trois étoiles.

Elle est animée, vive. D'entrée de jeu, alors qu'elle remplit un petit questionnaire avec ses coordonnées, elle commente :

— Oh ! j'ai encore une écriture infantile, vous allez voir !

— Vous écrivez de la main gauche ?

— Bien sûr.

— Marie-Charlotte, quel a été votre parcours universitaire et professionel ?

— Je suis née à Québec. Je suis enfant unique. Après avoir étudié en médecine, à l'Université de Montréal, j'ai commencé ma spécialité en chirurgie plastique, ce que j'ai fait pendant un an et demi. Ce qui me fascinait dans ce métier, c'était de faire de la sculpture, de la reconstitution. C'était comme de la sculpture... sous la peau. Mais mon caractère ne correspondait pas tout à fait au profil des gens en chirurgie plastique. J'ai défroqué.

– Vous avez « défroqué » ?

– Je n'avais pas tellement le phénotype : ongles longs, apparence de belle « pitoune » ; je n'étais pas assez décorative. Je voulais aussi me prouver que j'étais physique, pas juste intellectuelle, alors, pendant un an, j'ai été guide de rafting sur la rivière Rouge. Puis, j'ai fait deux ans de médecine familiale et, finalement, je suis devenue urgentologue. À l'époque, la spécialisation n'existait pas encore. J'ai donc commencé à vingt-neuf ans avec Urgences-Santé.

– Et les sports extrêmes ?

– J'ai toujours aimé les sports individuels. Pas tellement les sports d'équipe. Je me suis toujours intéressée à tout ce qui s'appelle plein air. J'ai été professeur de natation, de canot, et, très tôt, j'ai donné des cours de sauvetage. J'ai aussi fait du kayak de rivière, de l'escalade, de la montagne, de la planche à neige. J'ai toujours aimé les sports de glisse.

– Et votre séjour au Népal ?

– En fait, j'ai pris une année de congé. J'ai passé cinq semaines en Australie et fait de la plongée à la Grande Barrière de corail.

– Wow ! Vous faites de la plongée avec bouteille ?

– Oui, et mes assurances me coûtent cher ! J'ai passé quelques mois au Pérou à pratiquer la médecine équatoriale et, finalement, j'ai séjourné trois mois et demi au Népal pour un organisme de médecine américano-népalais qui engage des bénévoles pour faire de la *wilderness medecine*, je ne connais pas le terme en français : médecine sauvage, peut-être ?

– Parlez-moi du Népal. Qu'est-ce que vous y faisiez ?

– J'ai séjourné dans un village juché à trois mille cinq cents mètres d'altitude sur le trek de l'Annapurna. Il y passe environ seize mille touristes par année. Mais les deux tiers du temps, nous donnons des soins aux villageois, et le reste, aux gens qui font le trek. Nous donnons aussi des conférences sur la médecine en altitude.

– Et votre vie de gauchère ? Avez-vous un souvenir ancien ?

– J'écrivais à l'envers, c'est-à-dire de droite à gauche. Je savais écrire avant d'aller à l'école. J'étais une enfant unique. J'ai eu beaucoup d'attention. Lorsque j'ai commencé à la maternelle, je pense bien qu'on a essayé de me faire écrire de la main droite. J'ai aussi l'impression que ma grand-mère paternelle trouvait épouvantable que j'écrive de la main gauche. Mais cela doit remonter assez loin puisqu'elle est décédée alors que j'avais trois ans. Je n'ai jamais senti que j'étais l'enfant du diable.

Pourtant, à l'époque, on disait qu'il fallait « corriger » les gauchers. Ma famille du côté maternel était très libérale, et on a accepté d'emblée ma différence. Je ne sais pas pourquoi je suis gauchère, c'est vous qui pourriez me le dire, et ça m'intrigue. Sans doute est-ce naturel. Ma main fine est à gauche, ma main outil est à droite.

— Qu'est-ce que c'est, la main outil ?

— C'est celle qui force, celle qui est moins subtile. J'ouvre les portes avec la main droite, ou les pots de confiture, mais la main fine, c'est celle qui écrit, qui dessine, qui coud, c'est le gauche... Quand j'ai appris à écrire avec le crayon – avec la main gauche, bien sûr –, je salissais ma feuille et j'effaçais avec ma gomme entre les lignes pour que ce soit propre. Au cégep, j'écrivais en inversant le poignet, j'inversais aussi ma feuille et j'écrivais de bas en haut, de sorte que le voisin de droite pouvait facilement copier. J'écris d'ailleurs encore de cette façon et je peux facilement écrire à l'envers, c'est-à-dire en miroir, comme Léonard de Vinci ! Est-ce qu'on va parler des cahiers à anneaux, des gros livres ?

— Pourquoi pas !

— Ils ne sont vraiment pas pratiques pour les gauchers. Quant aux revues, je les lis en commençant par la fin. C'est sans doute pour cette raison que *L'Actualité* a depuis très longtemps une chronique qui s'appelle « En commençant par la fin ». Je me suis souvent dit que c'était la chronique « spécial gauchers ».

— Le fait d'être gauchère vous a-t-il apporté plus d'avantages ou d'ennuis ?

— En chirurgie, je me suis rapidement rendu compte que c'était un avantage. Je suis même capable de coudre et de couper de la main droite ou de la main gauche. Dans mon métier, je dirais que c'est un *must* que d'être ambidextre. Particulièrement en chirurgie. Il faut savoir utiliser les deux mains. C'est comme si on utilisait uniformément son cerveau ! Je ne sais pas, je dis peut-être des « niaiseries » !

— Et vous faites de la chirurgie ?

— Ah oui ! Je répare des plaies et des tendons, j'enlève des kystes. D'ailleurs, vous me faites penser à quelque chose : j'ai été un peu dyspraxique. Je me suis longtemps demandé pourquoi j'avais cette dyskinésie ou cette difficulté sur le plan moteur. Je me suis interrogée à savoir si j'avais manqué d'air à la naissance. Et peut-être est-ce simplement parce que je suis gauchère. Je regarde souvent les clichés de rayons X à l'envers. Par exemple, si je place le cliché d'un poumon sur le tableau lumineux, il m'arrive souvent de dire : « Zut, je le lis à l'envers ! » Par contre, ça ne cause aucun problème.

— Les gauchers ont-ils des talents particuliers ?

— Oui, sans doute, parce qu'ils voient les choses plus globalement. Il est facile de voir le produit fini. Par exemple, j'ai rénové une maison pendant six ou sept ans. J'avais acheté un logiciel de plans de maisons. Mais je l'ai trouvé très ennuyant : il y avait bien trop de contraintes. Puis je l'avais déjà vu dans ma tête ! Sur le plan de la personnalité et du caractère, je crois que les gauchers ont un meilleur équilibre. Ils sont solides, sereins, à l'aise. Est-ce parce qu'ils utilisent plus les deux hémisphères ? Je ne sais pas. Je ne me suis jamais vraiment penchée sur la question. Il faudrait aller voir à « gaucher » dans Internet ! Selon moi, les gens en général voient les gauchers comme des êtres un peu différents, je dirais sur trois plans : 1) vous êtes des artistes ; 2) vous êtes des êtres sensibles et 3) vous êtes particulièrement intelligents. Ont-ils raison ? Aucune idée.

— Qu'est-ce que la science en dit ?

— Hum ! Je n'ai pas lu sur ce sujet, je n'ai pas vraiment cherché à comprendre. Peu de recherches sérieuses existent, ou, comme on dit en anglais, *evidence.*

— Des preuves.

— Suis-je dans le champ gauche ?

— Le champ gauche ?

— Oh ! je crois que c'est un terme de base-ball.

— Qu'est-ce que ça veut dire, « être dans le champ gauche » ?

— Je crois que c'est quand les frappeurs frappent du mauvais côté et que la balle est perdue ou tout simplement inaccessible.

— Et les outils de gauchers ?

— Je n'ai jamais vraiment appris à les utiliser. En fait, j'ai appris à me servir beaucoup de la main droite.

— Avez-vous vécu de la discrimination ?

— Je dirais oui : à l'école, avec les bonnes sœurs !

— Et la discrimination dans les autres cultures ?

— Pas vraiment. Dans les pays musulmans ou bouddhistes, en Asie en particulier, il ne faut pas utiliser la main gauche, qui est la main sale. Et comme on mange avec les mains, il faut faire très attention. Quand j'étais au Népal, je demandais la permission d'utiliser la main gauche. Lorsque j'allais dans les familles et que je partageais les repas, j'expliquais aux gens que j'étais gauchère et je leur demandais la permission d'utiliser la main gauche. Une fois, les enfants ont beaucoup ri. Je le mentionnais vraiment régulièrement. Là-bas, lorsqu'on va soigner les gens, on commence par s'asseoir par terre autour du feu, on jase, on prend le thé. Si je prenais un biscuit avec la main gauche, je demandais la permission. Même chose quand je suis allée rencontrer les lamas et même le Grand Lama à une ou deux reprises. Je n'ai pas eu de problème. Il existe aussi d'autres tabous culturels. Par exemple, il ne faut pas pointer ni toucher les gens avec les pieds. On ne doit pas non plus toucher la tête des enfants. Je trouvais ça difficile, mais c'est ainsi.

— Dites, comment s'appellent ces monuments où il faut toujours passer à gauche ? Dans *Tintin au Tibet*, je crois, le capitaine Haddock se fait interpeller par un sherpa parce qu'il allait passer du mauvais côté d'une sorte de monument en pierre.

— En effet, il faut absolument passer à gauche. Même chose pour les moulins à prières qu'on appelle, je crois, euh... les *stupas*. On les passe à gauche en les faisant tourner, et on les touche avec la main droite.

— Quelqu'un a-t-il déjà refusé votre gaucherie ?

— Non, personne n'a jamais refusé ma gaucherie. Pas du tout. Je suis toujours étonnée lorsque les gens me font la remarque : « Mon fils est gaucher, mais c'est correct, maintenant, n'est-ce pas ? »

— Vous avez déjà joué d'un instrument de musique ?

— J'ai fait un peu de guitare, un peu de flûte alto. J'ai d'ailleurs rapporté une flûte traversière du Népal ; elle est faite en bois. J'en joue à droite. Concernant la guitare, voici une anecdote. Ma mère m'avait amenée — je devais avoir neuf ans — à un concert de Manitas De Plata. Nous étions allées lui rendre visite au Château Frontenac après le spectacle. Je lui avais demandé de toucher sa guitare, et il m'avait répondu : « Il y a deux personnes seulement qui ont touché cette guitare : Brigitte Bardot et toi ! » Je ne savais pas qui était Brigitte Bardot ! Puis, j'avais essayé de jouer et il avait dit : « Jamais tu ne pourras jouer, ni être une grande guitariste, parce que tu es gauchère. » En voilà un qui a refusé ma gaucherie !

Une autre anecdote me revient. Au Népal, nous étions deux médecins à partager une salle. J'avais installé la table d'examen avec l'oreiller à droite et une espèce de dessus en plastique à gauche où les gens posaient leurs pieds. Vraiment rudimentaire comme table d'examen, et on ne parlera pas des conditions d'asepsie. Enfin ! Ça faisait donc trois ou quatre jours que j'avais installé la table quand je me suis rendu compte d'une chose : lorsque venait mon tour, l'oreiller avait changé de bord. Et je me suis dit : « Tiens, il n'en tient pas compte. Il est droitier et il fait l'examen de l'autre côté. » Je n'en ai pas fait de cas. Quand j'ai le choix, j'examine les gens en les abordant du côté gauche.

— Et pour l'examen gynécologique, utilisez-vous la main gauche ou la main droite ?

— Les deux mains. Je veux dire une à la fois, bien sûr ! La gauche ou la droite.

— Et dans le sport ?

— En planche à neige, 10 à 15 % des gens mettent la jambe gauche en avant, on les appelle les *goofies*, alors que les autres mettent la droite. Je ne sais vraiment pas pourquoi. Peut-être que les gauchers sont particulièrement habiles dans tout ce qui touche les sports. Enfin, sur une piste d'athlétisme, on court dans le mauvais sens. On court dans le sens anti-horaire alors que je préférerais courir dans le sens horaire. De même lorsque je fais des longueurs de piscine, j'ai l'impression que je nage toujours à contre-sens.

— Vous êtes gauchère dans tous les sports ?

— Il est un seul sport où je suis vraiment gauchère, c'est au kayak. J'ai une pagaie de gaucher, vous savez, cette pagaie avec un angle à 30 degrés. Et je suis incapable de pratiquer l'esquimautage à droite. Inutile ! Je manque mon coup.

— Avez-vous des suggestions pour l'école ?

— On doit laisser les enfants être comme ils sont, mais les rassurer quant à leur normalité si quelqu'un les fait douter.

— Il y aurait plus d'accidents chez les gauchers…

— Ah là ! Vous me voyez vraiment sceptique. C'est vraiment établi ? J'ai des doutes. J'ai eu assez de plaisir à conduire en Australie puisqu'on conduit à gauche : je trouve cela beaucoup plus facile. Après deux ou trois jours, c'était vraiment naturel et je me sentais parfaitement à l'aise[1]. Je me rends compte qu'ici, sur les autoroutes, je préfère demeurer dans la voie de gauche ; même s'il n'y a personne à dépasser, je

---

1. Un ami droitier, en visite en Nouvelle-Zélande, m'écrit : « La prise de la voiture, vendredi dernier, s'est bien déroulée et j'ai découvert de nouveau les joies de la conduite à gauche. Tout va bien à ce jour. La priorité est à droite. Nous conduisons assis du côté droit : les vitesses se passent avec la main gauche. Mon réflexe (moi qui suis droitier) est de frapper ma main droite dans la portière plutôt que d'utiliser ma main gauche. Autre chose : les clignotants se déclenchent à droite du volant. Donc, lorsque je veux signaler j'active les essuie-glaces plutôt que les clignotants. C'est bien rigolo. ».

reste à gauche. Je conduis vite bien sûr, mais même lorsque je conduis un peu pépère, je préfère demeurer à gauche.

– Et comment cela se passe-t-il dans la vie de tous les jours ?

– Quand je donne l'accolade à quelqu'un ou une bise ou la double bise, je me surprends souvent à présenter la mauvaise joue et, à maintes reprises, je suis passée bien proche de faire la bise sur la bouche, et ça m'amuse. Même chose lorsque je tends la main : je préférerais tendre la main gauche ! Au Népal, on prend les deux mains, et j'ai trouvé ça infiniment plus chaleureux. Ici, j'aimerais vraiment donner une poignée de main avec la gauche.

– Si vous aviez le choix, seriez-vous encore gauchère ?

– Oui, si j'avais le choix, je demeurerais une gauchère. Je n'ai jamais été frustrée ou vraiment contrariée.

C'est le moment du départ. Au moment de sortir de chez moi au huitième étage, elle aperçoit la porte « Sortie d'urgence » qui donne sur les escaliers.

– Je peux descendre ici plutôt que d'emprunter l'ascenseur ?

Affirmatif. Elle s'élance donc dans les escaliers qu'elle dévale en vitesse et disparaît sans autre forme de procès. Personne n'est encore sorti de chez moi ainsi. Je n'ai pas idée de la suivre. Elle est repartie en coup de vent.

Mariouche Gagné

32 ans, présidente-designer des Collections Mariouche et Harricana

———◦◦———

« Je ne crois pas du tout que le fait d'être gauchère ait contribué à mon succès ni à mon talent. Pour moi, être gauchère, ça n'a absolument aucune importance, tout comme le signe astrologique d'ailleurs ! »

———◦◦———

Mariouche m'a donné rendez-vous aux aurores, dix jours après le dévoilement de ses collections d'automne. Elle m'accueille dans sa nouvelle boutique et salle d'exposition attenante aux salles d'essayage, à deux pas du marché Atwater à Montréal. Deux semaines plus tard, elle gagnait le prix prestigieux de la SODEC : le prix Madeleine Dansereau d'excellence en exportation de métiers d'art.

Elle arrive tambour battant. Verre de café dans une main, le téléphone cellulaire dans l'autre. Petit bout de femme, mignonne et énergique à la fois, très sûre d'elle.

– C'est bizarre, je ne me suis jamais interrogée sur le fait d'être gauchère. Toute jeune, je me souviens que j'étais une bricoleuse. Un vrai gars ! J'ai fabriqué des cabanes dans les arbres. Ma famille demeurait à la campagne à ce moment-là. Ça n'a jamais eu d'importance pour moi d'être gauchère, ça ne m'a pas dérangée. Que l'on soit droitier ou gaucher n'a aucun impact sur la vie. Ce n'est pas une différence. C'est comme avoir une mèche brune !

– Pourquoi êtes-vous gauchère ?

– C'est bizarre. Je n'en ai aucune idée. Je suis faite différente. Je crois, en fait, que je suis ambidextre : je n'écris pas de la main droite, mais il s'en faut de peu ! Pour la force, je me sers de la main droite, et pour la précision, de la gauche : je prends l'aiguille avec celle-ci. Quand j'utilise un outil, je prends toujours la droite. Je change constamment de main.

– Et vous buvez votre café avec la gauche. Et quand vous applaudissez ?

Elle dépose son verre de café et s'exécute.

– Ainsi. Curieux : la main gauche est sur la main droite. Je serais une vraie gauchère ?

– On dirait. Comment s'est passé l'apprentissage de l'écriture ?

– Je me rappelle qu'à l'école, toute petite, j'utilisais la main gauche et que je salissais la manche de ma blouse. Maintenant, quand je dessine, je le fais avec la main gauche.

– Vous avez du talent en dessin ?

– J'ai toujours bien dessiné ou avec facilité. J'ai gagné des concours soit en mode, soit en arts.

– Vous êtes-vous déjà sentie différente parce que gauchère ?

– Non, pas du tout. Par contre, tout au long de mon parcours scolaire, j'ai été différente. D'abord, j'étais excessivement petite : en 2e secondaire, j'étais la plus petite de l'école !

– Quel a été votre parcours ou cheminement scolaire ?

– J'étais une marginale, et mon parcours a été pas mal inusité. J'ai fréquenté l'école alternative. En fait, je pense que j'ai fait quatre écoles au secondaire. J'étais un peu délinquante et rebelle. J'ai étudié au collège Marie-Victorin, en option mode. J'ai ensuite fréquenté le collège LaSalle. Puis j'ai gagné un concours, et on m'a permis de manquer les cours pour aller travailler à Paris, ce qui m'a valu de séjourner à Paris à dix-neuf ans pour un stage. À mon retour ici, j'ai gagné une bourse d'études pour aller en Italie, de sorte que j'ai passé deux ans à Milan à la Domus Academie. J'ai suivi un cours en fourrure au Danemark, puis j'ai été finaliste dans un concours au Japon. J'ai finalement fait ma thèse de maîtrise en Design Management à Milan.

– Le titre de votre thèse ?

– L'Adaptation des arts inuits dans un produit contemporain à base de fourrure recyclée. L'idée de recycler la fourrure n'est pas née d'hier. La création et l'écologie sont mes valeurs profondes.

– Quelqu'un dans votre famille était-il gaucher ?

– Mon père. J'ai eu un père extrêmement autoritaire, exigeant, contre qui je devais me défendre. Il avait lui-même été un gaucher contrarié, et je me souviens qu'il me disait : « Tu es chanceuse qu'on te laisse être gauchère ! » Peut-être était-il un gaucher frustré ? Il a fallu que je me batte, car il mettait souvent des obstacles. J'avais de la rage contre lui.

Et Mariouche de fermer le poing de la main gauche.

— C'est peut-être pour ça que je suis aussi déterminée. Par contre, j'ai eu un grand-père exceptionnel, affectueux, très inspirant. Juste de le sentir près de moi, je me sentais acceptée et pleine d'énergie. Il me disait des mots très affectueux. Nous l'appelions « grand papounet ». Quant à ma grand-mère, elle était intellectuelle. J'ai été entourée de femmes fortes : ma mère, ma grand-mère sont des modèles d'identification très positifs.

— Vous ne vous identifiez pas du tout, ou vous n'accordez aucune importance à votre gaucherie ?

— Je n'aime pas le mot « gaucherie ». Je ne crois pas du tout que le fait d'être gauchère ait contribué à mon succès ni à mon talent. Pour moi, être gauchère, ça n'a absolument aucune importance, tout comme le signe astrologique d'ailleurs !

— Mais vous aimez les défis !

— Oui. J'ai toujours aimé les défis, faire des choses difficiles. Actuellement, je suis un peu la femme-orchestre de cette entreprise, puisque je gère les finances, les créations, les ventes, le marketing. Ça me plaît. J'ai une vie bien remplie.

— Comment trouvez-vous le temps de tout faire ?

— En fait, j'ai toujours dormi peu d'heures par nuit. Entre 10 et 15 ans, je devais dormir de trois à cinq heures. Peut-être que j'ai fait de l'insomnie de 13 à 27 ans. Maintenant, je me contente de 6 à 7 heures par nuit. Ce qui ne m'empêche pas d'avoir des loisirs en dehors du travail. J'ai mon voilier, j'accumule des heures de vol pour obtenir mon brevet de pilote, je vois mes amis trois fois par semaine, et j'ai encore du temps pour faire du *roller blade*, du vélo de montagne, du *snow board*. Suis-je une hyperactive ? Je ne crois pas.

— Vous avez déjà fait de la musique ?

— J'ai fait un peu de flûte traversière. J'aurais aimé le piano, mais je n'avais pas les mains assez grandes. « Tu es trop petite ! » Combien de fois ai-je entendu ça ?

— Que pensez-vous des statistiques qui veulent que les gauchers aient plus d'accidents et meurent plus jeunes ?

— C'est décourageant ! C'est vrai, sans doute, pour moi, car je cours plus de risques que d'autres !

Mia Anderson

61 ans, pasteur d'une paroisse anglicane, autrefois comédienne, metteure en scène, puis bergère et poète

---◇---

« Quand j'entends quelqu'un me dire : "Ah vous êtes gauchère !", c'est comme si on reconnaissait que je suis membre d'un club exclusif et sélect où les gens sont plus intelligents, plus portés vers les arts. »

---◇---

C'est à l'occasion d'un concert de Noël de musique ancienne dans sa petite église anglicane que j'ai rencontré Mia. À Sillery, juste en face de l'entrée du magnifique cimetière anglican qui surplombe le fleuve. Près de la porte se trouve un grand écriteau dont les pieds sont chaussés de bottes d'hiver bien lacées, ce qui attire l'attention du passant. Sur un autre panneau plus sérieux, on lit : *The Church of Saint Michael and Saint Matthew*, et en dessous : *Rector The Revd Mia Anderson*. Ce soir-là, Mia animait avec grâce la partie du concert où, selon la tradition, on invite les fidèles à chanter. Je l'ai vue signer je ne sais plus quel document avec la main gauche. Dès que je l'aborde et lui parle de mon projet, elle accepte avec grand plaisir, comme si elle était privilégiée d'être choisie. Je la retrouve plusieurs semaines plus tard chez elle, dans la vaste maison adjacente à l'église.

Mon invitée est issue d'un milieu très ouvert aux arts.

– Très très tôt, à la petite école, j'ai le vague souvenir d'être assise à un pupitre où je travaille avec un crayon dans la main gauche. Derrière moi, je vois une ombre au-dessus de mon épaule. Très gentiment, quelqu'un prend le crayon et le met dans mon autre main. Deux ou trois fois. Presque aucune parole n'est prononcée. Quelqu'un, gentiment – tendrement, je dirais même –, opère ce changement de main avec le crayon, puis guide mon geste. Je n'ai jamais vraiment compris. Mais avec le recul, je me dis : ma mère – qui avait étudié en psychologie – était intervenue sans doute auprès de la professeure, car cette dernière m'a laissée écrire de la main gauche. Mon frère aîné de cinq ans est également gaucher, mais je n'ai aucun souvenir qu'il fût effectivement gaucher comme moi. Donc, je ne me souviens pas du tout d'avoir été forcée. C'est sans doute pour ça que j'écris encore de la main gauche.

— Pourquoi êtes-vous gauchère ?

— Si je suis gauchère, c'est sans doute parce que j'ai plus de dextérité du côté gauche. Mais voilà : ce mot n'a aucun sens ! J'ai toujours eu le sentiment profond d'être différente parce que gauchère... et artiste, intuitive.

— Racontez un peu quelle était votre vie d'enfant.

— Ma mère écrivait de la poésie et dévorait les livres. Elle jouait du piano. Mon frère et moi avons été élevés dans un milieu très ouvert aux arts. On dit en anglais *nature versus nurture*[1].

— Oui, j'ai déjà entendu.

— J'ai le net sentiment d'avoir bénéficié des deux pôles. Mon frère a finalement étudié en mathématiques et en chimie pour se destiner à la recherche. Puis, un jour, il a constaté qu'il ne gagnait pas assez d'argent. Il a alors choisi d'entreprendre un cours de comptabilité. Il a gagné sa vie comme comptable. Mais il a organisé son travail avec beaucoup de créativité, de façon plutôt fascinante. Il est maintenant à la retraite : il écrit, a publié des livres, compose de la musique.

— Votre choix de carrière ?

— À l'adolescence, soit vers 16 ans, la décision a été très difficile : est-ce que j'allais étudier en peinture, faire de la danse ou du théâtre ? J'ai finalement opté pour le théâtre. J'ai fait des études en littérature anglaise puis une maîtrise en littérature à l'Université de Toronto. J'ai fait du théâtre pendant vingt-cinq ans, puis je me suis finalement mariée à un philosophe, j'ai élevé des moutons, puis écrit et publié de la poésie.

— Donc, vous avez touché à plus d'une forme d'expression artistique. La musique est importante aussi, semble-t-il. Vous avez étudié un instrument de musique ?

— J'ai, bien sûr, étudié le piano et j'aimerais bien, si j'avais le temps, prendre des cours de harpe. J'ai pratiquement toujours fait partie

---

1.   Nature (inné) versus nourriture (acquis).

de chorales, surtout lorsque j'étais bergère. J'écris et je peins avec la main gauche. Plus jeune, j'ai aussi pratiqué l'escrime. Vous savez, les gauchers ont un avantage, surtout à l'escrime, car ils confondent l'adversaire. Je me souviens d'avoir travaillé à une production de Hamlet et d'avoir mené des combats d'épée. Ce fut tout un défi pour une gauchère de se battre à l'épée avec des adversaires droitiers! J'ai finalement appris avec le bras droit et réussi à atteindre une certaine maîtrise. Nous y sommes arrivés!

— Avez-vous déjà vécu des expériences négatives parce que gauchère?

— Non. Je ne me souviens de rien de négatif. Je n'ai jamais vraiment vécu de discrimination. C'est même un sentiment agréable qui s'impose à moi quand j'entends quelqu'un me dire : « Ah! vous êtes gauchère. » Comme si on reconnaissait que je suis membre d'un club exclusif et sélect où les gens sont plus intelligents, plus portés vers les arts. Je le vois plutôt comme un signe distinctif de ma différence, comme avoir un groupe sanguin bien rare.

— Avez-vous des instruments pour gauchers?

— J'ai acheté une fois des ciseaux. Mais c'était du gaspillage! J'ai tout simplement appris à utiliser les ciseaux avec la main droite.

— Vous avez appris et êtes devenue habile. Vous vous êtes adaptée.

— Par contre, je fais de la calligraphie et je me rends compte que les plumes, l'embout des plumes tout comme d'ailleurs les stylos à plume ne conviennent pas du tout à quelqu'un qui travaille de la main gauche.

— Vous avez cherché à comprendre ce que dit la science?

— Je n'ai vraiment aucune idée de ce que la science dit ou a trouvé sur la différence entre le cerveau d'un droitier et celui d'un gaucher. Mais j'ai entendu dire que, chez le gaucher, l'hémisphère dominant serait celui de la créativité et de l'intuition et, ma foi, j'ai l'impression que c'est vrai.

— Vous vous classez parmi les gens intuitifs?

— Quelque chose me revient. J'ai dû subir le Myers-Briggs Test. À l'occasion, j'ai fréquenté et participé à des séminaires avec d'autres ordinants. Nous tentons de développer des habiletés. Ce test est couramment utilisé comme outil pastoral pour créer des groupes de travail avec une certaine cohérence, ou encore pour identifier, chez les participants, des modes de gestion ou des traits de personnalité qui leur sont propres. Pour moi, ce fut plus frustrant qu'autre chose, car selon les résultats, je me situe dans le milieu de tout. Mon style de personnalité ou de style cognitif n'est jamais vraiment tranché. J'ai l'impression que cet outil est mal utilisé. Parfois on simplifie à outrance, et ça m'irrite un peu. Suis-je cognitive ou intuitive, ou les deux ?...

— Expliquez, c'est intéressant.

— Vous savez, je suis très verbale. J'écris encore de la poésie, et les mots et leurs nuances ont pour moi une grande importance. En même temps, je fais une prière contemplative sans mot, et je suis un poète. Sans doute suis-je un paradoxe ! Les mots sont les outils de la logique, des mathématiques, et, en même temps, écrire est un art. Je me considère avant tout comme une artiste ! Comment est-ce que mon cerveau analyse les divers mots ? Est-ce plus l'hémisphère gauche ou l'hémisphère droit qui travaille et comment ai-je accès à cette créativité ? Je l'ignore. J'ai l'œil de l'artiste et l'oreille du musicien...

— Vous croyez à la personnalité propre aux gauchers ?

— Non, à part, peut-être, que ce sont plus souvent des artistes. Selon moi, les gauchers sont très intuitifs, portés vers les arts et souvent très intelligents. J'ai une grande admiration pour l'archevêque de Canterbury – j'ai eu le rare privilège de le côtoyer pendant plusieurs mois au pays de Galles il y a quelques années durant ma formation –, je le perçois comme un être très intelligent, un poète. Mais... il n'est pas gaucher !

— Avez-vous déjà vécu des situations difficiles où, culturellement, le fait d'être gauchère était mal accepté !

— Non, jamais.

— Vous avez pratiqué certains sports, dont l'escrime.

— Oui, mais, curieusement, quand j'ai essayé de jouer au golf, je jouais comme une droitière. Sans doute est-ce parce qu'on m'a appris ainsi. Selon moi, lorsqu'un apprentissage s'effectue d'un certain côté, le corps s'habitue et s'adapte. Par contre, au tennis, je tiens ma raquette dans la main gauche.

— Dans la vie quotidienne, que remarquez-vous ?

— Dans certaines situations de la vie courante, le fait d'être gaucher apporte parfois quelques ennuis. Par exemple, à la banque, le stylo se trouve toujours du côté droit. Le cordon n'est jamais assez long pour permettre au gaucher d'écrire à l'aise. Même chose pour la souris d'ordinateur. Je suis gauchère, et la souris est placée à gauche de mon ordinateur. Quand le technicien en informatique vient à la maison, il déplace systématiquement la souris du côté droit et inverse les boutons pour travailler. Lorsqu'il part, il oublie immanquablement de replacer la souris à gauche. J'ai beau le lui dire, il n'en fait rien ! Je me dis que j'arriverai un jour à obtenir qu'il replace la souris du côté gauche.

— En ce qui concerne votre métier, le fait d'être gauchère a-t-il entraîné certaines modifications, provoqué certaines discussions ou dérangé les us et coutumes ? Je veux parler de votre ministère, puisque vous êtes la révérende, la *rector*, la bergère des âmes.

— J'ai beaucoup réfléchi à la question. Il faut porter attention au symbolisme de la main gauche. Il ne faut pas décevoir ou choquer les gens. Dans mon ministère, il y a tout l'aspect visuel, la tradition biblique des gestes devant l'assemblée des fidèles. D'une manière générale, je suis très prudente. Je suis une femme dans un monde d'hommes. Et en plus, je suis gauchère. Alors, si je donne l'absolution, je fais le geste de la main droite. Si j'élève l'hostie ou le calice, je le fais avec la main droite. Je bénis les fidèles avec le bras droit. Si je procédais autrement, peut-être mon geste serait-il perçu comme un manque de respect. Je donne l'hostie de la communion avec la main droite. Après tout, nous sommes habitués à utiliser les deux mains dans la cuisine ! La main droite est sans doute considérée plus digne.

Dehors, la neige a fondu. De part et d'autre de la grande porte de l'église, des buissons de rosiers se réveillent et bourgeonnent. L'année dernière, j'avais assisté, intriguée, à l'aménagement d'une grande rosace faite de fines herbes, de fleurs vivaces, d'arbustes, sur six rangées concentriques à l'extrémité est du terrain de l'église. Une clôture concave en bois borde joliment l'aménagement horticole original : du jamais vu, ici ! Le résultat attire le regard et suscite la curiosité. Le printemps revenu, les plants ont grandi et ont très fière allure : toutes sortes de tons de vert et de gris, de jaune et de pourpre. Bientôt, la rosace aura disparu pour devenir un véritable labyrinthe[1]. Qui d'autre que Mia, une gauchère, pouvait concevoir pareille entreprise ?

---

1. Voir www.labyrheims.com.

Mireille Morency

60 ans, artiste peintre

« Je ne me suis jamais intéressée au fait d'être gauchère ou interrogée là-dessus. Si on m'avait forcée à être droitière, aurais-je été une artiste ? »

Mireille Morency me reçoit chez elle dans un appartement qui domine le mont Royal. Une magnifique lumière inonde son espace de vie. Je suis surprise de constater qu'elle peint dans sa salle à manger. Je m'attendais à voir un atelier barbouillé de peinture et d'objets salissants.

— Je ne me souviens plus très, très bien, mais il me semble que je dessinais déjà avec la main gauche avant d'arriver à l'école. Peut-être que mes parents ont dit quelque chose. Mais, étant donné mon âge — je suis née en 1943 — je ne crois pas qu'à ce moment-là, on continuait à pousser les gens à changer de main.

— Vous seriez surprise. Ça dépend plus des mentalités que de l'âge. Pourquoi êtes-vous gauchère ?

— Pour moi, ce fut naturel, c'est inné. Je ne me suis jamais intéressée au fait d'être gauchère ou interrogée là-dessus. Si on m'avait forcée à être droitière, aurais-je été une artiste ? Aurais-je la même dextérité ? À l'époque, on entendait dire que beaucoup de gauchers bégayaient lorsqu'on les forçait à changer de main.

— Effectivement, je l'ai entendu raconter parfois. Y a-t-il d'autres gauchers dans votre entourage ?

— Non, il n'y en avait pas. Très tôt, j'ai su que je voulais peindre. J'ai été encouragée par mes parents. J'ai dessiné tôt, car mon père lui-même était peintre. Il faisait des aquarelles, des huiles. Regardez, j'ai quelques-unes de ses œuvres ici, sur le mur.

Je vais voir. Sur le mur côté ouest, de petits encadrements. Des lignes douces dans le dessin. Un bateau échoué appuyé le long d'un quai.

– C'est peu commun d'avoir eu un père peintre.

– Je le voyais travailler. Il faisait de la peinture sur le bord du fleuve. Mon père, c'était André Morency.

– Parlez-moi un peu de lui.

– Il a fait les Beaux-Arts le soir et du dessin commercial pour gagner sa vie. C'était un excentrique. Quand il faisait de la peinture, il essuyait son pinceau sous ses bras. Il s'habillait de façon assez originale ; il pouvait mettre un gilet à l'envers. Ce fantaisiste n'était pas tellement préparé pour la vie. Pour moi, ce fut bien, mais, pour mes frères, ce fut plus difficile. L'un est professeur de littérature et l'autre a un studio d'enregistrement et est musicien. Je me souviens que mon père faisait tout de façon fantaisiste, même conduire. Nous avons eu une voiture tard, je devais avoir cinq ou six ans. Je me rappelle qu'il égarait l'auto ou encore qu'il perdait son chemin.

– Il vous a encouragée dans votre art ?

– Il m'a beaucoup encouragée et très tôt. Vous savez, je suis la première, l'aînée de trois enfants. Mon père s'est marié à 32 ans et ma mère m'a eue à 18 ans. Je ne me suis jamais posé la question si je devais être artiste. J'ai des amis artistes dont les parents ont été catastrophés quand ils ont choisi les arts.

– Vous estimez que vous avez eu de la chance ?

– Oui. Mais j'avais beaucoup d'autres intérêts. J'aimais beaucoup la philosophie. J'ai fait un cours classique à Montréal, au collège Regina Assumpta pour ne pas le nommer, puis au lycée Marie-de-France où on passait le bac français, délivré par l'Université de Caen. L'été de mes 17 ans, je me suis mise à chercher un emploi de vendeuse. Nous étions de la classe moyenne, mais j'avais besoin d'argent de poche. Mon père m'a fait une proposition. Il m'a dit : « Je te donne vingt-cinq dollars par semaine. Tu fais de la peinture, et tes peintures seront à moi. » J'ai toujours fait de la peinture, et j'étais vraiment motivée, cet été-là. J'étais choyée ; mon père avait des livres sur des artistes : Paul Klee, Matisse. Je me souviens du *Cirque* de Seurat. Puis j'ai eu la chance à 20 ans d'aller passer une année au pair à Bruxelles, chez une Québécoise qui avait deux enfants. J'ai fait là-bas un an de Beaux-Arts.

– Une belle expérience pour une jeune fille. Pourquoi êtes-vous gauchère ?

– Je n'en ai aucune idée. Je ne me suis pas posé cette question. Je n'ai pas été traumatisée. Si cela a été un problème, je n'en ai aucun souvenir. Je me souviens de certains carnets où il était difficile d'écrire. J'avais le poignet inversé. Adolescente, j'ai eu une stylo plume Waterman, l'encre ne séchait pas, et ça faisait des « barbots ». Je ne me rappelle pas de mon apprentissage de l'écriture. Évidemment, j'écris de la main gauche. J'avais de la facilité.

– Avez-vous déjà eu le sentiment d'être différente parce que gauchère ?

– Gauchère, non. Artiste, peut-être un peu.

– Croyez-vous que les gauchers aient des talents particuliers ?

– Non. Je ne crois pas non plus qu'il y ait plus d'artistes qui soient gauchers : dans mes amis artistes, bien peu le sont. Je crois que Michel-Ange était gaucher... Je n'ai jamais associé le fait d'être artiste et gaucher. En fait, si les gauchers sont plus forts, c'est peut-être parce qu'ils sont des ambidextres forcés de l'être et qu'ils compensent pour la société qui n'est pas organisée pour eux. Ils s'adaptent peut-être plus facilement.

– Que dit la science au sujet des gauchers ?

– Je n'en sais pas grand-chose. A-t-elle vraiment étudié le phénomène de la gaucherie ? Je sais simplement que ma main gauche est ma main dominante. Mais de là à dire que les gauchers ont une particularité comme les blonds ou les roux ou les yeux bleus...

– Vous avez vécu trente ans à San Francisco, je crois.

– Oui. J'ai été mariée trente ans à un psychiatre, un Américain, qui était lui aussi gaucher. J'ai décidé de revenir au Québec l'an dernier après son décès.

– Utilisez-vous des instruments pour gauchers ?

– Non, car j'ai appris à utiliser les ciseaux ordinaires, ceux du droitier. Et Dieu sait si je les ai utilisés ! Par exemple, j'ai fabriqué des papiers d'emballage ou encore des cartes de souhaits qui ont été imprimés à grande échelle. Il m'a fallu découper beaucoup – mais vraiment beaucoup – de petits morceaux de papier de différentes couleurs. J'ai développé une habileté à utiliser les ciseaux ordinaires... Mais je ne vois pas où je coupe !

– Vous peignez ici ?

– Oui. Quand je peins des petits formats, je suis assise. Pour les formats plus grands, je me tiens debout et je peins sur un chevalet. Ou encore je m'appuie sur un meuble bas.

– Vous ne vous salissez pas ?

– Non. J'ai fait les Beaux-Arts sans me salir ! C'était de 1964 à 1967, à 23 ans. Puis 1967, c'était l'année de l'Expo !

– Vous y avez travaillé ?

– J'ai été hôtesse en chef au Pavillon de la jeunesse. Il y avait Gilles Gougeon, Louise Roy... Une expérience extraordinaire.

– Votre métier requiert-il les habiletés que vous détenez parce que vous êtes gauchère ?

– Pfff ! Je ne crois pas.

– Y a-t-il une personnalité ou un caractère propre aux gauchers ?

– Pas vraiment. C'est un danger de regrouper les gens par caractéristiques. Les Français, les Américains, les gais... Ça m'étonnerait beaucoup que les gauchers en tant que groupe constituent une entité. Il faut nuancer sa pensée. Tout n'est pas blanc ou noir, il y a le gris...

– Que pense la société des gauchers ?

– La société ne met pas les gauchers à part, mais, bien sûr, peut-être les artistes, oui. Ils intimident. Les arts, c'est quelque chose de difficile. Certains de mes amis artistes sont amers. Il ne faut avoir aucune attente de la part de la société : c'est à nous à produire des œuvres pas trop chères, abordables. Mais c'est triste si la société ne soutient pas les arts.

– Vous avez votre idée à ce sujet.

– Je peux comparer. Aux États-Unis, l'entreprise privée domine, et non l'État. Au Québec, je n'en reviens pas : après trente ans à l'extérieur et quelques mois de retour ici, je trouve que le soutien de l'État est partout, parfois de façon exagérée. C'est peut-être inévitable dans une petite société. Nous sommes dans une société très compartimentée. Ce n'est pas comme à Bali où l'art et la vie sont très bien intégrés...

– Le *Refus global*...

– J'ai lu ça très tard. Il a fallu un grand courage à tous ces gens durant la grande noirceur. Ils ont ouvert des portes pour des gens comme moi. Les influences majeures, pour moi, sont les peintres de l'école de New York. L'art a commencé à être une force aux États-Unis avec De Kooning, Pollock, etc. Même hors du Québec, j'ai toujours gardé à Montréal une galerie où on vendait mes œuvres. Si je suis devenue ce que je suis, c'est parce que je suis partie. Quitter mon pays, sortir de ma zone de confort m'a forcée à trouver mon identité. Ce fut très sain.

– Et la musique ?

— La musique ! J'ai étudié un peu le piano. Je n'ai pas aimé. Il fallait pratiquer durant les récréations. Peut-être aussi parce que j'étais paresseuse. J'avais une tante qui était enseignante, une religieuse. Il y a eu beaucoup de musique chez nous et des lettres aussi du côté de ma mère : les Biron. Mon grand-père faisait partie de l'équipe de fondation du journal *Le Devoir*.

— Et le sport ?

— Un gros zéro ! Je me suis blessée à un genou, ça m'a retenue, et je suis devenue pas mal sédentaire. Je suis une fille d'intérieur. J'apprécie la nature, mais de façon contemplative. Pour revenir à la musique, j'aime le jazz : trouver l'harmonie dans le chaos, c'est ce que j'essaie de faire dans mes peintures. Il y a aussi de la couleur dans la musique. Tout un vocabulaire...

— Les différentes formes d'art finissent par se rejoindre.

— Je peins un peu sans réfléchir. J'essaie de faire une toile jusqu'à ce qu'elle me dise : « Arrête, n'y touche plus. » Jusqu'à ce que tout soit en accord. J'aime vraiment cette phrase qui dit : *Art is not to make something, it's to do something*[1].

— Des conseils pour l'école ?

— Il est important que les enfants gauchers ne soient pas traités comme des infirmes. On leur associe les mots : gauche, maladroit, sinistre, ce qui n'est pas du tout le cas. Il est crucial de favoriser toutes les disciplines artistiques, et si certains outils peuvent aider, tant mieux...

— Et que pensez-vous des statistiques voulant qu'il y ait plus d'accidents chez les gauchers ?

— Je suis très sceptique ! Si tel est le cas, ça doit être parce qu'ils ne réussissent pas complètement à s'adapter. Dans certaines circonstances, la vie est plus compliquée.

— Dans la vie quotidienne, quand avez-vous le plus le sentiment d'être gauchère ?

— C'est vraiment au restaurant où je me sens différente. J'essaie de ne pas m'asseoir à la droite d'un droitier !

— Si vous aviez le choix pour une autre vie, seriez-vous encore gauchère ?

---

1. L'art, ce n'est pas fabriquer quelque chose mais faire ce qui doit être fait.

– Absolument. On est la somme de ses expériences, et mes expériences sont positives. Si ça m'avait compliqué la vie, peut-être que j'aurais une autre opinion.

– Vous aimez votre vie d'artiste ?

– Oui. Vivre de son art, c'est pratiquement impossible, mais le travail lui-même est gratifiant. Il faut être très discipliné. Mais les peintres sont valorisés par rapport aux autres créateurs, car ils ont leur produit devant leurs yeux. Un musicien qui donne un concert a tout en lui, tout est en devenir. Alors que le peintre a son tableau devant lui. Par contre, il faut savoir ce qui est bon, ce qui ne l'est pas, savoir quoi jeter et quoi garder. Il faut se fier à son instinct, aimer ou pas. Et aussi avoir le courage de ne pas se laisser distraire.

J'aime beaucoup cette phrase de Ellsworth Kelly : « Si cela vous est possible, ignorez votre esprit et regardez les choses avec vos yeux seulement ; ultimement, tout devient abstrait. » Pour moi, tout est un ensemble de couleurs et de formes. Je voudrais créer quelque chose qui rappelle cela, sans qu'on puisse dire exactement d'où ça vient.

Myra

41 ans, designer d'intérieur

« Toute ma vie, j'ai eu l'impression d'être prise en défaut du seul fait que j'étais gauchère et que je fonctionnais à l'inverse des autres ! »

C'est un chasseur de gauchers très présent dans le milieu du design d'intérieur et des sociétés œnophiles qui m'a mise en contact avec Myra. Il a fréquenté l'École du meuble quelques années après Riopelle. À l'automne 2003, il se souvient encore comment cette ancienne employée étonnait par sa façon de travailler. Pendant dix ans, Myra a été l'étroite collaboratrice de cet homme qui fut son mentor. À 20 ans, tout récemment sortie d'un cours en design d'intérieur, elle s'intègre dans son équipe et apprend beaucoup avec lui. Depuis plusieurs années, elle est revenue dans le Bas-du-Fleuve où elle pratique désormais son métier. C'est là que je l'ai rencontrée.

– Racontez-moi un peu les années de votre enfance.

– Je viens d'un tout petit village de l'arrière-pays. Mon père était cultivateur, puis charpentier-menuisier. J'étais la sixième d'une fratrie de neuf. Ma sœur Camille, la troisième, a été obligée de changer de main à l'école. Quand je suis arrivée, ils m'ont laissée faire. J'ai eu beau essayer l'autre main, ce n'était pas naturel, ça ne marchait pas du tout ! Il faut dire que j'avais beaucoup bricolé et dessiné avant d'entrer en 1re année : j'avais fabriqué des maisons de poupées en carton, découpé et habillé des poupées en leur confectionnant des robes, et fait du coloriage.

– L'apprentissage de l'écriture s'est-il bien passé ?

– Assez mal ! Les institutrices étaient exigeantes sur le plan de la propreté. La main traînait sur le papier qui noircissait. Je perdais des points. Quand j'avais fini l'exercice, j'essayais de nettoyer ma feuille avec la gomme. Je tentais de faire disparaître les traces de mine. J'ai persisté et j'écris toujours de la main gauche.

— Et à la maison, comment cela se passait-il ?

— À la maison, j'avais ma place en milieu de table, bien que je sois gauchère. Mais il n'était pas rare que ma sœur aînée, une droitière, me dise : « Fais donc attention, tu me frappes tout le temps en mangeant avec ta fourchette, tu m'accroches toujours ! » Petite fille, quand je pliais les draps frais lavés et les couvertures avec elle, immanquablement, elle pliait dans le centre contraire de moi, et le linge s'entortillait...

— Et maintenant, à table ?

— Quand je vais au resto avec des amis, je me sens obligée de m'asseoir au bout de la table. On me fait asseoir là pour ne pas nuire. Souvent, les gens me donnent l'impression que je dérange.

— Avez vous le souvenir d'une situation où votre gaucherie vous a causé des ennuis ?

— Oui. Écoutez cette anecdote. Je me trouvais à un important repas familial dans une belle auberge : douze ou quatorze personnes étaient assises autour d'une table ronde. Le serveur a apporté un seau à glace sur pattes pour rafraîchir la bouteille de vin et l'a placé juste derrière mon côté gauche. Je n'ai fait que reculer mon bras, et patatras ! Le sceau est tombé dans un fracas épouvantable. Grand silence dans la salle à manger bondée. Gênée, je suis devenue écarlate. Le pire, c'est que les membres de ma famille me disaient : « Mais qu'est-ce que tu as fait ? » Comme si j'étais responsable, ou coupable d'un méfait. J'avais envie de pleurer. Ils n'ont jamais pensé que, peut-être, le garçon était fautif et avait placé le sceau à glace au mauvais endroit. D'ailleurs, toute ma vie, j'ai eu l'impression d'être prise en défaut du seul fait que j'étais gauchère et que je fonctionnais à l'inverse des autres !

Elle pouffe de rire en ajoutant :

— Quotidiennement, dans mon travail, j'essuie des regards ou des commentaires désobligeants. Les gens me demandent si j'ai besoin d'aide. Par exemple, quand je coupe un échantillon de tissu avec les ciseaux de droitier de la boutique, ils veulent le faire à ma place Ou encore quand je rédige la facture, ils me disent : « Ah ! tu es gauchère ! » Comme si j'étais un cas rare. Ou encore, on m'enlève les ciseaux des mains en me disant : « Laisse faire, tu as l'air d'avoir de la "misère". »

— Les gauchers ont-ils des habiletés ou des talents particuliers ?

— Heureusement, oui ! Nous autres, gauchers, possédons une capacité quasi innée à situer les objets dans l'espace – je les vois les yeux fermés – et à mémoriser les sons.

— Ça doit être ça, avoir le compas dans l'œil !

— Les gauchers dessinent mieux que les droitiers. Leur sens artistique est très développé. Un ami gaucher, devenu architecte, faisait des caricatures et dessinait, l'été, dans la rue du Trésor à Québec. Il a payé ses études avec ses dessins. Il avait un talent fou !

— Vous avez côtoyé plusieurs gauchers ?

— Dans mon groupe à l'école de design, il y avait plus de gauchers que de droitiers. Les gauchers ont peut-être aussi une nature plus rêveuse, plus lunatique.

— Utilisez-vous des outils faits pour gauchers ?

— Non. Il en existe peu. Tous les outils sont faits pour les droitiers !

— Et dans les sports, comment cela se passe-t-il ?

— Je fais tout du côté gauche.

— Vous jouez d'un instrument de musique ?

— On a bien essayé de me faire apprendre la flûte à bec à l'école : mais je ne me sentais pas à l'aise du fait que la flûte était inversée.

— On encourageait les arts dans votre famille ?

— Je fus la première de ma famille à m'orienter vers les arts. On m'a laissée faire, même si ça ne faisait pas aussi sérieux que d'étudier, par exemple, en secrétariat. Je n'ai jamais hésité, car j'ai toujours su que la décoration était ma voie.

— Et dans la vie quotidienne ?

— J'éprouve des difficultés quand je dois stationner à gauche dans un sens unique. À part ça, je fonctionne aussi bien que n'importe quel être humain, je vous assure !

Nadine

50 ans, psychologue

---◇---

« Quand j'étais toute petite, c'était une différence, un plus, et ma mère aimait ça. Elle était fière de dire : "Regardez, Nadine est gauchère." Elle avait une fascination, une admiration pour ma gaucherie. »

---◇---

— J'entends encore ma mère dire à mes tantes : « Regardez, elle est gauchère, elle est ambidextre. » J'ai compris tôt que j'étais gauchère, avant d'aller à l'école. Je coloriais et je dessinais de la main gauche. Ma mère était bonne dessinatrice, et elle me montrait comment faire. Je l'aidais aussi, car elle avait beaucoup d'enfants. Je suis la deuxième de onze enfants. Avec elle, je pliais le linge, je faisais des tartes rigolotes, des gâteaux.

— Il y avait d'autres gauchers ?

— J'étais la seule gauchère dans ma classe et longtemps la seule dans ma famille, puisque seul, le neuvième enfant a été gaucher. Donc, il y a deux gauchers sur onze enfants.

— Pourquoi êtes-vous gauchère ?

— Pffft ! Aucune idée. Ça s'est fait comme ça. C'est mon côté dominant. J'ai lu un peu sur le sujet. L'hémisphère droit contrôle la partie gauche de mon corps. C'est le côté plus intuitif, plus abstrait, plus irrationnel, moins logique. On appelle ça la pensée divergente, je crois. Je me retrouve parfaitement dans cette définition.

— Comment s'est passé l'apprentissage de l'écriture ?

— Il a été très frustrant. La maîtresse me disait sans cesse : « Change ton crayon de main. » Même quand je coloriais, elle ne voulait pas me laisser faire avec la main gauche. Mais je savais que je n'étais pas anormale. Ça ne me blessait pas, car ma mère faisait de ma gaucherie une qualité, quelque chose de spécial. Je me disais : « Qu'elle me laisse donc tranquille ! » Quand la maîtresse tournait le dos, je changeais de main. Sans doute est-ce ma première révolte contre le conformisme !

— Votre mère aimait que vous l'aidiez à la maison même si vous utilisiez la main gauche.

— J'ai commencé jeune à aider ma mère. Elle avait trois ou quatre enfants quand je suis entrée à l'école.

— Avez-vous déjà eu le sentiment d'être différente ?

— Bien sûr ! Quand j'étais toute petite, c'était une différence, un plus, et ma mère aimait ça. Elle était fière de dire : « Regardez, Nadine est gauchère. » Elle avait une fascination, une admiration pour ma gaucherie.

— Vous habitiez à la campagne, je crois ?

— Sur une ferme, dans la Matapédia. J'aidais mon père comme si j'avais été un garçon.

— Ce qui veut dire...

— Je faisais tout comme les garçons. À 15 ans, j'étais bâtie et forte comme un homme. Je me souviens qu'à l'âge de six ans, je conduisais déjà le tracteur : je me tenais au volant, et je posais un pied de chaque bord. Mes jambes étaient tout justes assez longues pour toucher les pédales de frein ou d'embrayage.

— Vous conduisiez le tracteur si jeune ! Ça n'était pas dangereux ?

— Oui, bien sûr ! Une fois, j'ai fait bien peur à mon père. J'étais avec lui, et nous devions traverser la voie ferrée. Pour empêcher les vaches de se sauver, il y avait une clôture de chaque côté de la voie ferrée, et celle-ci se trouvait surélevée. Mon père est descendu du tracteur pour ouvrir la clôture et il m'a laissée seule sur le véhicule de ferme avec le moteur en marche, un pied sur le frein, l'autre pied sur la pédale d'embrayage. Je ne sais pas ce qui s'est passé, mais, tout à coup, le tracteur s'est mis à descendre la petite côte. J'avais beau peser de toutes mes forces sur le frein, je n'arrivais pas à immobiliser le tracteur, et j'allais écraser mon père. Je l'ai entendu crier : « *Brake ! Brake !* » Alors, j'ai lâché la pédale d'embrayage pour mettre les deux pieds sur le frein. Le moteur du tracteur a étouffé et j'ai réussi à immobiliser le véhicule. J'ai eu très peur de tuer mon père. Il était très en colère, et moi aussi.

— Toute une aventure !

– À la ferme, les enfants travaillent très jeunes.

– Une dure école de la vie.

– Ce que j'aimais le plus, c'était de donner le biberon aux petits veaux. Main gauche ou main droite, ils s'en moquent bien!

– Les gauchers ont-ils des talents particuliers?

– Selon moi, ils ont des aptitudes en dessin. De plus, ils s'adaptent facilement. Pour ma part, je peux changer de main, car je suis habile des deux. Donc, j'écris de la main droite – j'ai finalement appris –, mais je colorie de la main gauche. Je fais encore bien d'autres choses avec cette main. Je fais tout de la main gauche sauf écrire.

– Donnez un exemple.

– À la cuisine, je coupe les oignons, je brasse la pâte à muffins. Je balaie avec la main gauche. Je dors du côté gauche du lit. Si quelqu'un marche avec moi, il doit être à ma gauche. Ça m'a même occasionné quelques batailles épiques avec mon chum!

– Vous utilisez des instruments pour gauchers?

– Non. Je sais qu'il en existe, mais je n'en ai jamais utilisé.

– Vous disiez que vous vous sentez souvent différente.

– J'ai toujours eu le sentiment d'être différente, l'impression que je pense de façon moins normative. C'est un plus pour un individu d'avoir un petit côté délinquant et rebelle.

– Vous n'êtes pas dérangée par l'adversité.

– Quelqu'un a beau être en désaccord avec moi, je garde ma conviction que, dans un autre environnement, je trouverai quelqu'un qui pensera comme moi. Je me souviens encore de l'insistance de ma première institutrice – que j'adorais d'ailleurs. Elle ne voulait pas que je me serve de la main gauche! Même si je l'adorais, je la trouvais un peu bête de vouloir absolument me faire changer de main. De toute façon, je n'en faisais qu'à ma tête!

– Que dit la science au sujet des gauchers?

– Je lis parfois des articles sur les gauchers: l'hémisphère droit serait l'hémisphère le plus sollicité. J'ai compris que j'avais une personnalité artistique. Pourtant, j'ai toujours eu l'impression d'avoir une pensée nettement scientifique. Les deux sont-ils en opposition? J'étais bonne en calcul différentiel et intégral: pour moi, c'était de l'art pur. J'ai l'impression que les sons, les couleurs et l'abstraction, c'est comme les mathématiques: ça se rejoint absolument. Il y a un rythme et une harmonie dans les couleurs. J'aurais aussi aimé étudier l'astronomie.

— Vous avez des champs d'intérêt variés.

— Je me souviens d'un professeur à l'UQÀM, Luc Bégin[1] : il avait une épreuve de regroupement qui expliquait les catégories et la manière de penser des gens, selon qu'ils privilégient l'hémisphère gauche ou droit. Je me demande où il en est avec ses recherches.

— Que pense la société des gauchers ?

— La société en général est perplexe et a une espèce de fascination devant les gauchers. Un psychologue scolaire, avec qui j'ai travaillé autrefois, il doit y avoir vingt ans, m'avait dit que j'étais une gauchère contrariée et que je devais sûrement en porter les séquelles. Il était convaincu que les gauchers avaient plus de difficulté à vivre. Je trouvais sa théorie amusante. Adolescente, j'ai eu des moments difficiles, mais pas parce que j'étais gauchère.

— Vous avez fait beaucoup de sport ?

— J'avais un talent dans les sports. Je jouais au volley-ball. J'ai fait les olympiades, puis de la danse pendant cinq ans dans une troupe de folklore. Nous avons pratiqué des danses espagnoles, du flamenco et des danses slaves. J'ai bien aimé.

— Vous avez déjà étudié un instrument de musique ?

— Non, jamais. Je me souviens que ma mère était bonne musicienne. Elle m'avait montré un peu à jouer au piano. Je jouais des petits morceaux. Mais on manquait d'espace dans la maison, nous étions tellement nombreux ! Alors, elle a mis le piano dans un hangar, et, finalement, les souris sont entrées dedans !

— Avez-vous déjà vécu de la discrimination du fait d'être gauchère ?

— J'en ai vécu un peu dans les pays orientaux, auprès des musulmans et des bouddhistes. J'avais tout juste vingt-cinq ans. On m'avait prévenu d'éviter ces contrées, parce qu'une femme seule peut avoir à affronter la vulgarité des hommes.

— Vous y êtes allée seule, avec un sac à dos ? Il fallait une certaine audace !

— Finalement, je me suis bien débrouillée. Je n'ai eu aucun problème en Inde, en Thaïlande, au Sri Lanka. Il faut savoir que partout en Orient, quelle que soit la religion pratiquée, on mange avec les mains. La coutume veut que l'on se serve de la droite pour prendre la nourriture dans son assiette : c'est la main pure et propre, l'usage de la gauche étant

---

1.   Voir la section « Les gauchers et les savants », Luc Bégin : 274.

réservé aux soins d'hygiène des parties intimes (il n'y a pas de papier hygiénique). Quand je mangeais avec la main gauche, je provoquais des regards interloqués et entendais des remarques selon lesquelles que je ne devais pas agir ainsi.

— Avez-vous des suggestions pour l'école ?

— À l'école, je ne sais pas vraiment ce qu'on devrait changer.

— Le fait d'être gauchère vous avantage-t-il dans l'exercice de votre métier de psychologue ?

— Oui. Le fait que je sois intuitive avec une pensée divergente mais analogique m'aide énormément. Je peux transposer facilement d'un contexte à l'autre. J'ai la capacité à faire des interrelations et à comprendre des thématiques qui ne sont pas évidentes au premier abord. De même, je peux imaginer des scénarios qui m'aident à saisir de quelle façon un événement peut affecter l'organisation des défenses d'un individu. Ou encore, s'il y a une blessure, comment l'individu essaie de se protéger. Bref, ma pensée intuitive aide à trouver des solutions. Par contre, je suis moins sujette à accepter les normes... Mais je dis cela sous toute réserve.

— Les statistiques indiquent qu'il y a plus d'accidents chez les gauchers et qu'ils meurent plus jeunes. Qu'en dites-vous ?

— Ça m'embête beaucoup. Je ne vois vraiment pas de lien de cause à effet, et aucun lien avec la santé. Par contre, peut-être qu'un gaucher peut être stressé d'utiliser un instrument pour droitier. Il peut se sentir handicapé. Mais je demeure vraiment très sceptique.

— Dans la vie quotidienne, à quel moment avez-vous l'impression d'être une gauchère ?

— Vous allez rire ! Quand je suis avec mes sœurs — j'ai sept sœurs et nous avons bien du plaisir ensemble —, je trouve comique qu'elles aient autant de difficulté à appliquer le mascara avec une seule main pour les deux yeux. Ou encore pour appliquer le vernis à ongles. Moi, je n'ai aucun problème. Je me dis : « Pauvres elles ! »

— Si vous aviez le choix ?

— Je serais volontiers de nouveau gauchère : ça ne me dérange pas du tout.

Nancy Gauthier

38 ans, comédienne

—————— ◄◦► ——————

« J'ai l'impression de faire la même chose que les autres, mais toujours en sens inverse. »

—————— ◄◦► ——————

La rencontre avec le personnage d'Eugénie Beauchemin de *Bouscotte*[1] s'est déroulée chez elle, sur le Plateau.

— J'entends encore : « Nancy, fais la même chose, mais à l'envers. » J'ai donc appris à effectuer le transfert dans ma tête. À l'église, je faisais le signe de croix à l'envers. Je devais toujours donner une commande à mon cerveau pour accomplir les choses à l'envers.

— Comment ça s'est passé à l'école ?

— Ça a été très, très difficile d'apprendre à écrire. Je suivais le dessin de la lettre que je devais copier. Mais la main gauche cache toujours ce qu'on écrit ; il faut faire des arrêts pour se relire. C'est fatigant.

— Vous aimiez l'école ?

— Ce fut pénible, car je n'ai jamais aimé l'école. Je trouvais ardu de rester assise et d'écouter. On me mettait sur la première rangée en avant. Quand j'apprenais à écrire, je me disais dans ma tête : « Il faut le faire à l'envers. » Je crois que j'ai fait de la dyslexie ou un déficit d'attention, je ne sais trop. Même apprendre à parler a été long. J'ai parlé tard, vers cinq ou six ans. Même si je parlais sans arrêt, on ne comprenait pas ce que je disais. J'ai suivi des traitements en orthophonie jusqu'à l'âge de 15 ans. Encore aujourd'hui, quand j'écris, par exemple la lettre *s* et la lettre *c*, je dis tout fort dans ma tête « l-e-s », et alors je sais si c'est le *s* ou le *c*.

— Les études ont été désagréables ?

---

1.   Télésérie de Victor-Lévy Beaulieu.

— Je passais d'une année à l'autre mais de justesse. J'avais de la difficulté à lire. Je lis d'ailleurs encore très lentement. Et je suis incapable de faire deux choses à la fois.

— Vous faisiez du sport ?

— J'ai joué au hockey comme mon frère aîné. Il est aussi gaucher, mais il est tout à l'opposé de moi. Moi, j'aime me faire remarquer, parler fort, m'affirmer. Lui, il est tout timide, gêné. Il a fait des études en horticulture, et il travaille en camionnage.

— Vous aimiez avoir un frère aîné ?

— Oui. Je jouais avec ses amis au base-ball. Je n'avais pas de *mite* de gaucher : ça n'existait pas à l'époque. Pour cette raison, personne ne voulait me prendre dans son équipe. Je tenais mon bâton comme un droitier. J'ai aussi joué au football pendant deux ans, de 14 à 16 ans, en 4e secondaire. Pas commode : tout l'équipement est conçu pour les droitiers.

— Vous ne vous êtes jamais blessée ?

— Je jouais dans une équipe composée de filles seulement.

— Comment êtes-vous devenue comédienne ?

— J'ai toujours eu un monde imaginaire assez débordant. Plus jeune, j'inventais, je mentais : j'avais un petit côté comédienne. J'ai commencé à faire de l'improvisation au cégep à Rivière-du-Loup, où j'ai étudié en Techniques de loisirs. Puis, j'ai travaillé dans un centre de femmes en difficulté comme intervenante en théâtre-thérapie. J'ai aussi œuvré dans un centre d'accueil pour délinquants. Ensuite, j'ai fait un stage dans le milieu de la culture. Enfin, j'ai fréquenté le Conservatoire d'art dramatique à Montréal pendant trois ans. Mais c'est mon personnage dans *Bouscotte*, celui de la forgeronne, cette femme forte à tirer du poignet, qui m'a le plus lancée. J'ai pris de l'assurance. Cela a duré trois ans.

— Victor-Lévy Beaulieu m'a confié qu'une des raisons qui a plaidé en votre faveur pour ce rôle, c'est le fait que vous étiez gauchère.

— C'est ce qu'il m'avait dit, mais je ne l'avais pas cru ! Nous étions tous les deux gauchers, et nous avons le même signe du zodiaque : Vierge.

— Vous utilisez des instruments pour gauchers ?

— Oui. Tout d'abord des ciseaux de couture que m'a donnés ma mère, il y a longtemps. La lame est orientée du bon côté, et elle coupe bien. Puis, j'ai un ouvre-boîte pour gaucher. Je vous le montre.

Elle court à la cuisine le chercher.

— En fait, c'est un ouvre-boîte pour ambidextre, mais il fonctionne très bien avec la main gauche. J'ai toujours eu en horreur le couteau « épluche-patates ». Un calvaire pour moi ! Éplucher des carottes ou des patates, ça allait très mal, car le couteau ne me convenait pas. D'ailleurs, je n'achète jamais de pommes de terre ! Chez ma mère, je me coupais souvent. Et je tombais souvent. J'ai déboulé souvent les escaliers.

— C'est vrai ?

— J'ai déjà eu une commotion cérébrale. J'ai fait une chute dans la cour d'école. On m'avait expédiée à l'hôpital. On m'a passé un électroencéphalogramme. Pas plus tard qu'il y a deux semaines, ça m'est encore arrivé. J'étais en Gaspésie — car je songe à aller m'y établir — et je suis tombée : ma pantoufle en Phentex s'est accrochée sur le rebord du plancher.

— Vous portez des pantoufles en Phentex ?

— Oui, je les ai achetées l'été dernier à Trois-Pistoles chez madame Rioux. J'étais bien contente d'y retourner pour y jouer dans la comédie musicale *J'aime les hommes*. Donc, je suis tombée : j'ai atterri sur le coccyx en plus de me disloquer l'épaule. Quand j'ai raconté ça à ma mère, elle m'a dit : « Encore tombée ? Nancy, tu as 38 ans ! » Mais j'ai appris à tomber : je reste molle. Chez moi, enfant, je tombais très souvent. J'entends encore ma mère qui disait : « Elle déboule tout le temps. » Combien de fois ai-je déboulé les escaliers, je ne sais pas. Ça faisait partie de ma gaucherie.

— Y avait-il des gauchers dans votre famille à part votre frère ?

— Ma mère aussi aurait été gauchère, mais elle a reçu des claques. Elle est infirmière. Ses deux enfants sont gauchers. Mon frère se dit ambidextre.

— Croyez-vous à ces statistiques qui indiqueraient que les gauchers ont plus souvent des accidents ?

— Si les gauchers ont plus d'accidents ? Je vous le confirme !

— Les gauchers ont-ils un caractère, une personnalité propre ?

— Je croirais à la personnalité, aux talents propres aux gauchers... s'il n'y avait mon frère qui en est l'antithèse ! Je pense néanmoins que les gauchers ont un côté artistique plus développé. L'hémisphère droit serait l'hémisphère artistique.

— Êtes-vous habile de vos mains ?

– Habile ? Le mot est un peu fort. Je ne suis pas bricoleuse et, en plus, je détestais le bricolage à l'école.

– Vous chantiez dans la comédie musicale l'été dernier à Trois-Pistoles. Vous chantez en plus d'être comédienne ?

– Je chante, mais je ne suis pas une chanteuse ! C'est Sylvie Tremblay qui m'a amenée à chanter : nous jouions ensemble dans *Bouscotte*[1]. Je me suis rendu compte que j'avais une bonne oreille. J'ai passé l'audition pendant l'hiver 2000-2001 pour personnifier la Bolduc. Je ne savais pas « turluter » et j'ai appris. Je suis une perfectionniste. Je suis assez déterminée et quand je décide quelque chose, je prends les moyens pour réussir. J'ai donc décortiqué les différentes « turlutes » : je les ai chantées tout d'abord lentement, puis plus rapidement. À force de travailler, je les savais par cœur et je pouvais aller vite. J'ai connu un certain succès et beaucoup de plaisir à jouer le personnage de cette « turluteuse » dans trois théâtres d'été : à Eastman, Bromont puis Marieville.

– Vous aimez être gauchère ?

– J'ai toujours aimé ça, être gauchère. C'est une fierté, puisque j'aime bien me différencier de la masse. Ce n'est pas un choix : je suis une vraie gauchère. Par contre, je n'aime pas du tout les mots « gauche » ou « gaucherie ». Ces termes m'ont toujours froissée.

– Dans la vie quotidienne, à quel moment avez-vous le plus l'impression d'être gauchère ?

– À table. Si on va au resto, je m'informe à l'avance pour savoir qui est gaucher, car je veux garder ma liberté et avoir la paix. Actuellement, je me rends compte — je suis une formation en massothérapie et en antigymnastique — que, lorsque j'aborde un patient, je le place à ma gauche : je fais l'inverse des droitiers. En somme, j'ai l'impression de faire la même chose que les autres, mais toujours en sens inverse.

---

1.   Le personnage de Béline Bérubé, dans *Bouscotte*.

Pierre Beaudry

42 ans, tromboniste basse, musicien à l'Orchestre symphonique de Montréal depuis 20 ans

―――――◄◊►―――――

« J'ai l'impression que la société en général accepte les gauchers comme s'ils étaient des droitiers manqués. Il ne faut pas que les gauchers fassent trop de vagues. Lorsque j'étais plus jeune, j'entendais parfois : "Ah ! t'es gaucher !" Mais c'était l'ancienne génération. »

―――――◄◊►―――――

J'ai rencontré Pierre durant les jours où l'on présentait *Thaïs* de Massenet à l'Opéra de Montréal. Chapeau à larges bords très mode, long manteau, il arrive avec sa boîte à lunch pleine de pommes, de poires et de barres granola.

― Vous savez, je suis assez particulier. Je n'ai aucun souvenir de mon passé, de mon enfance, qui a été difficile. Mon père élevait des poules à Saint-Louis-de-France. Je ne me souviens pas du tout si quelqu'un était gaucher dans ma famille. Tout petit, je me tenais à l'écart. Je ne « fittais » pas dans le décor. Il faut dire que très jeune, entre cinq et sept ans, j'aidais mon père dans le poulailler à ramasser les œufs, les nettoyer, les classer. Mes sœurs aidaient plutôt à faire le ménage. À l'école, heureusement, ils m'ont laissé écrire de la main gauche, mais la religieuse était sévère. Je n'inversais pas le poignet, mais je tenais le crayon très serré, de sorte que j'ai eu des bosses sur le majeur de la main gauche. Ce doigt me faisait mal : je tenais le crayon bien trop fort. Sans oublier que j'avais toujours la main gauche tachée de mine, car je repassais sur mon écriture ; je salissais aussi mes cahiers et mon pantalon.

― Ce n'était pas évident.

– En 1re année, il y a eu les bulletins avec les commentaires du genre : « Pierre est distrait, il est dans la lune. » J'avais une vie imaginaire très forte. Jusqu'à l'âge de 15 ans, j'étais un peu déconnecté. Puis, tout à coup, la musique m'a accroché. Ça s'est passé avec le film *The Five Pennies* avec Danny Kaye.

– Je ne connais pas ce film.

– On y voit le trompettiste Louis Armstrong. Je me suis identifié à lui. Je me voyais jouer de la trompette. J'en avais demandé une pour Noël, mais je l'ai reçue un ou deux ans plus tard. Ça a pris un certain temps avant que je commence à en jouer.

– Donc, dans votre jeunesse, il n'y avait pas de musique chez vous.

– Pas de musique... à part les poules !

– Comment êtes-vous devenu musicien ?

– Un homme responsable de la garde paroissiale fut mon mentor. Il me faisait confiance, il m'a donné le goût de la musique et je suis entré dans son corps de clairons. Puis j'ai passé l'audition au Conservatoire de musique. Je voulais devenir Maurice André, vous savez, ce trompettiste français. Il était mon héros. À ce moment, je me suis dit que je ferais de la musique dans ma vie, même si je devais crever de faim.

– Vous aviez trouvé votre voie.

– Mais ce n'était que le début de mes peines. La plus grande déception de ma vie fut le jour où on m'a annoncé que je ne pourrais jamais bien jouer de la trompette.

– Pourquoi donc ?

– Parce que j'avais un problème de dentition qui m'obligeait à placer l'embouchure de travers sur mes lèvres. Je n'avais pas d'aiguë, j'avais des problèmes d'intonation, et même mon son se dédoublait quelquefois. J'ai tellement pleuré ! Mon professeur m'a alors conseillé d'essayer un autre cuivre avec l'embouchure plus grande. Pour abréger, disons que j'ai recommencé à zéro avec l'aide de deux élèves avancés. Le problème s'est finalement résolu. Le professeur de trombone m'a alors accepté dans sa classe. Dieu que j'étais content !

– C'est cet instrument que vous avez adopté.

– Le fait d'être gaucher aurait pu me faire jouer du trombone de la main gauche, c'est-à-dire que, normalement, on tient la coulisse avec la main droite. Lorsque j'ai vu mes collègues tenir la coulisse avec cette main, ça ne m'a même pas effleuré l'esprit que je pourrais jouer de la main gauche. Un de mes amis joue professionnellement en tant que gaucher. C'est très rare mais possible. Le fameux tromboniste de jazz Slide Hampton joue aussi de la main gauche.

— Et vous avez fait du sport ?

— Oh ! Je n'étais pas tellement à l'aise. Au base-ball, j'attrapais et je lançais de la main gauche. Il fallait alors que j'enlève le gant et la mitaine, et ça m'a valu de recevoir deux fois la balle en plein front ! Je peux vous dire que j'en ai vu des étoiles ! Je suis aussi tombé deux fois en bas de la galerie chez nous. J'étais distrait et maladroit. Même aujourd'hui...

— Quoi donc ?

— Je ne suis pas très adroit de mes mains et je suis encore brise-fer. Je dois faire attention à ce que je touche.

— Avez-vous déjà eu le sentiment d'être différent parce que gaucher ?

— J'ai toujours eu le sentiment que j'étais différent dans ma tête, mais pas parce que j'étais gaucher. J'ai toujours été très proche des enfants : je trouvais qu'ils avaient plus de vie que les plus grands, je me sentais bien avec eux. Ça me valorisait, j'avais leur attention et j'aimais m'occuper d'eux.

— Vous croyez au caractère propre aux gauchers ?

— Il y a quelques années, j'ai lu un article dans un magasine anglophone où l'on parlait du caractère des gauchers. J'ai compris que j'appartenais à cette « gang », que j'avais un imaginaire très fort, ce qui m'a réconforté. Ce fut même une révélation. Il y avait un test, et j'ai répondu aux questions. Ce questionnaire visait à déterminer si vous privilégiez l'hémisphère gauche ou l'hémisphère droit dans votre fonctionnement quotidien. Je me souviens que j'ai eu une cote de 25, ce qui signifiait que je fonctionnais avec l'hémisphère droit ; 28 et 30, vous étiez autiste ! J'ai toujours été un peu *borderline*. En effet, je trouve parfois les gens trop cartésiens. Je suis plutôt artiste, j'aime l'aspect magique des choses.

— Donc, vous avez étudié le trombone.

— Adolescent, j'ai étudié le trombone au Conservatoire de musique. Puis, je suis finalement arrivé à l'OSM pour passer l'audition et j'ai obtenu le poste de trombone basse, il y a de cela 21 ans. Après coup, ma sœur m'a dit que mon karma était bon : j'avais 21 ans, c'était un 21 octobre, il y avait 42 candidats qui auditionnaient et j'ai « pigé » le numéro « 21 ». Trois fois 21 : c'est tout de même étonnant comme coïncidence, n'est-ce pas ?

– Pas mal !

– Le trombone basse, soit dit en passant, est peut-être l'instrument qui peut jouer le plus fort de tout l'orchestre. Quand je pense qu'à la naissance, même si je suis né à terme, je ne pesais que 4 livres 2 onces ! Je ne sais pas si vous vous imaginez..., mais, c'est très petit, 4 livres, pour un bébé. On pèse souvent le double à la naissance. Peut-être ai-je choisi cet instrument pour prouver qu'un petit peut souffler autant, sinon plus qu'un autre plus grand. Ça me rappelle aussi que j'étais extrêmement mauvais en anglais, au secondaire. J'étudiais, mais je ne comprenais pas très bien, d'où une énorme frustration. Alors, j'ai sans doute voulu compenser pour ma faiblesse, car, aujourd'hui, je peux me débrouiller dans plusieurs langues.

– Plusieurs langues ?

– Durant une période, mon passe-temps a été l'étude des langues étrangères : j'ai touché à une douzaine de langues.

– Rien de moins !

– À part le français – que je ne maîtriserai jamais– il y eut l'anglais, l'espagnol, l'italien, le portugais, l'allemand, le japonais, le chinois, l'hébreu, le latin, le grec, le russe, ainsi que l'ébauche de l'arabe. Je peux me débrouiller dans ces langues à condition de me rafraîchir la mémoire au besoin, mais ce fut toujours un défi et une gymnastique pour mon cerveau, car je ne me considère pas comme très doué. Mais j'adore ça. L'apprentissage des langues, est-ce une faculté du cerveau gauche ou droit ?

– On parle du côté gauche pour le langage, mais, finalement, les deux hémisphères sont sollicités, car la musique de la langue ou prosodie, les intonations, les accents toniques seraient effectués par l'hémisphère droit.

– Les mathématiques concernent sûrement le cerveau gauche, car j'ai toujours été nul dans cette matière.

– Curieux, car on dit que plusieurs mathématiciens ont été musiciens...

Je ne puis m'empêcher de penser : quel cerveau magnifique il doit avoir, cet homme !

– Il y a plusieurs musiciens gauchers à l'OSM ?

– Tous jouent comme des droitiers. J'essaie d'imaginer un violoniste jouant comme un gaucher. Ce n'est pas impossible. Mais dans un orchestre symphonique, imaginez la scène : il faudrait beaucoup de place, car il y aurait des coups d'archet dans tous les sens[1]... Ce serait un beau thème de comédie à développer.

— Et la trompette, vous avez abandonné ?

— Pas du tout. Vous savez, je n'ai pas abandonné mon rêve malgré mes problèmes de dos quand j'étais jeune. J'ai pourtant failli tout lâcher à quelques reprises. Nous habitions la campagne, et aucun autobus ne se rendait chez moi en dehors des heures de pointe. Évidemment, mes parents, débordés par le travail, ne pouvaient pas me voyager. Je descendais de l'autobus et marchais un mille et demi pour me rendre à la maison, dans le rang. Sans compter les fois où je faisais du « pouce » jusqu'à Trois-Rivières. Je pense que mes problèmes de dos ont réellement commencé à ce moment-là : l'instrument était très lourd à transporter, et, à 17 ans, j'étais encore en pleine croissance.

— Les maux de dos, quelle plaie !

— Les maux de dos ont continué. Mais il y a quelques années, j'ai rencontré un kinésithérapeute qui m'a demandé si j'avais déjà eu une grande déception dans ma vie. Je lui ai donc raconté mon histoire de trompette. Il m'a répondu tout naïvement :

— Pourquoi as-tu cru celui qui te disait que tu n'étais pas fait pour jouer de la trompette ?

— C'était mon prof !

— Tu n'as pas pensé à aller en voir un autre ?

Puis il ajoute :

— Pourquoi tu n'essaies pas ?

Il m'a vraiment ébranlé. Ça ne se fait pas de changer d'instrument, surtout à 40 ans.

— Changer d'instrument ?

— En fait, j'ai commencé à apprendre tranquillement la trompette. Plus tard, j'ai essayé le cor français – j'adore la sonorité de cet instrument, avec les beaux sons longs. J'ai appris très tranquillement, parce que les embouchures, c'est dangereux pour les lèvres. Puis, je devais me convaincre psychologiquement que mes lèvres n'étaient que des muscles, et qu'il fallait les entraîner doucement, sans pression. Maintenant, le matin, je me réchauffe avec le tuba, car c'est mon instrument de base.

---

1. Un ancien critique musical m'a raconté qu'il est arrivé quelquefois des choses cocasses à son journal. Il existe une sorte de règle dans l'édition : les personnages sur les photos doivent regarder vers l'intérieur et, pour cette raison, il n'est pas rare qu'on inverse les photos. On a donc vu des photos de violonistes jouant comme s'ils étaient gauchers.

Les lèvres vibrent au grand complet. Une fois réchauffé, je peux jouer du trombone.

— Et alors ?

— Depuis trois ans, je joue de tous les cuivres. J'aime beaucoup le tuba qui a un son très grave : ça doit être mon côté grave, sérieux.

— Votre côté sérieux ?

Il pouffe de rire.

— Ou bizarroïde... mon côté gaucher, un peu marginal, à part des autres. En fait, j'ai l'impression que la société en général accepte les gauchers comme s'ils étaient des droitiers manqués. Il ne faut pas que les gauchers fassent trop de vagues. Lorsque j'étais plus jeune, j'entendais parfois : « Ah ! t'es gaucher ! » Mais c'était l'ancienne génération.

— En quoi les gauchers sont-ils différents ?

— Selon moi, les gauchers ont le sens artistique très développé. Pour ma part, je ne sais si j'ai la personnalité du tromboniste, mais je suis un musicien dans l'âme. En fait, je suis un artiste et j'aurais dû vivre au temps de la Renaissance. Quand les musiciens pratiquent leur partition avant un concert, ça me rappelle les poules dans le poulailler : des sons différents, des vitesses différentes. C'est ça, la beauté des sons...

— Expliquez.

— Je suis à l'OSM depuis vingt-deux ans. Ma quête actuelle ou mon expérience avec tous les instruments se veut une trajectoire tout à fait individuelle. J'aime expérimenter, et le fait que je joue désormais de plusieurs instruments... c'est comme si j'entendais mieux l'orchestre. Je suis un peu dans les souliers de chacun. Le son, c'est la vibration que j'entends dans mon corps. La vibration, c'est la vie. Le son a des couleurs, des lumières. Petit enfant, j'aimais aller à l'église et entendre l'orgue. Lorsque l'orgue jouait ou bien qu'une chorale chantait, je faisais toujours vibrer mon corps au diapason des accords. Une sorte de « Ummm », j'adorais ça. Comme si j'étais en communion directe avec le septième ciel. Ne me demandez pas ce que le prêtre racontait à ce moment, je n'étais plus là...

— La musique a commencé tôt à vous impressionner.

— Il y a un seul instrument que je n'ai pas encore expérimenté.

— Lequel ?

— La voix.

— Vous avez une bonne oreille, sans doute...

— Je n'ai pas le *perfect pitch* ou l'oreille absolue, mais, dans les harmoniques, si le son est grave, je peux alors trouver la note ou encore la tonalité exacte. Les sons ont une couleur. La musique, c'est la quête de l'absolu, non ? Parfois, j'ai l'impression que j'entends plus ou mieux que tout le monde.

— Cela doit faire une curieuse impression... Dites-moi, c'est toute une gymnastique que d'apprendre à jouer de tous les instruments.

— Effectivement. Il est important d'être très détendu. Il faut faire des étirements, autrement le corps en souffre. Comme détente, je pratique le yoga du son.

— C'est bien dit ! Dans la vie quotidienne, ça se passe comment ?

— Je suis entouré de droitiers ! Je me sens différent. Je suis moins cartésien. Les gauchers ont un côté imaginaire et artistique très développé. Mais je suis un marginal. J'aime encore jouer avec les enfants, parce qu'ils sont la connexion entre deux mondes, celui de l'enfance et celui du monde adulte. Les enfants doivent faire de la musique !

— Que pensez-vous des statistiques sur le taux d'accidents plus élevé chez les gauchers ?

— Je conçois très bien que les gauchers aient plus d'accidents et meurent plus jeunes : étant dans notre monde imaginaire, la pression est trop grande, et nous sommes parfois coupés de ce qui se passe à l'extérieur. Par conséquent, nous sommes moins vigilants, un peu perdus, comme si nous étions sous l'effet d'une drogue.

— Vous composez à vos heures ?

— J'ai composé une œuvre littéraire avec seulement les sept notes de musique comme syllabes, plus la note ut. J'en suis très fier. Mon texte pourrait être joué comme un opéra.

Quel personnage attachant, ce Pierre ! Parti de très loin, il a quitté les poules et la campagne pour la ville et le monde des sons. Mon chasseur de gauchers m'avait décrit le sujet comme coloré. Le mot n'est pas assez fort.

Le lendemain matin de notre long entretien, je reçois ce mot de Pierre, qu'il avait rédigé tard en soirée. J'ai été émue de le lire et je vous le livre.

Hier, j'ai parlé à un de mes voisins qui m'a toujours fasciné, car c'est un homme de 73 ans. Il a un talent vraiment exceptionnel de ses mains. Il peut tout réparer et fabriquer n'importe quoi. Rien ne l'arrête. Il a une forte imagination. Souvent il m'a dépanné. C'est le genre d'homme dont on dit qu'on devrait pouvoir télécharger son savoir à quelques personnes avant qu'il nous quitte. Ces gens sont rares de nos jours. À titre d'exemple, à douze ans, je crois, il a démonté et remonté un moteur de camion au complet et n'a rien oublié; sans que personne ne lui enseigne comment. Il a un côté féminin très développé: l'intuition, la sensibilité, la douceur, la compréhension, ce qu'on voit le plus souvent chez une mère. Il a enseigné la menuiserie à des délinquants et les a fait grandir et devenir des gens meilleurs en leur faisant confiance, etc. Je pourrais vous raconter plein d'admirables choses qu'il m'a relatées. Il a une passion de vivre qui me stimule beaucoup. Même que quelquefois, lorsque je me sens découragé, déprimé, vieux en quelque sorte, sans plus le goût de rien, je le regarde aller et je me dis: « C'est ça, la jeunesse. » Bref, je suis très reconnaissant à la vie de l'avoir mis sur mon chemin. C'est comme s'il était un ange gardien.

Hier, lorsque je lui ai dit que je venais aujourd'hui pour mon rendez-vous avec vous, il m'a dit: « Moi aussi, je suis gaucher. » J'étais gêné: je n'avais jamais remarqué.

Pierre Gaudreault

52 ans, dentiste, adepte de la montagne

« Je me considère normal. Ce n'est pas un handicap d'être gaucher ! »

Je n'ai rien remarqué alors que je suis sa patiente. Son assistante me l'a dit quand je lui ai raconté que je travaillais à un ouvrage sur les gauchers remarquables.

— Mon patron est un gaucher remarquable.

* * *

— L'entrée à l'école a été catastrophique. Je m'en souviens comme si c'était hier. Je ne voulais pas y aller. Les premières journées, je me suis sauvé à la récréation. Nous habitions à deux rues de l'école. J'y suis retourné seulement deux jours plus tard grâce à un ami qui m'a convaincu que ce n'était pas si pire que ça. J'avais l'impression de m'en aller dans un monde étrange. J'avais peur de quitter ma mère. Ça brisait ma routine de vie. De plus, j'étais le premier enfant et petit-enfant des deux familles de mes parents. Ma mère a commencé à me montrer à écrire. De la main gauche évidemment. Elle était gauchère.

Pierre me raconte tout ça, avec des gestes de la main gauche, notamment pour se gratter l'oreille.

— Ma mère a discuté avec la maîtresse qui voulait que je change de main. La maîtresse était bien flexible : elle m'a laissé faire.

Sourire d'enfant sage. Mains jointes sur ses genoux.

— Les gauchers écrivent mal. Ils font des pattes de mouche.

Pierre était un étudiant modèle et sérieux. La gaucherie ne l'a jamais dérangé. Il n'a pas le souvenir de frustrations et ne s'est d'ailleurs jamais intéressé au phénomène.

— Je me considère normal. Ce n'est pas un handicap d'être gaucher !

Père habile de ses mains, minutieux et patient, soudeur de son métier, et famille d'entrepreneurs : grand-père épicier et restaurateur, grand-mère qui faisait la couture et tenait un magasin de tissus. Pierre aurait hérité de l'habileté manuelle de son père perfectionniste.

— Pourquoi êtes-vous devenu dentiste ?

— Pour aider les gens. Je voulais avoir ma propre entreprise, être autonome.

— Avez-vous eu des ennuis à l'école de dentisterie ?

— Non. D'ailleurs, des aménagements sont prévus pour les étudiants dentistes gauchers, qui ne sont pas rares.

Pierre a été de la première promotion à l'École de dentisterie de l'Université Laval en 1975. Trois gauchers sur 17 étudiants : il y a eu quatre puis six cubicules pour gauchers sur un total de 30 cubicules.

— Tout est inversé.

Dans les instruments, pas de distinction pour les gauchers, mais l'accès doit être prévu pour la main qui travaille : ainsi il faudrait un accès arrière plutôt que de côté si un droitier devait utiliser sa chaise de gaucher à la clinique qu'il fréquente.

— Les gauchers sont plus habiles que les autres : ils ont une dextérité manuelle accrue. Dans les sports, ils ont plus de facilité, particulièrement dans les sports de raquette : les autres doivent s'adapter à eux. Il est plus facile de déjouer l'adversaire. J'ai beaucoup joué au squash, au tennis.

— Qu'est-ce qui fait un bon dentiste ?

— La patience et la capacité d'adaptation.

— Je croyais que c'était l'habileté des mains.

— Il faut, bien sûr, de la dextérité manuelle. Mais, voyez-vous, les dentistes, de par leur formation et leur occupation, sont individualistes. Ils travaillent dans l'infiniment petit : ils font de « petites » affaires dans les bouches toutes « petites ». Travail de grande précision.

— Vous sentez-vous parfois isolé ? Vous avez quotidiennement beaucoup de frustration et de stress, non ?

— Effectivement. Telle patiente est en retard, telle intervention est difficile, et l'horaire est chamboulé. Donc besoin de beaucoup de flexibilité et de tact en conservant une agilité mentale et la coordination motrice. De plus, les gens aiment rarement aller chez le dentiste, ils détestent plutôt ! Les dentistes vivent beaucoup de déceptions quotidiennes. Ils apprennent des techniques dentaires, mais bien peu de choses à l'école des relations humaines. Il existe un fossé culturel entre les pratiques modernes et la tradition ou la perception que les dentistes sont des « arracheurs de dents ».

— On dit aussi que les dentistes sont à plus risque de faire un *burn-out*, car ils sont frustrés de ne pouvoir discuter avec leurs patients, puisque quelqu'un travaille dans leur bouche ! Les dentistes font partie d'un groupe professionnel plus susceptible aussi de développer un problème de dépendance aux drogues.

— C'est exact. Je me suis donc impliqué pendant vingt ans comme professeur de clinique à l'Université Laval. J'étais rattaché au Département de restauration à la Faculté de médecine dentaire.

— « Restauration », ça fait chic.

— On dit restauration, comme pour la restauration de tableaux. Mais, en fait, ce sont les plombages ou les obturations.

Pierre a donc conservé son bureau de consultation.

— Une clinique dentaire, c'est un mini-hôpital à gérer : gestion de personnel, du temps, des équipements, du marketing. J'ai longtemps été perçu comme le confident de bien des dentistes, souvent malheureux dans la jungle de la dentisterie.

Il croit que les gauchers, en plus d'une grande habileté manuelle, ont souvent un tempérament fonceur et déterminé. Il aura fallu être tenace pour s'adapter à toutes les situations ou affronter les embêtements quotidiens dans un environnement conçu pour les droitiers.

Quand il bricole, Pierre inverse les mains.

— Si j'utilise le tire-bouchon, je tourne la bouteille avec la main gauche, je tiens le tire-bouchon avec la main droite, et le tour est joué ! À la pêche, au lancer léger, je tiens la perche avec la main gauche et tourne le moulinet avec la main droite.

— Les gauchers ont-ils un sens artistique ou sont-ils habiles en dessin ?

— Je ne sais pas. Ma mère a bien essayé de me faire dessiner, mais je ne dessine pas bien. Toutefois, je suis un vrai gaucher. Je suis incapable d'écrire de la main droite, ni de scier. Par contre, en travaillant, j'ai développé des habiletés : je peux tenir le miroir de la main droite, tasser une joue avec la main droite. Je me sers le plus souvent de mes deux mains. J'ai pris cette habitude.

— Pourquoi choisir des sports comme la voile, le ski, la montagne ?

— Eh bien ! Je n'y ai jamais pensé, mais pour vous donner une réponse, il me semble qu'en travaillant dans l'infiniment petit – une bouche, ce n'est pas grand –, de la dextérité, de la concentration et de l'application sont nécessaires pour réussir des gestes avec une motricité très précise. Alors, j'ai choisi sans doute des activités de plein air pour me ventiler l'esprit et accomplir des gestes plus vastes. Et puis j'aime le sentiment de me dépasser. Les gauchers ne sont pas des « perdants ». Ils aiment aller plus loin. S'ils ont plus d'accidents que les autres, c'est peut-être parce qu'ils ont tendance à prendre plus de risques et à être plus actifs que les droitiers. Pour ma part, j'aime aller assez loin dans le sport. Quand j'accroche, ça me passionne. Ainsi, je fais 3 500 à 4 000 kilomètres de vélo par été, ce qui est respectable.

– Et la montagne ?

– J'aime le plein air. Mon père m'amenait en forêt poser des collets à lièvres, de 7 à 10 ans. Il m'a habitué à marcher de longues distances dans le bois. Puis j'ai attrapé la piqûre, il y a trois ans, au Costa Rica. J'ai fêté mes 50 ans au sommet du Chiripo, à 3 850 mètres d'altitude. Cette expédition combinait rafting et randonnée en montagne : elle a duré deux semaines. J'ai bien aimé ça.

Ensuite un congrès de dentistes s'annonce à l'île Maurice dans l'océan Indien. Ce n'est pas loin de l'Afrique, et avec ses deux acolytes, deux dentistes – son frère gaucher et un autre dentiste –, il projette de faire l'ascension du Kilimandjaro en Tanzanie, puis un safari-photo d'une semaine avant de se rendre au congrès à l'île Maurice.

Donc, deux mois avant de partir, Pierre s'entraîne.

– Tant qu'à faire !

En effet, il se rend trois fois par semaine, au raison de deux heures chaque fois, au *Club Entrain* : en bottes de marche, il fait du tapis roulant incliné. Puis le samedi, deux à trois ascensions du mont Bélair, tout près de Québec, et enfin deux fois par semaine en soirée huit à dix allers-retours de la côte à la plage Saint-Laurent, tout près de Cap-Rouge.

Puis un des membres du trio rencontre un guide de montagne qui a déjà effectué l'ascension du Kilimandjaro : il leur donne des conseils de musculature et des trucs respiratoires. Ayant projeté de faire l'ascension en cinq jours, ils constatent que c'est trop court étant donné le besoin d'adaptation à l'altitude. Grâce à Internet, ils contactent alors divers spécialistes comme Bernard Voyer.

Trois semaines avant le départ, les trois dentistes rencontrent un groupe de Québécois ayant déjà fait l'ascension. L'un d'eux a failli mourir en raison d'un œdème pulmonaire : on a dû le descendre en catastrophe au bas de la montagne dans une sorte de brouette, civière de fortune, vers un refuge puis vers un hôpital.

— Il a eu de la chance. S'il n'avait pas connu la liste des symptômes d'œdème pulmonaire, il aurait sans doute accepté l'intervention pour appendicectomie : ils étaient prêts à l'opérer !

Enfin, un pneumologue spécialiste de l'apnée du sommeil, habitué aux expéditions en montagne, leur fait quelques suggestions. Parmi les sept montagnes au plus haut sommet de la planète, le Kilimandjaro est très accessible. Par contre, plusieurs vont au-delà de leurs limites. Il leur conseille de prendre des diurétiques deux jours avant l'ascension finale pour prévenir l'œdème pulmonaire. Le hic : cela provoque un besoin fréquent d'uriner.

— Nous sommes arrivés à destination après un vol interminable Québec-Montréal-Londres-Nairobi-Kilimandjaro-Arusha. Nous avions un guide et cinq porteurs : tout est réglementé puisqu'il s'agit d'un parc national. Le dernier refuge se trouve à 4 700 mètres d'altitude ; là, les porteurs abandonnent ceux qui font l'ascension finale. Les six dernières heures sont particulièrement pénibles. Impossible de dormir le jour dans le refuge humide, bruyant, confortable comme un tombeau.

L'assaut final doit se faire la nuit, car on atteint d'ordinaire le sommet au lever du jour.

— Évidemment, nous avons commencé à prendre des diurétiques, avec les effets que l'on connaît. Je grelottais malgré mon Polar 300. Nous étions une quinzaine dans le refuge. Le guide réveille les équipes tour à tour à une demi-heure d'intervalle, puisque toutes ne peuvent partir en même temps. Il nous a donc réveillés à 23 heures. Nous partons 30 minutes plus tard.

Ciel étoilé, clair de lune : ils ont de la veine, car d'autres avant eux ont essuyé un blizzard et n'ont pu réussir à atteindre le sommet.

Une heure après le départ, les choses se corsent pour Pierre : il présente trois symptômes sur quatre de l'œdème pulmonaire : 1) picotement et engourdissement des extrémités, 2) nausées et 3) crampes abdominales.

— Il me manquait juste le mal de tête. J'étais inquiet, mais je me disais que si je commençais à avoir mal à la tête, je redescendrais.

Il fait grand froid.

— Nous devions arrêter cinq minutes toutes les demi-heures pour nous habituer à l'altitude. Nous avions bien chaud à faire l'ascension.

Quand ils arrêtent, ils gèlent et claquent des dents, transis.

À 5 700 mètres, un arrêt : c'est très escarpé, et il y a un cratère d'un côté. La majorité des gens s'arrêtent là, parce qu'il sont souvent épuisés. Il reste environ deux heures d'ascension avant d'atteindre le sommet.

— Nous avons repris notre souffle. Un de nous trois avait une main gelée : un des guides lui a prêté d'autres gants, et il a pu se réchauffer la main. Nous sommes tous arrivés au sommet une heure avant le lever du soleil. Contents d'avoir vaincu la montagne, car nous avions eu peur. Nous ne pensions pas y arriver. On a pris une photo. Il faisait − 20 °C et il ventait beaucoup. Nous sommes à peine restés 10 minutes, parce qu'il faisait bien trop froid ! Nous sommes redescendus pendant une heure. Puis à 5 700 mètres, le soleil s'est levé. Nous étions réchauffés. C'est là que nous avons connu l'euphorie.

Six heures du matin : il faut redescendre. Ils vont chercher la nourriture et leurs affaires dans le refuge. Sieste bien méritée. Puis ils repartent.

— La descente est toujours plus rapide que l'ascension !

Cependant, petit inconvénient : Pierre développe une ampoule au gros orteil du pied droit, et le lendemain, au gros orteil du pied gauche. Il a eu les deux orteils noirs.

— Heureusement, nous étions arrivés.

Puis il fait le safari-photo en sandales.

— J'ai mis des bandages. J'ai perdu plus tard les deux ongles d'orteils.

C'est enfin le repos des guerriers à l'île Maurice pendant six jours au Club Med avec les autres congressistes, pour la majorité des dentistes québécois.

Ses projets : le GR20 en Corse à l'automne 2004 et peut-être l'Aconcagua en Argentine plus tard.

— Je ne considère pas que je pratique des sports extrêmes, mais j'aime aller au-delà de mes limites. M'entraîner, c'est un jeu. Mais je reste un pragmatique. Je me défoule, je ne me défonce pas. Est-ce parce que je suis un gaucher ? Je ne sais pas.

Rémy Kurtness

49 ans, études en récréologie, gestion des ressources humaines, négociateur pour un regroupement de communautés innues et sportif d'élite (golf, hockey, balle rapide, voile)

───────◦◦◦───────

« Quand je me faisais battre à la course, je lançais des défis : j'aurais voulu recommencer cette course dans le sens horaire, et je suis certain que je les aurais tous battus ! »

───────◦◦◦───────

Rémy Kurtness arrive en s'excusant, comme si sa présence était inutile :

— Je ne suis pas certain d'être gaucher. J'ai des réflexes de gaucher, mais je suis ambidextre : j'écris des deux mains, je mange des deux mains.

Rémy est le cinquième enfant d'une fratrie de dix. Dès l'entrée à l'école, c'est le pensionnat de la 1re à la 6e année.

— J'ai été pensionnaire de septembre à juin pendant six ans avec deux de mes sœurs et un frère. Les garçons étaient d'un bord avec les frères et les filles de l'autre avec les religieuses.

Un jour, le petit Rémy s'est sauvé du pensionnat pour retourner chez lui parce qu'il n'acceptait pas les traitements – il n'a pas voulu préciser lesquels – qu'on lui faisait subir. Mais sa mère très religieuse n'a pas cru ce qu'il racontait.

— Mon petit garçon, il faut que tu y retournes.

On lui apprend à écrire avec la main droite, et il accepte. C'est le début de l'hiver. Intrépide, il marche sur la bande de la patinoire sans neige : il tombe et se fracture le bras droit. À partir de ce moment-là, on l'a laissé écrire de la main gauche, sa main naturelle pour l'écriture.

───────────────────────────────

— On me disait que je tachais mes cahiers en écrivant, ça faisait sale. Même avec le crayon à mine. Je ne me rendais pas compte que je traînais la main sur mon écriture et j'étais puni : pas d'image, pas d'étoile, pas d'ange. Donc pas de récompense pour le travail bien fait et les exercices d'écriture.

Rémy était bon à l'école. Il a trouvé un truc et a appris à ne plus inverser le poignet.

— Je poussais le crayon au lieu de le tirer. Je détestais les cahiers à spirales et, encore maintenant, j'estime qu'on devrait seulement écrire du côté de la feuille de gauche. Mais je peux encore écrire de la main droite.

— Avez-vous déjà joué d'un instrument de musique ?

— Adolescent, j'aurais aimé jouer de la guitare, mais je ne me voyais pas le faire à l'inverse des autres.

— Avez-vous toujours été bon dans le sport ?

— Oui, plutôt. J'étais classé AA au golf. Dans les équipes d'élite au hockey, j'étais ailier gauche ou centre, celui qui saisit la mise au jeu. À la balle rapide, je suis lanceur. Je lance de la main droite et tiens le gant de la main gauche comme un droitier. Mon sport préféré est cependant le hockey : je joue encore dans une équipe d'élite, et ce, depuis que je suis junior. Adolescent, j'ai fait de la course. Quand je me faisais battre, je lançais des défis : j'aurais voulu recommencer cette course dans le sens horaire et je suis certain que je les aurais tous battus !

Mon interlocuteur aime la compétition. Est-ce parce qu'il est gaucher et qu'il a dû prendre sa place ?

— Monsieur Kurtness, vous avez cumulé au fil des ans plusieurs fonctions administratives et politiques. Dites-moi : qu'est-ce qui vous a porté à vous impliquer en politique ?

— Quand la loi C-31 a été adoptée, il fallait l'appliquer dans les diverses communautés.

— Qu'est ce que cette loi C-31 ?

— Celle qui a permis aux femmes indiennes qui avaient perdu leur statut en se mariant à un non-Indien de le recouvrer, donc de pouvoir de nouveau habiter sur le territoire de la réserve. Cela occasionnait bien des frictions tant dans les familles que dans toutes les couches de notre groupement. Je me suis senti interpellé.

— Je crois que votre famille est toujours très active politiquement ?

– Je suis la quatrième génération de chefs. Mon arrière-grand-père, Joseph Kurtness, dit Kakwa, puis mon grand-père, Gabriel, mon père Harry, qui vit toujours et enfin, moi-même. Cette nouvelle loi causait bien des tensions. Plusieurs venaient me voir et me demandaient conseil. On me connaissait bien, car j'étais déjà impliqué dans ma communauté. J'étais facilement accessible. J'avais travaillé pour le Conseil des Montagnais du Lac-Saint-Jean au service des loisirs, aussi comme responsable de plusieurs programmes, participé à divers comités, entre autres, celui du développement économique. J'ai fait partie de plusieurs équipes sportives. J'avais été responsable de la formation policière au Conseil de la police amérindienne du Québec.

– Vous avez été élu chef à quel âge?

– Je me suis fait élire comme conseiller à 32 ans, puis comme chef à 34 ans. Je fus le plus jeune chef de l'histoire de Mashteuiatsh! J'ai été chef huit ans, de 1989 à 1997, avant de devenir négociateur en chef du Conseil tribal *Mamuitun mak Nutashkuan*. J'occupe ce poste depuis novembre 1997.

– En tant que chef politique innu, plusieurs dossiers vous tiennent à cœur.

– Du temps où j'étais chef de ma communauté, j'ai aimé développer des projets à caractère économique: la centrale hydroélectrique Au fil de l'eau de Mistassini, qui appartient à 51 % au Conseil des Montagnais, en est un exemple. Maintenant, ce sont les négociations sur le territoire.

– Quelle est pour vous la plus grande incompréhension des citoyens face aux Premières Nations?

– L'histoire, la question des droits. Souvenez-vous de la crise amérindienne en 1990. J'ai été à l'époque le premier chef au Canada à commenter les événements: j'ai dit alors que je me rangeais derrière les revendications des Mohawks, mais que je désapprouvais les moyens qu'ils utilisaient. Tout est dans la manière. Avant cette crise, les citoyens du Québec avaient un minimum de sympathie et de compassion pour les autochtones. Maintenant, on se retrouve à la case départ. Dommage.

– Quelles sont selon vous les grandes qualités des Indiens?

– Leur patience. Leur amour et leur respect pour la nature. Ils sont fondamentalement des gens religieux qui respectent l'environnement.

– Votre vie politique vous a amené à rencontrer des gens importants.

— Nous avons eu la visite de Lucien Bouchard, alors qu'il était premier ministre du Québec, puis de Jean Chrétien, premier ministre du Canada, puis de messieurs Jacques Parizeau, Bernard Landry, Jean Charest. Nous sommes allés rencontrer le pape Jean-Paul II à Rome.

— Ah bon ?

— Il a fait une visite au Canada et devait rencontrer les chefs des Premières Nations à Fort Simson, dans le nord. Mais la météo a été mauvaise, il n'a pas pu se rendre et il est reparti. Ayant une dette morale envers les chefs, il les a donc invités à aller le rencontrer à Rome. Nous avons eu une audience privée : nous étions une délégation de 22 personnes du Québec. Je crois qu'il voulait montrer son intérêt pour la situation sociale des communautés et réagir aux tentatives d'évangélisation passées. Les Indiens sont encore très croyants et religieux, vous savez.

— Vous évoluez dans le milieu politique depuis plus de quinze ans. Croyez-vous que les gauchers soient différents des autres quand ils font de la politique ?

— Non, je ne crois pas. Par contre, bien que timide, mon implication ou engagement politique est clair. Quand les enjeux sont grands, je suis à l'aise : et je deviens aux aguets, je perçois dans l'environnement les petits détails. Je deviens aussi stratégique.

— Est-ce l'instinct du chasseur ou le flair du gaucher ?

— Je ne sais pas. Même chose dans les tournois de golf : plus la compétition est serrée, meilleur je suis. Je n'aime pas ça être deuxième.

— Avez-vous déjà vécu de la discrimination ?

— Je ne me suis jamais senti minoritaire en tant que gaucher, mais plutôt en tant qu'Innu, à l'école et dans la société en général.

— Expliquez-moi cela.

Je suis perplexe. Il me raconte diverses anecdotes. Ainsi, à sept kilomètres de sa communauté indienne, là où il a été chef de bande pendant huit ans, on a omis de le servir dans un restaurant. Sans aucune raison apparente, sinon peut-être qu'il avait le teint et les cheveux foncés.

— J'ai eu beau appeler la serveuse et lui faire des signes à plusieurs reprises, j'étais invisible. Elle ne fit rien sinon m'ignorer. Pourtant, elle a servi tous les autres clients des tables autour de moi. Je suis parti après une demi-heure sans avoir mangé. Je devais avoir 30 ans.

– Selon vous, les gauchers ont-ils des habiletés particulières ou des talents propres ?

– Non. Par contre, je dessine bien et j'ai remarqué que la plupart des gauchers dessinent bien eux aussi. Mais c'est également une caractéristique chez les Premières Nations.

– Employez-vous des instruments pour gauchers ?

– J'utilise la scie mécanique en inversant les bras, même chose pour l'ouvre-boîte. Je me sers de la canne à pêche ou je lance la mouche avec la main gauche et je tourne le moulinet avec la main droite. Je visse et dévisse avec la main droite. En fait, je fais beaucoup de choses comme gaucher, sauf lorsque je mange, que j'écris au tableau ou que je lance une balle.

– La société, que pense-t-elle des gauchers ?

– Ce qui n'arrête pas de me surprendre, c'est à quel point on néglige le marché des gauchers qui constituent pourtant 10 % de la population. Comment se fait-il que dans les études de marché, avant de lancer un produit, on prenne en considération 1 ou 2 % de la part du marché alors que rien n'existe pour les gauchers, si ce n'est dans Internet ? C'est inouï !

Il est une situation où Rémy Kurtness a toujours refusé d'obtempérer aux demandes des droitiers :

– À table. J'aime m'asseoir au milieu d'une table s'il y a plusieurs personnes et nul ne peut me faire changer de place. J'ai toujours refusé de m'asseoir au bout. Je suis heureux que la société accepte de mieux en mieux les gauchers. On dit d'eux qu'ils sont plus brillants et intelligents. Enfin ! Je dirai tout simplement : « C'est pas parce qu'on est gaucher qu'on est gauche ! »

Robert E. Turcotte

45 ans, chef du département de chirurgie et d'oncologie orthopédique, Centre de recherche universitaire McGill

« Je suis convaincu que les gauchers font de meilleurs chirurgiens. »

J'ai garé la voiture rue Docteur Penfield. Je descends la côte à pied. Surprise à ma droite : un building de 20 étages que je n'avais jamais remarqué : l'Hôpital général de Montréal. Le docteur Turcotte, nouvellement nommé chef du département d'orthopédie de l'Université McGill, me reçoit en fin d'après-midi. J'arrive avec sept minutes de retard, car j'ai eu peine à trouver la porte d'entrée en passant par les urgences où les civières s'alignent : j'ai dû m'y prendre à trois fois avant de choisir le bon édifice et ensuite le bon ascenseur, qui me mènera au cinquième étage. Je traverse un département de soins avant d'atteindre le département de recherche.

Confuse d'être en retard, je pénètre dans un grand bureau bien éclairé qui domine la montagne, où le docteur Robert Turcotte m'attend. Ameublement de bois façon acajou, clavier d'ordinateur et souris sans fil, aucun papier sur sa table de travail sauf la copie du *Questionnaire à l'intention des gauchers remarquables*. Derrière le pupitre, un solide gaillard qui gère certainement bien son temps et ses dossiers. Il m'offre un espresso que j'accepte.

— J'aime l'orthopédie, car c'est une spécialité très terre à terre et variée : ça va des enfants jusqu'à l'âge adulte en passant par les accidentés. Beaucoup de choix et d'options s'offrent, puisque, dans la plupart des cas d'intervention, dix scénarios sont possibles. Pour moi, ce fut très attrayant.

— Avez-vous des gauchers dans votre famille ?

— Mon père était gaucher. Il était pompier. D'ailleurs, c'est le métier que j'aurais aimé faire, mais ils m'ont refusé! À cette époque, la Ville de Montréal n'embauchait pas. J'ai un frère et un oncle pompiers.

— Pourquoi vouloir être pompier?

— C'est un métier qui sort de l'ordinaire. L'aventure, pas de routine et tout l'aspect social, la vie à la caserne. Mon père passait 40 heures par semaine au boulot, le reste du temps à son club de pêche. Vie *relax* où il y a des héros, où l'on travaille le jour comme la nuit. Retraite à 50 ans. Bref, je n'ai pas été pompier! Je me suis dirigé vers la médecine, puis vers la chirurgie et j'ai adoré ça.

— Vous avez étudié à l'Université de Montréal?

— Oui, puis à Paris à l'Hôpital Cochin et enfin à la Clinique Mayo, au Minnesota.

— Pourquoi êtes-vous gaucher?

— Est-ce une chance, un facteur héréditaire, un gène? Je ne sais pas. Il y a l'éducation versus le développement: difficile de trancher. J'ai trois enfants: deux fils et une fille. Ma fille a commencé à écrire avec la main gauche, maintenant elle écrit avec la droite.

— Apprendre à écrire a été facile?

— L'apprentissage, oui. J'écrivais avec la main gauche, mais je n'ai jamais eu besoin de transparent. En revanche, c'est bien difficile d'écrire à l'encre: on passe sur l'encre fraîche, il faut déplacer sa main. Quand on écrit, un bout du trajet est fait avec les doigts et ensuite, on repousse la main. On écrit par segments.

J'ai droit à une démonstration.

— Alors, racontez-moi votre vie de gaucher.

— Je vais vous décevoir: je ne suis pas certain d'être gaucher. Comme plusieurs gauchers, je me suis adapté à faire plusieurs choses de la main droite. Par exemple, les ciseaux: j'ai appris à les utiliser des deux mains. Je couds avec la main droite de préférence. J'écris et je mange de la main gauche. Par contre, au hockey, je suis droitier, mais lorsque j'étais *goaler*, j'étais gaucher. Au tennis, je joue avec la main droite. Je lance de la main droite. Je suis plus fort du côté droit. Avec une carabine, c'est ma main droite qui est meilleure, mais je vise de l'œil gauche: les armes ne sont pas faites pour moi. En boxe, j'ai la main gauche en avant et je fais le *jab* avec la droite. Pour les sports avec bâton, c'est la droite. Je suis un golfeur droitier. Au tir à l'arc, je suis ambidextre. J'ai expérimenté pas mal de sports.

– Je vois. Vous avez déjà joué d'un instrument de musique ?

– Pour la flûte à bec, le clairon, la basse baryton, le piano et la guitare, je joue comme un gaucher ; pour la trompette et le clairon, comme un droitier, tout comme le trombone. Mais je ne fais plus de musique.

– Que dit la science au sujet des gauchers ?

– Je ne sais pas. Par contre, on entend dire que les gauchers seraient plus intelligents.

– Utilisez-vous des instruments pour gaucher ?

– Non, aucun. Je crois que les gauchers sont habiles avec les deux mains. Non, je dirai ça autrement : les gauchers sont plus habiles de la main droite que les droitiers de la main gauche. Voilà ! Ils ont l'habitude. Sans doute sont-ils plus appelés à utiliser les deux côtés de leur cerveau. Pour ma part, j'emploie la souris d'ordinateur de la main droite, le téléphone de la main gauche sur l'oreille gauche. Je me sers souvent de mes deux mains : par exemple, avec un tire-bouchon. Si c'est un tire-bouchon à oreilles, ce sera la main droite, et si c'est un tire-bouchon à bascule comme celui du garçon au restaurant, ce sera la main gauche.

– Avez-vous connu des expériences de discrimination ici ou ailleurs ?

– Oh oui ! Bien sûr, un peu de discrimination avec les patrons en chirurgie, mais finalement, je suis devenu ambidextre. Pour utiliser la pince hémostatique, celle qui *snappe*, il faut faire un effort supplémentaire pour la manipuler. J'emploie la perceuse des deux mains : c'est pratique. Je crois que le gaucher détient un gros avantage. Il devient nécessairement ambidextre. Le chirurgien gaucher a vraiment une longueur d'avance sur ses collègues : il est plus à l'aise pour faire un geste chirurgical qui s'accomplit avec les deux mains. Je suis convaincu que les gauchers font de meilleurs chirurgiens.

– Croyez-vous au caractère ou à une personnalité propre au gaucher ?

– Je ne sais pas.

– Que pense la société en général des gauchers ?

– Il y a peu d'opinions bien affirmées. Vous dites que la société dominante est faite de droitiers : c'est une tempête dans un verre d'eau ! Il existe une différence, point à la ligne. En fait, je suis fier d'être différent. Je n'ai jamais rien ressenti de négatif ou de positif. À l'école je n'ai jamais souffert. Il y en a qui ont de la difficulté. Quant à mes étudiants, je les mets à l'aise.

— Les gauchers auraient plus d'accidents et mourraient plus jeunes...

— Que me dites-vous là ? Je ne peux pas le croire. Non ! Je mettrais même ça en doute ! C'est quoi un gaucher ? Celui qui écrit et mange de la main gauche ? Il faut faire attention. Tout dépend de la définition qu'on donne au mot gaucher.

— Avez-vous déjà conduit la voiture du côté gauche de la voie, comme en Angleterre ?

— La conduite auto, j'ai trouvé ça difficile en Angleterre, aux Bermudes, puis je me suis habitué. D'ailleurs, juste traverser la rue dans ces pays est difficile. Prenons l'exemple, à Montréal, de la voie réservée aux autobus, boulevard Pie IX. C'était risqué. Il y a eu deux ou trois décès, car les gens n'avaient pas l'habitude et regardaient du mauvais côté avant de traverser la voie. Ils se sont fait renverser par les autobus. Ces voies réservées aux autobus qui filaient dans le sens contraire ont finalement été éliminées.

— Vous adhérez au Mouvement de libération des gauchers ?

— Le Mouvement de libération des gauchers ? Ça me laisse totalement froid.

— Si vous aviez le choix, seriez-vous gaucher ?

— Je suis fier d'être gaucher. Si c'était à refaire, je serais de nouveau gaucher. Faire partie de cette minorité permet d'être habile des deux mains, d'avoir une dextérité accrue.

— Demandez-vous à vos patients s'ils sont droitiers ou gauchers avant une intervention ?

— Oui, évidemment lorsqu'il existe une blessure et que, par exemple, on parle d'amputation. S'il s'agit de la main dominante, c'est un *pensez-y-bien*. Certains ne s'en remettent jamais.

— Quelle est votre clientèle préférée ?

— Les malades en oncologie. Ils sont contents d'être vivants, ils sont satisfaits des résultats du travail. Les imperfections ou les incapacités prennent moins d'importance, ils veulent en faire plus. Ils sont contents de quitter l'hôpital. En fait, c'est la question du verre à moitié plein ou à moitié vide : ils choisissent le verre à moitié plein. Pour la clientèle accidentée, c'est plus difficile. On reçoit les gens en morceaux. On peut travailler toute une nuit à les remettre en place. Ils demeurent anxieux. Ils se comparent à ce qu'ils étaient avant l'accident. Leurs attentes sont différentes. Ils oublient tout le travail du chirurgien sur la structure et la

fonction. Ils gueulent contre les cicatrices. Quant aux accidentés du travail, il y a le contexte émotionnel, la situation avec les employeurs, et le
tout rejaillit sur le travail de l'orthopédiste.

– Quelle est votre intervention préférée ?

– Le remplacement du fémur distal. C'est un genou artificiel. Je
réussis bien, les résultats sont très visibles. Le patient récupère rapidement.

Homme pragmatique, heureux dans son métier. Il aurait sans
doute fait aussi un excellent pompier.

Sara J.-F.

21 ans, étudiante en médecine

---◦---

« Souvent, quand je suis dans la cuisine et que ma mère me voit travailler, elle a l'impression que quelque chose cloche. Elle pense que je vais laisser échapper, par exemple, un pot de confiture que j'essaie d'ouvrir. »

---◦---

— À quel moment avez-vous pris conscience que vous étiez gauchère ?

— Quand j'ai appris qu'il y avait deux couleurs de ciseaux : les verts et les autres. C'était à la garderie. J'étais toute petite. Avec les ciseaux verts, ça allait bien, mais pas du tout avec les autres. Vous savez, les ciseaux sont l'objet fétiche dont on a besoin et qui se doit d'être différent.

— Quand vous avez commencé en médecine, c'était différent ?

— Dès la première année de médecine, au cours d'anatomie, lors de la dissection d'un cadavre. Quand j'ai reçu mon *kit* de dissection, j'ai tout de suite constaté qu'il n'y avait pas d'instrument pour gauchers ! Il y a un scalpel, des pinces et un instrument pour faire un clippage, une sorte de clampe. Le hic : pour défaire cette clampe, la pince est du mauvais bord ! Il faut faire un mouvement de côté, et le gaucher est tout à fait mésadapté.

— Vous avez songé à devenir chirurgienne ?

— L'été dernier, j'ai fait un stage à Maria, dans la baie des Chaleurs. Pendant cinq semaines, j'ai assisté un chirurgien orthopédiste gaucher. J'ai travaillé avec lui à réparer des fractures, à faire des enclouages. Il faisait souvent la remarque qu'il n'existait pas d'équipement pour gauchers. En vérité, tout bon chirurgien se doit d'être un ambidextre habile.

– Dans votre famille proche, il y a d'autres gauchers ?

– Non, je suis fille unique et mes deux parents sont droitiers. Du côté de ma mère, cependant, ils sont six enfants, et tous sont gauchers sauf maman ! Ma mère avait également un père gaucher mort l'année de ma naissance. La famille de ma mère vient d'Haïti et là-bas, pas question d'être gaucher.

– Pourquoi êtes-vous gauchère ?

– Sans doute un hasard et une prédisposition génétique. Je pense que c'est comme avoir les yeux verts ou les yeux bleus. Je crois que les gauchers sont un peu plus rares, selon les statistiques.

– Quelle proportion, selon vous ?

– Oh ! Je dirais un sur cinq.

– Comment s'est passé l'apprentissage ?

– Quand j'ai appris l'écriture, je m'appliquais à très bien former mes lettres. Mais la main gauche traînait sur ce que je venais d'écrire au crayon de plomb et ça salissait : mes devoirs étaient tout gris ! Plus tard, la main se tachait de l'encre qui n'avait pas le temps de sécher. Mais on développe des trucs. Soit on inverse la main ou on met la main en dessous de ce qui est écrit pour ne pas salir. Pour le bricolage, j'ai toujours eu des ciseaux de gaucher, mais je n'étais pas la seule.

– Vous sentez-vous différente parce que gauchère ?

– Euh...! Je pense que c'est une partie de mon phénotype, de ma personnalité.

– Et concernant le sport ?

– Je crois qu'il y a là un avantage incontestable à être gaucher. Adolescente, j'ai fait beaucoup de volley-ball. J'étais grande – cinq pieds sept (1,68 m) – et je pense que les gauchères sont à craindre parce qu'elles peuvent atteindre des angles différents. Quand on attaque, quand on *smashe*, on surprend l'adversaire. Mais je me demande si je suis une vraie gauchère.

– Expliquez-moi cela.

– La seule chose que je fais avec la main gauche, c'est écrire. Mais, non ! Je préfère l'œil gauche, l'oreille gauche et le pied gauche. Enfin, c'est vrai ! Mais je place la souris de l'ordinateur à droite. Je réponds au téléphone avec la main droite et j'écoute avec l'oreille droite. Par contre, quand je croise les bras et quand j'applaudis, c'est vraiment la main gauche qui est sur le dessus. Je joue aux quilles avec la main gauche, je tiens la raquette avec la main gauche. Je suis gauchère aussi au golf. Mais au base-ball, je lance avec la main droite. Souvent, quand je suis dans la cuisine et que ma mère me voit travailler, elle a l'impression que quelque chose cloche. Elle pense que je vais laisser échapper, par exemple, un pot de confiture que j'essaie d'ouvrir.

— Vous avez étudié un instrument de musique?

— Le piano. Je poursuis pour passer mon concours au Conservatoire. Le temps manque pour pratiquer, cependant! Enfin! L'expérience au piano me donne l'impression qu'il existe beaucoup de gauchers et que, dans bien des situations, les gauchers ont une longueur d'avance.

— Intéressant!

— Je pense qu'il y a plus de gauchers en médecine qu'ailleurs. C'est-à-dire que la proportion est plus élevée. J'ai commencé le piano à quatre ans et j'ai continué jusqu'à quinze ans. En tant que pianiste, je crois sincèrement que notre main gauche est plus solide et, étant donné que nous sommes souvent ambidextres, nous avons un net avantage. Je spécule...

— Durant vos études, vous étiez entourée de plusieurs gauchers?

— Je me souviens d'un prof en chimie qui ne jurait que par les gauchers! Il parlait d'Einstein, il valorisait énormément les gauchers. Et à bien y penser, je me souviens qu'il était lui-même gaucher!

— Il prêchait peut-être pour sa paroisse?

— C'est une possibilité.

— Que dit la science des gauchers, selon vous?

— Eh bien! J'ai l'impression qu'on est fait en croisé: j'ai entendu dire que l'hémisphère droit est plus développé chez les gauchers. Mais je n'ai pas vraiment lu sur la question. Je manque d'information.

— Sara, avez-vous déjà vécu de la discrimination à cause de votre gaucherie?

— Non, jamais, plutôt pour être une minorité visible. Vous savez, ma couleur de peau, café au lait, ça se remarque. Au primaire on m'appelait «caca», «crotte de nez». C'était comme ça. Il y avait aussi mes cheveux plus frisés. Je n'ai jamais vécu de discrimination à cause de ma gaucherie. En même temps, je suis incapable de m'imaginer ce qui se passe dans la tête d'un droitier. J'ai l'impression que les gauchers ont une meilleure dextérité manuelle. En musique, ils ont plus de facilité. Mon dentiste est gaucher. J'ai l'impression que sa motricité fine est meilleure, et il est très minutieux.

— Y a-t-il des traits de caractère propres aux gauchers?

— Étant donné qu'ils sont différents, les gauchers doivent être plus tenaces, plus déterminés pour ne pas se faire écraser parce qu'ils sont une minorité. Pour ça, ils me semblent plus motivés.

— On m'a raconté que vous aviez traversé le Canada à vélo.

— Eh oui! J'ai traversé le Canada en bicycle à pédales. Depuis deux ans, les étudiants en médecine de McGill avaient ce projet de traverser le Canada, de Vancouver à Port-aux-Basques, pour ramasser de l'argent destiné au Centre de recherches sur le cancer de l'Université McGill (McGill Cancer Research Center).

— Il faut être bien tenace pour relever ce défi!

— Au début, nous étions un bon groupe: 20 jeunes. Mais, finalement le groupe s'est réduit à deux: un garçon et une fille, dont moi. C'était un défi sportif et psychologique à la fois. Ce fut assez difficile. On traînait tout notre matériel sur la bécane avec nous. C'était très lourd: la tente, le sac de couchage, la nourriture, les vêtements. Pas facile. Mais nous avons réussi. Nous avons mis onze semaines malgré des problèmes techniques: les rayons qui cassent, les pneus qui éclatent. Dommage: l'été dernier, le projet est tombé à l'eau. Personne de la première année en médecine n'a embarqué. Je ne sais pas si ça aura lieu de nouveau.

— Que pense la société des gauchers?

Sara devient tout sourire.

— Plusieurs ont l'impression qu'on est plus intelligents. Qu'on est un peu supérieurs parce que plus intelligents. On est égaux ou un peu mieux.

— Des suggestions pour l'école?

— À l'école, ce qui m'énerve dans les salles de cours: les tablettes sont juste faites pour les droitiers. Elles étaient toujours à droite. Parfois, on en trouvait quelques-unes pour gauchers. Il y en a de plus en plus, mais jamais en quantité suffisante. Alors, le gaucher développe des trucs. Moi, je m'installe avec deux chaises pour droitiers: je suis assise dans l'une et j'écris sur la table à ma gauche!

— Des conseils aux éducateurs?

— Laissez l'enfant libre!

— Avez-vous déjà entendu dire que les gauchers ont plus d'accidents?

— Ouais. Pas étonnant: tous les objets sont faits pour les droitiers. En auto, par exemple, le levier de changement de vitesse est à droite, c'est imposé. Pas étonnant qu'il y ait plus d'accidents!

– Dans quelle situation de la vie quotidienne avez-vous le plus l'impression d'être différente ?

– Dans la vie quotidienne, c'est quand j'écris que je me rends compte de ma différence.

– Si vous aviez le choix, seriez-vous gauchère ?

– Oui, si c'était à refaire je serais de nouveau gauchère. C'est original, nous sommes différents, on se démarque.

Simon Pelletier

38 ans, capitaine au long cours, président de la Corporation des pilotes du Bas-Saint-Laurent

« Les Philippins, lorsqu'ils me voyaient écrire comme un gaucher, se mettaient à deux ou trois et me regardaient faire. Ils trouvaient ça tout à fait rigolo ! Ils n'avaient jamais vu ça. »

Monsieur Pelletier m'a conviée à le rencontrer à la Maison du pilote, près du bassin Louise, à Québec. C'est une construction à deux étages surplombant le quai, après l'écluse jouxtant le bassin intérieur où se trouve la marina du Vieux-Port. Au second étage de cette maison bleu gris mer, se trouve le bureau de celui qui préside la destinée des 75 pilotes assurant la sécurité de la navigation et de l'environnement du fleuve, de Québec aux Escoumins. Le Saint-Laurent est une voie d'eau navigable parsemée d'embûches, de battures, de récifs, de hauts-fonds, avec de fortes marées, des courants contraires. Jacques Cartier, Samuel de Champlain, les navigateurs anglais venus conquérir Québec en savent quelque chose. Il y eut plusieurs naufrages depuis le début de la colonie en Amérique française.

— Vous écrivez de la main gauche.

— Oui, regardez : j'ai deux façons d'écrire. Le poignet droit... et le poignet replié ou inversé. Quand il y a des gens, je procède ainsi, le poignet droit : comme ça, personne ne remarque que je suis gaucher !

— Votre souvenir le plus ancien en tant que gaucher ?

— Je devais avoir quatre ou cinq ans, je me souviens de l'incrédulité et de la surprise des gens : « Ah tiens ! Il est gaucher. » Ma mère m'a demandé : « Tu n'aimes pas mieux manger avec ta main droite ? » Sans plus. Mais j'ai compris que pour mon grand-père, c'était une déception.

Lui-même était gaucher et on l'a battu à coups de règle pour qu'il écrive de la main droite. C'était dans les années 1910.

— Il était pilote de bateau ?

— Non, pas du tout. Je n'ai aucune parenté qui travaille sur les bateaux. Il était venu au monde à Cabano, dans le Bas-du-fleuve, puis il a été fermier à Biencourt, a travaillé dans le milieu forestier. Je viens de Saint-Constant, sur la rive sud de Montréal.

— Et d'où vous vient cet intérêt pour les bateaux ?

— Petit garçon, j'allais à la pêche au pied des rapides de Lachine. Nous pêchions la truite brune. J'attendais que les navires empruntant la voie maritime passent les écluses pour traverser et rentrer chez moi. C'est ainsi que j'ai pris le goût des bateaux. J'ai étudié à l'Institut de marine à Rimouski pendant quatre ans. Je suis devenu cadet-officier dans la marine marchande, puis capitaine au long cours à l'été 1991. Ensuite, je suis passé apprenti pilote en 1994, enfin pilote en 1996.

— Pourquoi êtes-vous gaucher ?

— Je n'ai pas eu le choix : c'est ainsi que je vivais le mieux. Si vous me demandiez de manger de la main droite, ce serait comme... euh, conduire une auto les mains liées. Je ne serais pas du tout à l'aise.

— Et l'apprentissage de l'écriture à l'école ?

— Je n'ai jamais, jamais, jamais eu de difficulté, aucun souvenir négatif. On m'a laissé écrire avec la main gauche. Aucun problème.

— Vous ne vous salissez pas la main ?

Il rit et lève le poignet gauche.

— Regardez ! C'est toujours de même !

Effectivement, je constate des salissures de stylo à bille, là où le côté de la main a touché l'encre non sèche. J'avais observé au début de la rencontre sa démonstration des deux types d'écriture : je l'avais donc vu écrire. J'ai aussi remarqué l'ongle du majeur gauche sectionné, mais c'est une autre histoire dont je connaîtrai bientôt l'origine.

— Avez-vous déjà eu l'impression d'être différent parce que gaucher ?

— Différent, oui. Surtout quand les gens me faisaient la réflexion comme si c'était quelque chose de... comme si c'était un crime d'être gaucher. J'entendais : « Toé, t'es gaucher, toé ! » Comme si ce n'était pas normal. Je ne comprenais pas. Ils me faisaient sentir différent sur un ton peut-être un peu méprisant, alors j'avais l'impression, parfois, d'être à part.

On entend la sirène d'un bateau qui s'éloigne du quai du bassin Louise. Avec les fenêtres en forme de hublot de chaque côté de la pièce, on se croirait dans un navire. Il ne manque que le roulis. Monsieur Pelletier suit le trafic comme s'il était maître à bord. Mon interlocuteur s'est appuyé à l'arrière de son fauteuil.

— Je me souviens avoir eu une déception. Petit gars, j'ai eu de la peine. J'étais inscrit dans un camp de base-ball. Je devais avoir 9 ou 10 ans. Je me souviens que le *coach* avait dit : « Ouais, tu seras pas choisi. Moi, des gauchers, je n'ai pas de place pour eux dans mon équipe de base-ball ! Tu lances du mauvais bord. Va-t'en chez vous ! Un gaucher ça ne *fite* pas dans mon équipe. » Ça m'avait bien peiné. J'étais retourné chez moi. Je me souviens que ma mère m'avait dit : « T'en fais pas. » Mais j'avais été déçu.

— C'est pas facile de se faire dire ça à 10 ans.

— Puis le temps a passé, j'en ris maintenant.

— Vous utilisez des instruments pour gaucher ?

— Non, pas du tout. Mais je peux dire que j'ai toujours eu de la difficulté à couper avec des ciseaux. Adolescent, j'ai travaillé dans une industrie de carton à découper. Je me souviens que la tranche... Oui, cet instrument qui permet de couper le papier et le carton. Je me plaçais ainsi pour couper et je travaillais tout croche.

Il se lève et me fait la démonstration.

— Ça n'allait pas du tout. Le patron faisait des blagues. J'avais demandé qu'on m'affecte à une autre tâche et, finalement, je n'ai pas travaillé là très longtemps.

— Dans votre métier, le fait d'être gaucher apporte-t-il des avantages ou des inconvénients ?

— Vous m'y faites penser. Quand les ordinateurs sont arrivés, ça doit faire 10 ans, j'ai utilisé la souris avec la main droite. Je ne m'en suis pas aperçu, j'ai appris ainsi et je n'ai eu aucune difficulté. Des fois, je me demande comment j'arrive à utiliser la main droite. Je n'ai jamais eu de problème et, maintenant, je crois que si je devais utiliser la main gauche, je me sentirais vraiment inversé. C'est la même chose avec la *track ball* ou, en français, la boule qui fait bouger le curseur du radar. Cet instrument est situé à droite, et je n'ai jamais eu aucun problème.

— Dans votre métier, gauche ou droite, bâbord ou tribord[1], vous avez des remarques à formuler sur le sujet ?

---

1. Comme dans le mot **batterie**. En regardant la proue (devant du bateau) : Bâbord à gauche, tribord à droite.

Porté à la confidence, il ajoute, pas trop certain de bien faire :

— Je n'ai jamais raconté ça à personne. Si je dois accoster un bateau à droite ou à tribord, je suis toujours plus mal à l'aise. C'est moins naturel. Si j'avais le choix, j'accosterais toujours le navire du côté gauche, du côté bâbord.

— Et en auto, si vous devez stationner la voiture, le faites-vous du côté gauche ou du côté droit ?

— En voiture, curieusement, je ne vois vraiment aucun problème. J'ai beau imaginer que j'ai le choix, rien à dire. Évidemment, on est plus habitué à droite, puisqu'on conduit à droite de la chaussée. Non, en voiture, aucune différence, mais en bateau, j'ai vraiment une préférence pour accoster du côté bâbord.

— Et pour le téléphone ?

— J'utilise le téléphone avec l'oreille gauche, et si je dois écrire, je le fais de la main gauche : je trouve cela inconfortable. Je suis mal à l'aise.

— Si vous devez regarder dans un télescope, quel œil choisissez-vous ?

Je roule une feuille de papier et demande à mon interlocuteur de me regarder en visant avec un seul œil.

Il choisit le gauche.

— Je me suis laissé dire que les couleurs rouge et verte des bouées de navigation n'étaient pas toujours placées du même côté selon les continents.

— Vous avez raison. En Amérique du Nord et du Sud, au Japon, en Corée et aux Philippines, les bouées de tribord sont rouges et les bouées de bâbord sont vertes : on appelle ça le système de la région B. Dans la région A, qui comprend le reste du monde, c'est l'inverse, vert pour tribord et rouge pour bâbord. Pas très subtil comme appellation, j'en conviens ! Lorsqu'on remonte vers l'amont d'un cours d'eau, on laisse la bouée rouge à droite ou à tribord et la bouée verte à gauche ou à bâbord. Dans la région B, c'est l'inverse. Je ne saurais vous expliquer pourquoi, c'est une convention.

— Et ce grand paquebot qui s'était échoué à l'été 1999 à l'entrée du Saguenay ?

— Vous voulez parler du *Norvegian Sky*. C'était sur la batture de l'île Rouge. Il s'était échoué quelques heures. C'était une erreur de communication entre le pilote, l'équipage et le commandant. Ce ne fut pas une très bonne journée pour quiconque...

— Expliquez-moi un peu comment fonctionne le système de pilotage ?

— Tout navire canadien jaugeant 3 300 tonneaux et plus, et tout navire battant pavillon étranger de plus de 35 mètres doivent avoir à leur bord un pilote pour mener le navire sur le fleuve Saint-Laurent entre Les Escoumins et Québec (autres endroits, normes différentes), là où le cours d'eau cache bien des dangers. Un bateau canadien n'a pas besoin de pilote si le capitaine a son certificat de pilote, ce qui témoigne qu'il a fait l'apprentissage des difficultés locales. Les pilotes du Bas-Saint-Laurent ont pour la plupart été capitaines au long cours. Ils ont gravi les échelons de la marine marchande : troisième, deuxième, premier lieutenant puis commandant. Puis ils obtiennent leur brevet de navigateur émis par Transport Canada. Le pilote est à la fois officier de navigation et capitaine.

— J'ai aperçu tôt ce matin un bateau deux mâts battant pavillon américain, qui remontait vers Montréal. On aurait dit le *Blue Nose* de la pièce de 10 sous, mais à deux mâts.

— Il était amarré ici, hier. Il a pris deux pilotes pour venir des Escoumins. À cause du temps qu'il prend. Pas très rapide.

— Cela signifie qu'il faisait plus de 30 mètres ?

— Vous savez, les petits bateaux sont aussi dangereux que les gros. S'ils ne sont pas à leur place ils peuvent aussi provoquer des collisions ou l'échouement de l'autre navire qui veut l'éviter.

— Je sais[1]. Les pilotes mènent les bateaux de Québec vers...

— Les pilotes du Bas-Saint-Laurent effectuent le trajet de Québec aux Escoumins, aller et retour, en plus de parcourir la rivière Saguenay si besoin est. Ils séjournent quelques heures dans les installations aux Escoumins en attendant l'arrivée d'un nouveau navire sur lequel ils effectuent le voyage de retour vers Québec.

— Qu'est-ce qu'un capitaine au long cours ?

— Le capitaine au long cours, *master unlimited*, en anglais, est autorisé à effectuer n'importe quel trajet sur n'importe quel navire sur la planète. Il peut partir... de Montréal vers l'Australie avec un navire jaugeant... 50 000 tonneaux. C'est un long entraînement qui nécessite un important temps de mer. Il y a cinq examens à passer.

---

1. Voir Suzanne Déry, « Dur, dur, Petite-Rivière-Saint-François », *La revue maritime L'Escale*, 55, décembre 1993 : 19-20.

– Les pilotes d'avion accumulent les heures de vol, vous du temps de mer.

– C'est exact.

J'apprends que le navire hisse un pavillon lorsqu'un pilote monte à bord : un petit pavillon rectangulaire avec deux moitiés rectangulaires rouges et blanches.

– Vous avez une vision du pays, du territoire que peu de gens connaissent.

– En effet. Quand je conduis la voiture vers Rimouski, ou que je fais le trajet dans Charlevoix, j'estime ma position en relation avec les caps : cap au Corbeau, cap aux Oies, cap de la Tête-au-chien que j'ai l'habitude de voir du fleuve.

– Ce sont de beaux noms. On a aussi parlé du « majestueux » Saint-Laurent...

Le marin aux yeux bleus vêtu d'une chemise du même bleu devient songeur.

– Peu de gens ont cette vision. C'est comme arriver à Québec par bateau. C'est magnifique : le cap Diamant, les fortifications de la Citadelle, le château Frontenac.

– Avez-vous déjà vécu de la discrimination ici ou ailleurs due au fait d'être gaucher ?

– J'ai navigué beaucoup avec des étrangers : des Anglais, des Allemands, des Philippins, des Indiens. Les Philippins, lorsqu'ils me voyaient écrire comme un gaucher, se mettaient à deux ou trois et me regardaient faire. Ils trouvaient ça tout à fait rigolo ! Ils n'avaient jamais vu ça. J'étais vraiment une curiosité pour les matelots. Ils n'arrivaient pas à croire que j'étais gaucher. Sans doute que chez eux, c'était une tare, je ne sais pas. Ils avaient l'air de trouver ça incroyable qu'à 25 ans, j'en sois rendu là et que je sois gaucher. Je n'étais pourtant pas plus bête ! Il s'agit, je crois, d'une différence culturelle.

– Sans doute.

– Vous savez, lorsqu'on est à table avec les Indiens, la main gauche, celle des ablutions et qu'ils utilisent pour aller à la toilette, est toujours repliée sur eux sous la table, et ils mangent uniquement avec la main droite. Ça m'a frappé comment, lorsqu'ils sont à table, on ne voit jamais que leur main droite.

– Que connaissez-vous des apports de la science au sujet des gauchers ?

— Je n'ai rien lu sur ce sujet. La seule chose que j'ai retenue, c'est que le côté droit, le cerveau droit ou l'hémisphère droit seraient prédominants. Mais c'est sans doute une légende urbaine...

— Vous croyez qu'il existe des talents spécifiques aux gauchers?

— Non, il faudrait me le prouver!

— Vous ne croyez pas que les gauchers aient certaines particularités ou certains dons ou talents?

— Je ne sais pas.

— Certains gauchers m'ont raconté qu'ils croient avoir une perception spatiale supérieure ou encore qu'ils sont habiles dans les tâches qui requièrent une perception en trois dimensions.

— Si vous le dites. Par contre, je pense que j'ai un excellent sens de la direction et de l'orientation. Que je sois dans n'importe quel lieu, je me retrouve instinctivement, sans aucun effort. Dans un centre commercial ou n'importe où, sans porter attention, je sais où se trouve la sortie. Sans aucun problème.

— Vous ne perdez jamais le nord, quoi! C'est très bon pour un pilote de bateau...

— Effectivement, j'ai l'impression que c'est un peu inné chez moi. Je retrouve toujours ma direction.

— Et lorsque le navire est pris dans la brume épaisse?

— Ah là! J'ai besoin du radar. Les instruments sont plus sûrs!

— Que pense la société des gauchers?

— La société pense qu'ils manquent un peu de... qu'ils ne sont pas bons, qu'ils sont un peu différents, un peu moins bons que les autres.

Mon interlocuteur lève les yeux au plafond.

— Si j'entends «tu es gauche», ça en dit long!

— Vous êtes habile de vos mains?

— Oui, très. Je fais toutes sortes de rénovations chez moi. J'ai appris ça avec mon père. Mais je me souviens qu'il me chialait après, parfois. Quand, par exemple, j'apprenais à scier le bois: «Tu ne scies pas droit! Tu peux bien mal scier: tu scies avec ta main gauche!»

— Vous ne trouvez pas que les outils de bricolage sont mal conçus pour les gauchers?

Il se met à rire et m'indique une blessure que j'avais déjà remarquée à l'ongle du majeur de la main gauche.

— Regardez, je me suis fait ça il y a deux mois sur mon banc de scie! Ça a l'air un peu « nono ». J'ai manqué perdre le doigt.

— Vous avez l'air d'un vrai travailleur de moulin à scie à qui il manque presque toujours un doigt!

— Je travaillais à couper une planche. J'ai pris le morceau de bois coupé avec la main gauche pour le passer par-dessus la scie à mon copain. Ça a fait *toonngg*! Je me suis cogné l'ongle du majeur. Évidemment, quand on travaille comme un gaucher, on fait tout à l'inverse. J'étais d'ailleurs aux Escoumins quand ça m'est arrivé.

— Aux Escoumins? Vous ne séjournez pas là en attendant un autre voyage?

— Si. Mais j'avais apporté mon banc de scie pour faire des rénovations dans les installations des pilotes! J'ai dû aller recevoir les premiers soins à l'hôpital des Escoumins. Mon épouse n'était pas très contente quand elle m'a vu arriver. D'ailleurs, elle était bien découragée au début quand notre deuxième fille est arrivée, car elle est gauchère. C'est d'ailleurs la première fois où elle a lancé une remarque sur le fait que je sois gaucher.

— Elle ne l'avait pas vu avant?

— Oui, bien sur. Quand ma fille a commencé à donner des signes de gaucherie, ma femme disait: « Elle tient ça de toi. »

— Pourquoi êtes-vous gaucher?

— Pourquoi est-on gaucher? Je ne sais pas si l'hérédité a quelque chose à faire avec ça. Je ne sais pas du tout.

— Effectivement, ce serait la principale cause.

— Je vous disais tout à l'heure que nous avons deux filles, et la plus jeune est gauchère. Comme son père.

Il ajoute avec fierté.

— L'aînée est même jalouse de sa petite sœur, car elle aimerait être gauchère elle aussi, comme son père.

— Vous avez déjà étudié un instrument de musique?

— Oui, j'ai joué de l'orgue pendant cinq ans. Ça allait bien.

— Avez-vous fait du sport?

— Je fais de la bicyclette. J'ai joué au hockey, au golf, au base-ball et j'étais droitier. Même au base-ball, je joue comme un droitier, c'est-à-dire que je frappe comme un droitier.

— Mais alors, pourquoi ce *coach* voulait-il vous exclure de son équipe?

— Parce que je lançais de la main gauche!

— Que dire de l'école?

— Ah! C'est une autre affaire. J'ai bien souffert! La maudite tablette! Je me souviens qu'à l'auditorium de la polyvalente, en secondaire IV et V, et aussi à l'Institut de marine, la tablette était du mauvais bord pour écrire. Aussi, j'ai cessé de prendre des notes parce que ça allait trop mal! J'écoutais plus et je faisais travailler ma mémoire. Il fallait que je retienne tout puisque je n'écrivais rien. Vous me faites penser, je me suis fait un livre de bord où je peux écrire sur le verso de chaque feuille. C'est mon livre de bord à moi, spécial gaucher. Je n'écris que d'un seul côté, du côté verso, ce qui est parfait. Dommage, je ne l'ai pas ici. Je vous l'aurais montré.

— J'aurais aimé voir ça.

— Je déteste les reliures à spirales. Regardez ce cahier à anneaux.

Mon interlocuteur va chercher sur une étagère au-dessus de la table d'ordinateur un cahier avec un anneau énorme d'environ six centimètres de diamètre.

— Comment écrire quand vous avez un anneau de cette grosseur sous le poignet? Impossible. Le cahier à anneaux: c'est un calvaire! Regardez, j'ai aussi de petits classeurs à anneaux et la spirale est sur le dessus.

— Comme un bloc de sténo.

— Pas de problème avec ceux-là. À l'école, il faut aider les enfants gauchers. Il faut être vigilant et faire participer les enfants. Si tel enfant déteste faire ses devoirs, c'est peut-être parce qu'il est embêté par les cartables et les spirales. J'aide ma fille à faire ses devoirs. J'enlève les feuilles du cahier et je les remets par la suite. Il faut que les enfants gauchers ne se sentent pas à part des autres. Ce n'est pas une tare d'être gaucher.

— Que dire des statistiques qui indiquent que les gauchers seraient plus portés à avoir des accidents et mourraient plus jeunes?

— Je suis sceptique. Il faudrait me montrer les chiffres!

— Et dans la vie quotidienne, vous sentez-vous différent?

— Aujourd'hui, je n'ai plus cette impression d'être différent. Pourtant, je remarque si les gens sont gauchers. Si je suis à une réunion avec une vingtaine de personnes autour d'une table et que les gens prennent des notes, je remarque les gauchers. Et si j'en rencontre un, je lui dis:

« Ah ! Tu es gaucher. Moi aussi. » C'est comme une façon de lui signifier que je l'accepte.

Je sors. Bel après-midi ensoleillé des premiers jours de mai. Les silos s'alignent à l'est. Sur le quai extérieur, amarré, un grand bateau d'excursion blanc. Le glou-glou de l'eau. Dans le gazon qui commence à verdir, un discret monument en granit rose attire mon regard, et je lis :

Marine marchande canadienne
1914-1919 1939-1945 1950-1953
Pour la survie du monde libre

Sophie

11 ans, écolière

---◄○►---

« Et moi je crois, au contraire, que les gauchers, on est différents. On s'applique plus. Par exemple, dans ma classe, quand c'est les cours d'art, les gauchères, on finit plus tard, on termine après les autres. »

---◄○►---

— J'ai un flash, je me vois toute jeune tenir un crayon dans ma main gauche. Je suis en train de dessiner un bonhomme avec le ventre, les bras, les jambes.

— Pourquoi es-tu gauchère ?

— Si je suis gauchère, c'est que c'est tombé comme ça. Mon père dit que le cerveau est inversé de place, on est faits différemment.

— Il y a des gauchers dans ta parenté ?

— Ma grand-mère maternelle était gauchère. Elle s'est fait taper chez les sœurs. Elle voulait écrire de la main gauche, mais elles n'ont pas voulu. Elle a été forcée. Elle a reçu des coups de règle. On lui disait : « À droite, il y avait Dieu ; à gauche, il y avait le diable. »

— Elle habitait quelle région ?

— Elle vient de Saint-Hyacinthe. Il y a beaucoup de gauchers dans mes cousins, cousines. Chez mes cousins, ils sont deux enfants, et l'une est gauchère. Chez mon autre cousin, ils sont trois enfants. Il est le deuxième de la famille et il est aussi gaucher. On a aussi un petit bébé, une petite fille qui a presque deux ans et je pense qu'elle va être gauchère elle aussi.

— Ça fait beaucoup de gauchers, en effet. Ça te plaît ?

— Bien oui ! Par contre, je suis la seule de ma famille et de mon groupe d'amies.

— Donc, tu écris de la main gauche.

— C'est ça. J'écris encore de la main gauche et je me souviens qu'au début, je salissais beaucoup. Je salis d'ailleurs encore beaucoup. C'est pas pratique : ça frotte. En 1re année, je pesais trop fort sur mon crayon, j'ai eu des bosses sur les doigts, il fallait me mettre des *plasters*. Maintenant je pèse moins et j'ai un crayon à mine ; vous savez, le crayon automatique.

— Et la souris d'ordinateur, tu l'utilises avec quelle main ?

— Chez nous, tout le monde est droitier : alors la souris est placée à droite de l'ordinateur. Je me souviens qu'en 1re année, je me suis cassé une jointure à la main gauche.

— Comment ça ?

— J'étais excitée d'aller à la bibliothèque, j'avais hâte. Ma mère m'a dit : « Va chercher ta carte de membre en bas. » Je courais, j'ai tourné le coin trop vite et je me suis cassé la jointure à l'index gauche. Ça a fait *paf*. Il a fallu aller à l'hôpital. C'était enflé, bleu.

— Tu aimes lire ?

— Oui, j'adore lire des romans fantastiques, mais pas trop quand même. J'aime bien Harry Potter.

— Ça te plaît d'être gauchère ?

— En fait, être gauchère m'apporte plus d'avantages que d'inconvénients. Par exemple, dans notre classe, on est 4 gauchères sur 32. C'est une école où il y a juste des filles. Au cours d'éducation physique, nous avons un panier à nous autres toutes seules pour les gauchères. Nous sommes donc favorisées.

— Tu as des instruments de gaucher ?

— Je découpe de la main gauche avec des ciseaux de gaucher. Ma mère m'a acheté des ciseaux verts, et elle a dit : « Ça va aller mieux pour toi. » C'est vert ou mauve. Notre prof d'anglais, elle est gauchère et elle a aussi des ciseaux à elle. J'adore bricoler.

— Les gauchers sont-ils un peu différents, selon toi ?

— Je crois que nous, les gauchers, nous sommes un petit peu plus artistes.

— Tu aimes dessiner ?

— Oui, je dessine. J'aime dessiner des bonshommes, des paysages. L'été dernier, j'ai fait un camp d'arts au Musée (Musée national des beaux-arts du Québec). À part ça, j'aime bien faire de la photographie.

— Wow, de la photographie ?

— Mon père m'achète un appareil jetable quand on fait un petit voyage, et j'aime bien prendre des photos.

— Il t'est déjà arrivé des aventures ou de petits inconvénients parce que tu es gauchère ?

— Oh ! Attendez, il faut que je réfléchisse !

Sophie semble prendre plaisir à cette discussion.

— Ah bien ! J'ai déjà brisé un miroir, mais je ne suis pas superstitieuse. Même si on dit que ça apporte sept ans de malheur !

— Tu connais des gens superstitieux ?

— Par exemple, il y en a qui disent qu'il ne faut pas ouvrir les parapluies à l'intérieur, mais je ne crois pas à ça.

— Crois-tu que la vie est plus difficile si on est gaucher ?

— Il y a beaucoup de choses qui sont faites pour les droitiers. Je n'ai jamais été mise à part parce que j'étais gauchère, sauf que ...

— Quoi donc ?

— Quand j'ai dit à mes amis que j'avais une interview parce que je suis gauchère, il y en a une qui a dit : « À mon ancienne école, le plus *poche* de la classe était un gaucher ! » Moi, je crois au contraire que les gauchers, nous sommes différents. On s'applique plus. Par exemple, dans ma classe, quand c'est les cours d'art, les gauchères, on finit plus tard, on termine après les autres.

— Qu'est-ce que vous faites aux cours d'art ?

— On travaille avec les pastels gras, l'argile. On fait du dessin.

— As-tu déjà fait un peu de musique ?

— J'ai appris un peu le piano pendant trois ans à l'école, mais c'était trop exigeant. Ça allait bien, mais je ne voulais pas pratiquer. La flûte à bec, j'aimais ça.

— Et les sports ?

— Cette année, j'ai commencé le plongeon. Au PEPS (Pavillon d'Éducation Physique et des Sports de l'Université Laval). Je ne suis pas hyper brave. Je suis encore dans les moins bonnes, mais c'est ma première session. Au soccer, l'été dernier, je me suis rendu compte que j'utilisais toujours le pied gauche, parce que c'est plus précis. Je botte seulement du pied gauche. Je suis d'ailleurs la seule gauchère de mon équipe. En ski, je suis pas mal bonne.

— Où fais-tu du ski ?

— Au mont Sainte-Anne. C'est une grande montagne.

— Penses-tu que les gauchers sont meilleurs dans le sport?

— Je ne sais pas. Les bons sportifs que je connais sont tous droitiers, à commencer par mon père.

— Quand tu auras des enfants, s'ils sont gauchers, que feras-tu?

— C'est important de laisser son enfant choisir la main qu'il préfère. Je suis très fière d'écrire de la main gauche. Lorsque j'ai eu ma blessure à la jointure, j'ai arrêté d'écrire. J'ai convaincu la maîtresse de me laisser utiliser l'ordinateur en attendant que ce soit guéri. Après, j'ai continué d'écrire avec la main gauche.

— Tu es bien débrouillarde. Si tu pouvais décider d'être gauchère ou pas?

— Si j'avais le choix, je resterais gauchère. J'aime me différencier des autres. C'est ma personnalité à moi.

Terry Mosher, alias Aislin[1]

58 ans, caricaturiste au quotidien *The Gazette* à Montréal

---◦◦◦---

« On emploie le mot "sinistre" pour désigner les gauchers, comme si nous étions étranges, diaboliques, dangereux, épeurants. »

---◦◦◦---

Dès que je le contacte, Terry Mosher m'expédie ce courriel : *Il y a plusieurs années, à Toronto, j'ai participé à une séance de signature avec neuf autres caricaturistes : parmi les dix que nous étions, six étaient gauchers.* Il n'en fallait pas plus pour éveiller encore mon intérêt. Puis il indique : *Mardi prochain, à 4 pm (16 : 00) ici à* The Gazette.

À l'arrivée au deuxième étage du 1010, rue Sainte-Catherine, je prends l'escalier roulant à l'intérieur d'un grand hall Art déco. Au sommet, de grandes fenêtres blindées et une dame qui s'active désespérément, car on entend un son strident, très aigu : c'est le système d'alarme qu'elle ne parvient pas à stopper. J'arrive en même temps qu'un homme élancé, sosie de Denzel Washington. Il passe sans problème derrière les fenêtres blindées. La dame à l'ordinateur semble un peu paniquée et elle appelle un autre employé en renfort. Elle tente de faire cesser cette alarme qui casse les oreilles. Personne ne s'occupe de moi, comme si je n'étais pas encore là.

— J'ai rendez-vous à seize heures avec monsieur Terry Mosher.

— Mosher, répète-t-elle en corrigeant mon accent.

---

1. Sur le site du quotidien, « *Aislin* is the nom de plume used by Terry Mosher. His cartoons on the editorial page of *the Gazette* are thought to be the nastiest in Canada. » (Traduction : *Aislin* est le nom de plume de Terry Mosher. Ses caricatures seraient parmi les plus féroces au Canada.).

Denzel Washington commence à chercher sur un grand calepin le numéro de poste téléphonique. Sans succès. Il demande à la dame à l'ordinateur :

— Terry Mosher ?

— 4245.

Elle sait tout ça par cœur ? Denzel Washington parle au téléphone, puis, en me regardant :

— Il vous attend. Septième étage. Et il m'indique la direction à prendre. Encore de hautes portes blindées avec poignée en laiton très chic. Je n'arrive pas à activer l'œil électronique qui actionne l'ouverture des portes. Comment font-ils ? Denzel Washington vient à mon aide, tout sourire.

Me voilà au septième. Un grand hall, puis, de part et d'autre, deux corridors. Je ne sais à quelle porte je dois aller et me poste donc au beau milieu de la place. Terry Mosher apparaît, le visage accueillant.

— Bonjour, Suzanne.

— Bonjour. C'est chic, ici.

— C'est très *casual*.

Il me guide dans son antre de travail. Je dépose mon Kanuk sur un fauteuil, enlève le foulard et « dézippe » mes bottes d'hiver.

— Vous permettez ?

— Voulez-vous un café ? Venez avec moi.

Je le suis en chaussettes jusqu'au sous-sol de l'édifice où se trouve une petite cafétéria. Je n'ai pas un sou avec moi en plus d'être sans chaussures. Pas très élégante, celle qui s'intéresse aux gauchers, vraiment aucune classe. J'opte pour une camomille que m'offre mon compagnon. Un vrai gentleman ! Retour au septième étage. Terry doit montrer patte blanche à deux reprises en plaquant sa carte de sécurité devant un dispositif électronique.

Nous sommes de nouveau dans sa salle de travail éclairée par de grandes fenêtres vitrées qui surplombent la rue Sainte-Catherine. Plein de classeurs. Aucun désordre. Sur le mur, des photos du caricaturiste avec des hommes politiques. Sur une petite table le long du mur, une tortue et un petit serpent. Terry s'attable à son pupitre. Démarche agile, allure décontractée.

— Nous avons combien de temps ?

— Si vous me permettez de travailler un peu pendant notre entrevue, tout le temps que vous voudrez. Vous voulez jeter un coup d'œil ?

— À quoi travaillez-vous ?

— Je prépare un livre de croquis pour la revue *Macleans* sur les montagnes Rocheuses à la suite d'un voyage de Banff à Jasper.

Sur le pupitre, un ordinateur portable ouvert et, sur l'écran, la tête d'un grizzli.

— Oh ! Vous dessinez par ordinateur ?

— Je dessine sur papier, puis je « scanne » mon dessin et je le retouche à l'ordinateur.

L'entretien pourra donc se poursuivre alors que mon interlocuteur dessine à l'ordinateur. Je remarque d'ailleurs qu'il utilise la souris avec la main droite. Étonnant.

— Racontez-moi d'abord comment vous êtes devenu caricaturiste au journal ?

— Je suis né à Ottawa et j'ai étudié à Toronto, mais c'est à Québec, à l'Université Laval, que j'ai fait l'École des beaux-arts. Je n'avais pas d'argent et j'ai donc travaillé dans la rue du Trésor à faire des caricatures.

— C'est ainsi que vous avez appris à parler français ?

— Vous avez deviné juste. Puis j'ai commencé à vendre des caricatures aux journaux à Montréal. Ce qui m'amusait bien. J'étais très à l'aise dans le monde des journalistes, bien plus que dans le monde des artistes. Mon père était également journaliste. J'ai toujours trouvé les artistes un peu prétentieux. Ce qui fait que je suis à *The Gazette* depuis maintenant 35 ans. Attendez... 1972.

— Comment ça s'est passé à l'école ?

— Je n'ai jamais vraiment eu de problème. On a accepté que j'écrive de la main gauche. Mais, maintenant que j'y songe, je retrouve le vague souvenir d'un professeur qui m'avait approché doucement et dit à l'oreille : « Il serait temps que tu changes de main. » C'est un très vague souvenir. Et je crois que c'est ma mère – maintenant âgée de 90 ans – qui avait découragé ce professeur de me faire changer de main pour écrire. J'ai été élevé dans un milieu très libéral.

— Pas d'autre souvenir des années scolaires ?

— J'ai toujours trouvé qu'à l'école, les cahiers n'étaient pas faits du bon côté : il faudrait des livres et des cahiers dans lesquels on écrit en commençant par la fin. Je déteste d'ailleurs tous les cahiers et calepins avec une spirale au centre. C'est pour cette raison que tous les calepins que je garde avec moi – car j'ai toujours sur moi plusieurs calepins pour dessiner ou prendre des notes – ont la reliure sur le dessus, comme ceci.

Et Terry se lève et me montre un carnet, puis un autre, qu'il sort d'un sac : ils ont tous la reliure en haut.

– Pourquoi êtes-vous gaucher ?

– C'est un coup de dés. Je suis né comme ça. D'ailleurs, je suis aussi un alcoolique. Je suis un alcoolique qui a cessé de boire. Ça fait plusieurs années, depuis 1985. Que je sois alcoolique a été plus déterminant dans mon évolution que d'être gaucher ! Je me suis peu intéressé au fait d'être gaucher. Cela a quand même suscité ma curiosité, mais je n'en ai pas fait une obsession. Par contre, je remarque que plusieurs artistes, particulièrement dans les arts visuels, sont des gauchers. On a dit toutes sortes d'idioties à propos des gauchers. Par exemple, qu'on meurt plus jeune. À ce sujet, je suis tout à fait sceptique.

– Vous doutez.

– On emploie le mot « sinistre » pour désigner les gauchers : comme si nous étions étranges, diaboliques, dangereux, épeurants. Par contre, je considère qu'être gaucher, c'est une particularité. Mais toutes les divergences entre le fait d'être « sinistre » et gaucher appartiennent à cette pensée vieux jeu, superstitieuse en plus. Mon point de vue est assez différent.

– Vous disiez que vous avez été élevé dans un milieu libéral.

– Oui. À l'école, je me suis intéressé à tout ce qui touchait le domaine visuel, à la géographie. Par contre, j'ai détesté les mathématiques. J'étais assez bon, mais je les détestais.

– Vous croyez au caractère du gaucher ?

– Sans doute, je partage avec les gauchers... d'être un peu têtu et déterminé. Voyez-vous, j'ai appris à utiliser tous les instruments avec les deux mains. Les ciseaux, je les emploie de l'une ou l'autre main : je fais travailler les instruments pour moi. Je crois d'ailleurs que le propre des gauchers est de s'adapter. J'ai appris à jouer de la guitare comme un droitier.

– Et le sport ?

– Je me souviens qu'à la boxe, c'était un avantage d'être gaucher. Du temps où je buvais trop, il m'arrivait de me battre. Je commençais à me battre comme un droitier et puis quand l'adversaire ne s'y attendait pas, je lui décochais un bon coup avec le poing gauche, et c'en était fait de lui! Suzanne, venez voir mon dessin!

Je fais le tour de la table et regarde par-dessus son épaule ce qu'il est en train de dessiner. Il déplace avec la souris le texte *Objects in mirror are closer than they appear* – qu'on lit d'ordinaire dans le rétroviseur de droite en voiture et je comprends tout à coup : son dessin représente l'intérieur d'une voiture. Dans le rétroviseur droit apparaît la tête du grizzli et en dessous la mention *Objects in mirror are closer than they appear*[1]. Il a quasi terminé son esquisse. Je me rappelle d'un voyage dans les Rocheuses et des affiches sur la route qui prévenaient les visiteurs des parcs nationaux du danger et de la présence des ours. *Beware: this is bear country*[2]. Puis il poursuit sa réflexion.

– Pourquoi suis-je gaucher? J'ai toujours été très embêté par cette question : « Pourquoi la nature n'a-t-elle pas équilibré ça 50-50? » Par contre, j'ai remarqué que les gauchers sont souvent des personnes très créatrices, portées vers les arts. Je remarque aussi que les gauchers – comme bien des groupes d'ailleurs – aiment penser qu'ils sont spéciaux. Quand je fais des séances de signature de livres, j'entends parfois les commentaires de gens : « Ah vous êtes gaucher! » Certains ajoutent avec fierté : « Je suis patte gauche moi aussi! » Comme si nous faisons partie d'un club. Je pense que ça fait partie de la nature humaine. On aime s'identifier, on a une différence spéciale.

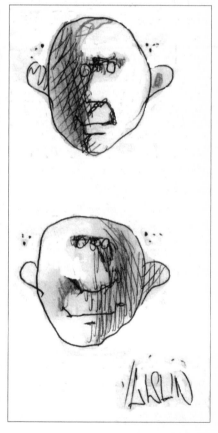

– Avez-vous des conseils à donner aux parents des gauchers?

– Laissez-les vivre. Leur laisser ce penchant naturel.

---

1. Traduction : Les objets dans le rétroviseur sont plus rapprochés qu'il n'y paraît.

2. Traduction : Danger : vous êtes dans le territoire des ours.

– Vous remarquez quand quelqu'un est gaucher ?

– Oui, la plupart du temps. Même au restaurant. D'ailleurs, je peux dire si un caricaturiste est droitier ou gaucher.

– Ah bon ! Alors, dites-moi comment vous faites.

Terry illustre son propos : il prend une feuille de papier, dessine deux têtes l'une au-dessus de l'autre avec des oreilles et commente :

– On peut voir ça par l'ombrage. Le gaucher noircit le côté opposé à son crayon sans quoi il ne verrait pas ce qu'il fait, comme ceci.

Je le vois ombrer à l'encre bleue puis avec un crayon, il estompe et étend le plomb sur la feuille en se salissant le doigt.

– Vous comprenez ?

Sa mimique m'indique qu'il n'est pas certain que j'aie saisi son explication, même si je tente d'avoir l'air intelligente. Puis il demande :

– Ça peut aller ainsi ?

– Oui, bien sûr, je vous remercie.

Je ramasse mes affaires et commence à enfiler mon manteau. Terry se lève, l'air satisfait de cet entretien. Il me montre la caricature déjà prête pour le journal du lendemain sur laquelle je peux jeter un coup d'œil. Puis j'ose lui demander :

– Je peux emporter ce que vous avez dessiné pour m'expliquer l'ombrage ?

– Sans problème, mais laissez-moi y apposer ma signature.

Il s'exécute et me remet la feuille de papier.

– Oh attendez ! Je dois ajouter des points en triangle, c'est ma marque de commerce.

– Comment ça ?

– J'ai des pellicules !

Victor-Lévy Beaulieu

58 ans, écrivain, éditeur, polémiste, verbicruciste. Écrit des romans depuis l'âge de 14 ans et des téléromans pour la Société Radio-Canada depuis 25 ans.

———◦———

« On n'avait pas le droit d'écrire de la main gauche à l'école. Après trois ou quatre mois du début des classes, ma décision était prise : je n'irais plus à l'école. Je l'ai dit à mes parents. Mon père s'est tanné. Il est allé voir le frère directeur : "Mon gars, il est gaucher, il va l'être toute sa vie. Je ne veux plus en entendre parler." »

———◦———

Victor-Lévy Beaulieu vit dans une grande maison au toit bleu, le long de la route 130, dans le bas de la paroisse de Trois-Pistoles. Il écrit, dirige Les Éditions Trois-Pistoles. Il a aménagé un très vaste jardin et a construit récemment une petite ferme où il élève des moutons, des chèvres, un cheval nain et, bien sûr, des chiens.

Je suis bien contente d'être conviée chez lui, dans la Grande Maison, et de pouvoir rencontrer le géniteur de Xavier Galarneau. Ses personnages peuplent mon inconscient. Il a fait entrer les chiens qui m'accueillent chaleureusement. On est en janvier. Il m'a débarrassée de mon manteau et de mes bottes d'hiver qu'il a rangées dans un placard. L'entretien avec le gaucher remarquable peut commencer.

— Mais attendez ! Laissez-moi enfin vous regarder comme il faut. Voilà ! C'est bien vous. Cher Victor-Lévy, je suis très heureuse d'être ici aujourd'hui. Merci de me recevoir chez vous.

— Je vous offre un café ?

— Volontiers.

Dans la vaste cuisine prise d'assaut par le soleil de midi, il prépare le café et me raconte la Grande Maison qu'il a achetée en 1982. Presque un quart de siècle. Il s'agit de la maison French qui a appartenu autrefois à de riches maquignons. Là, derrière, la pente douce vers le fleuve bleu marin, les glaces blanches, la neige, l'îlet Rasade avec la croix des miraculés, et au loin la ligne d'horizon de la Côte-Nord. *Le bleu du ciel*?

Nous nous installons à une table de réfectoire à plusieurs tiroirs. Planchers de bois foncé, table de bois franc comme on en trouvait dans les couvents... ou dans les familles nombreuses. Sur la table, des papiers, des livres, et une citrouille que mon hôte me fait remarquer avec fierté:

— Une citrouille[1] de mon jardin!

— Mince, alors!

Il s'assied de l'autre côté de la table avec son café qu'il prend noir, lui aussi. Les chiens se sont calmés, mais viendront nous visiter de temps à autre.

— Mais vous buvez votre café de la main droite!

— C'est à cause de la polio. J'ai eu la polio et j'ai eu longtemps de la misère à lever le bras gauche. C'est plus simple de boire avec le côté droit.

Puis il raconte.

— Avant d'aller à l'école, avant d'entrer en 1re année, il fallait être capable de lacer ses souliers. J'étais le premier gaucher de la famille bien que le sixième enfant d'une famille qui allait en comporter treize. Mes parents n'avaient pas réussi à me montrer comment lacer mes souliers, ni à faire mes boucles. D'ailleurs, tout petit, quand je me promenais dehors — nous habitions la campagne —, je perdais mes souliers, car dès que j'arrivais dehors, je les enlevais.

Je regarde dessous la table, non, il n'est pas nu-pieds. Il porte des espadrilles noires et blanches, genre « shoes-claques » qui montent haut sur la cheville. Il ne perdra pas celles-là, c'est sûr!

— Je suis allé à l'école de Trois-Pistoles, chez les frères Saint-Viateur, je crois. Par contre, j'ai eu de la chance, car en 1re année et plus tard d'ailleurs, je n'ai jamais été éduqué par un religieux. Le frère était malade, je ne sais plus de quoi. C'est Thérèse Boucher qui a été mon institutrice en 1re année. Elle m'a fait peur: elle me disait que si je tenais

---

1.   Voir VLB, *Monsieur Melville*, Œuvres complètes, tome 15, Éditions Trois-Pistoles: 321. « Derrière, la vieille grange, et le petit potager dans lequel Melville cultive des citrouilles pour sa vache. »

mon crayon de la main gauche, il allait me brûler. Alors je le tenais cinq minutes avec la droite, cinq minutes avec la gauche. C'est vrai que ça chauffait plus avec la gauche : je le tenais trop serré. J'ai croisé Thérèse Boucher l'été dernier à Trois-Pistoles. Elle est encore de ce monde…

— Vous en parlez dans vos livres, n'est-ce pas ?

— Je parle du fait d'être gaucher dans *Monsieur Melville*[1] surtout, puis dans *Les mots des autres*, et ailleurs aussi.

— Le début à l'école et l'apprentissage de l'écriture ont donc comporté pour vous bien des difficultés.

— Quand c'était l'heure des devoirs, on était tous assis à une grande table comme celle-ci – j'aime bien les grandes tables. Ma mère nous surveillait en lavant sa vaisselle. Elle regardait si je prenais le crayon avec la gauche ou la droite. Quand elle ne me voyait pas, je changeais mon crayon de main, je le replaçais dans la gauche.

— C'était un vrai jeu de cache-cache.

— Ma mère était pire que la maîtresse[2] ! C'était bien ennuyeux pour le petit gars que j'étais. Donc, le premier gaucher même si j'étais le sixième enfant. Une sœur sera gauchère, mais elle est bien plus jeune que moi. Elle n'était pas encore arrivée. On n'avait pas le droit d'écrire de la main gauche à l'école. Après trois ou quatre mois du début des classes, ma décision était prise : je n'irais plus à l'école. Je l'ai dit à mes parents. Mon père s'est tanné. Il est allé voir le frère directeur : « Mon gars, il est gaucher, il va l'être toute sa vie. Je ne veux plus en entendre parler. »

On m'a donc donné l'autorisation d'écrire de la main gauche, mais vous pensez bien qu'il y a eu des conséquences : on a mis mon pupitre complètement à l'arrière de la classe, sans doute pour ne pas donner le mauvais exemple, car la main gauche, vous savez, c'est la main impure, c'est la main du diable. Je me suis intéressé beaucoup au phénomène, particulièrement dans la Bible. Les gauchers y sont rejetés, ils sont réprouvés, ils sont assis à la gauche de Dieu alors que les élus sont assis à Sa droite.

---

1. *Ibid.* : 43 : « Et surtout, n'aie pas le malheur d'écrire de la main gauche lorsqu'on ne te regarde pas ! Ton crayon te brûlerait les doigts [...]. Sans doute désirais-je au plus profond de moi écrire de la main droite. Mais j'en étais totalement incapable : dans la main droite, le crayon perdait tout langage, il n'y avait plus sur la feuille qu'une série de barbots indéchiffrables. ».

2. *Ibid.* : 65. « Mère était du côté de l'école : elle aurait voulu que je me mette à écrire de la main droite. Je la craignais bien davantage que l'institutrice [...]. »

— Vous avez fait beaucoup de recherches à ce sujet dans la Bible, et ailleurs.

— Durant l'Inquisition, si les sorcières étaient gauchères, c'était un signe maléfique. Au Moyen Âge, on réquisitionnait les jeunes mâles gauchers et on leur apprenait à maîtriser la fronde. Lors des combats sur la première rangée, on mettait les gauchers d'abord, parce qu'ils étaient des décomptés et aussi parce qu'à cause de leur adresse spéciale, ils déjouaient les adversaires qui, eux, étaient tous droitiers. Prenez le combat entre David et Goliath : on prétend même que David aurait été gaucher et que c'est ainsi qu'il aurait déjoué et vaincu le géant Goliath !

— Ah bon ! Intéressant.

— Les États-Unis sont le premier pays à avoir voté, vers 1904-1906, une loi pour légaliser le fait d'être gaucher. Par contre, comme vous le savez bien, adopter une loi ne garantit pas grand-chose. En effet, cette loi n'a absolument rien changé !

— Et dans les autres cultures ?

— Peut-être ignorez-vous que dans la diplomatie chinoise, les traditions sont à l'inverse d'ailleurs. Sans doute y a-t-il eu un empereur gaucher. Lorsque des dignitaires occidentaux vont en Chine, le protocole existe à l'envers.

— Vous avez mené votre vie comme un gaucher. Avez-vous déjà eu le sentiment d'être différent parce que gaucher ?

— Oui. J'ai toujours eu le sentiment d'être différent. D'abord à l'école et bien sûr dans les sports. Quand vous êtes gaucher, on ne vous prend pas dans l'équipe de base-ball ou au hockey. Les gants de base-ball et les équipements de hockey ne sont pas faits pour les gauchers. Par contre, j'ai joué pas mal et j'étais bon sportif. J'avais un vrai talent pour le sport. Quand je suis arrivé à Montréal, à l'âge de 14 ans, j'avais déjà une grande stature et pesais 85 kilos. J'ai joué défenseur au football. J'aimais ça, car c'est un jeu qui fait appel à l'intelligence, un jeu qui ressemble aux Nord-Américains.

— Croyez-vous que les gauchers aient un talent spécial dans les sports ?

— Je me suis toujours intéressé aux gauchers dans les sports. J'ai beaucoup regardé les matchs de base-ball et étudié les frappeurs et les lanceurs gauchers. C'est pour moi un fait incontestable : les meilleurs joueurs sont des gauchers !

Mon interlocuteur s'anime en parlant de sport, ce qui me surprend un peu. Il poursuit :

– Dans les sports d'équipe ou qui demandent une participation individuelle, les gauchers sont supérieurs. Même chose dans les sports individuels comme le tennis et la boxe.

– Avez-vous vu cette entrevue télévisée avec Éric Gagné à l'émission *Les francs-tireurs*? Ce Québécois des Dodgers de Los Angeles, qui a gagné le prix Cy Young, puisqu'il a été la meilleure recrue de la Ligue américaine. Curieusement, dans l'entrevue, on le voit autographier la calotte de Benoît Dutrisac avec la main gauche. C'est donc un gaucher. Curieux, car il lance de la main droite et il écrit de la main gauche.

– Ce qui arrive souvent. En fait, je crois que c'est le premier apprentissage dans le sport qui est déterminant. Vous savez, c'est encore plus difficile maintenant pour les jeunes.

– Que voulez-vous dire ?

– La vie des jeunes est maintenant moins facile qu'elle ne le fut pour ma génération. Sur bien des plans. Autrefois, l'influence des parents était moins pernicieuse. À l'école, ce n'est pas mieux aujourd'hui qu'avant.

– Vous croyez ?

– Je trouve dommage qu'aujourd'hui encore, à l'école, on fasse bien peu pour aider, par exemple, les gauchers. On n'essaie pas du tout – pas plus qu'autrefois – de les accommoder. On ne met rien à leur disposition. On ne leur dit pas qu'ils sont gauchers. Je me souviens quand ma fille gauchère était à l'école, ce ne fut pas du tout facile pour elle. Elle a eu des troubles d'apprentissage. Elle écrivait à l'envers. Encore de nos jours, rien n'a changé. Les professeurs sont tout à fait insensibles à cette réalité.

– Le sport a-t-il été important dans votre évolution ?

– Oui, mais le premier événement marquant de ma vie, c'est lorsque ma famille a déménagé de Saint-Jean-de-Dieu – dans les terres, ici, en arrière de Trois-Pistoles – à Montréal. J'ai perdu ma vie de liberté à la campagne, avec les animaux, la nature. Mon père nous avait précédés de deux ans à Montréal. Il a travaillé chez les religieuses à l'Hôpital Mont-Providence. Chez nous, il faisait des ulcères d'estomac[1]. Et elles l'ont guéri ! Avec leur petit lait, et tout. Il a été quasi miraculé ! Mes parents étaient très croyants, ce que je n'ai jamais été.

– C'est bien ce que j'ai compris de vous.

---

1. *Ibid.*: 49.

– Un autre événement marquant de ma vie s'est passé à 18 ans quand j'ai eu la polio, comme je vous l'ai dit au tout début. En 1964. Un trou dans ma mémoire : j'ai été 13 jours dans le coma et quand je me suis réveillé, mon bras gauche pendait[1]. Je n'arrivais plus à le lever. La polio, c'est une maladie due à un virus nécrophage qui bouffe vos muscles. Je suis gaucher. Or la polio a attaqué mon bras gauche et plus particulièrement un muscle de l'épaule, le deltoïde supérieur pour être plus précis. Pas drôle, ça ! Mais quand, à l'hôpital, je regardais les autres autour de moi, je me disais que j'avais de la chance. C'était à l'hôpital Pasteur. Il y en avait des bien pires que moi : paralysés, en fauteuil roulant. Mais ça a été un dur coup. On a voulu m'installer une attelle, j'ai refusé.

Quand j'ai recommencé à écrire, étant donné que ma main ne bougeait pas beaucoup, je la gardais immobile – ou plutôt mon bras était immobile – et c'est avec la main droite que je glissais le papier sous la main gauche qui manipulait le crayon. Ce fut marquant pour moi qui avais commencé à écrire des romans vers 14 ans. J'ai eu le sentiment que j'étais en sursis, que j'avais manqué mourir et qu'il me restait la vie.

– Votre problème de santé a été déterminant pour votre choix de vie ?

– Oui, et comment ! Cet épisode de polio m'a obligé à rester quasi immobile dans un lit pendant des mois, d'août à novembre 1964. J'étais couché sur un lit d'hôpital et j'ai lu.

– Vous aviez déjà commencé à lire ?

– Oh oui ! J'ai lu beaucoup dès que j'ai su lire. Mon père, même si on n'était pas riches, avait acheté *L'Encyclopédie de la jeunesse* et *Pays et Nations*. Savez-vous, j'ai retrouvé et acheté il y a quelque temps exactement la même édition que celle que nous avions à la maison. Je suis bien content !

– Vous lisiez autre chose ?

– On a déménagé de Trois-Pistoles à Saint-Jean-de-Dieu en 1953. Mon père était fromager-beurrier. En 1949, la petite entreprise où il travaillait a fermé, et mon père a perdu son emploi. Il s'est retrouvé chômeur. Puis il a fait 56 métiers, 56 misères, comme on dit. On était plusieurs enfants à la maison. Pour cette raison, mes parents ont jugé que la vie serait plus facile si on quittait la ville pour la campagne. Donc, nous voilà tous partis pour la campagne. Dans le fond d'un rang. Mon pauvre père ne connaissait pourtant pas grand-chose de la vie à la ferme.

---

1.   « Tunnel noir », VLB, *Pour saluer Victor Hugo*, Stanké, 1985 : 95.

Enfin ! Je vous raconte tout ça parce que là, dans le rang où nous habitions, un oncle gardien de prison nous apportait des revues qu'il échangeait à mes parents contre des légumes et de la viande. Il y avait des *X-13*, des *Pit Verchères*...

— Plus tard, vous avez décidé d'écrire.

— Après l'épisode de polio, je savais que j'allais passer le reste de ma vie à écrire. J'étais déterminé. J'allais être un écrivain. Écrire, c'est ce que je voulais faire, et rien d'autre.

— Vous avez fait quelle sorte d'études ?

— J'ai fait une 11e année secondaire. Je suis un produit de l'école publique.

— Puis vous avez commencé à travailler.

— Mon premier emploi a été dans une banque. À l'époque, je portais des cravates.

— Je ne peux vous imaginer avec un costume et une cravate !

— Ah ! Vous seriez surprise. À un moment donné, j'ai demandé à un ami, Jacques Hébert, qui allait souvent à New York, de m'acheter les cravates les plus laides qu'il pouvait trouver. C'était l'époque où les cravates étaient très larges. On n'avait presque pas besoin de chemise tellement elles étaient larges ! Vous savez, les nœuds de cravates, c'est comme les boucles avec les lacets de souliers : c'est toute une aventure pour un gaucher qui doit procéder à l'inverse quand on lui enseigne comment faire.

— Vous avez été longtemps employé de cette banque ?

— Non. À cette époque, la banque n'embauchait pas les gauchers, de sorte que j'étais le seul. Tout se faisait encore à la main. Le gérant trouvait que j'écrivais mal et ne voulait pas que je me frotte à la clientèle des guichets. On m'a donc affecté à une tâche différente. Puis à 21 ou 22 ans, en 1967, j'ai été embauché comme « scripteur ». J'allais gagner plus d'argent que mon père. J'habitais encore chez mes parents à Montréal-Nord. Le matin même où je commençais ce nouveau job, alors que je me rendais au boulot, j'ai écrit ma lettre de démission et je l'ai expédiée par taxi à mon futur patron.

— Pas banal !

— Au printemps 2003, cet ancien patron a communiqué avec moi, car en rangeant de vieux papiers à son bureau de la SRC, il a retrouvé cette lettre et me l'a expédiée. Je peux vous la montrer tout à l'heure si vous voulez...

— Vous avez toujours écrit de la main gauche?

— Oui, toujours. Encore maintenant, d'ailleurs. Pour tous les textes que je rédige, je n'utilise plus le clavier. Après vingt-cinq ans d'essais, de romans, et surtout de téléromans pour Radio-Canada, j'ai bien dû noircir 35 000 pages de texte!

— Vous n'avez pas toujours tout fait ainsi à la main?

— Non! Vers 1995, j'ai décidé d'apprendre à écrire en lettres détachées pour que ça soit plus lisible et que quelqu'un puisse dactylographier.

— Vous aviez quel âge?

— J'avais 50 ans. Ça m'a pris quelques semaines, mais maintenant, c'est ainsi que je procède.

— Votre cerveau s'est donc habitué tard pour contrôler la main gauche en écrivant en lettres détachées. Impressionnant. Cela n'a pas dû être très aisé?

— Pas trop. J'étais déterminé, et j'y suis arrivé. Depuis ce temps, c'est la même collaboratrice qui tape et retranscrit tous mes textes. J'ai mes exigences en matière de papier. Quand je suis arrivé à Trois-Pistoles...

— En quelle année?

— En 1982, quand j'ai acheté cette maison. Lorsque je suis arrivé à Trois-Pistoles, j'ai eu du mal à trouver le papier qui me convenait. J'écris toujours avec des stylos-feutres de couleur bleue et ce n'est pas n'importe quel papier qui convient. Ce fut difficile au début, car je ne trouvais pas le bon papier. Un jour, un notaire m'a envoyé haut comme ça de vieilles feuilles, de magnifiques $8^1/_2$ x 14, avec une belle marge à l'encre rouge. Quand j'ai eu épuisé cette réserve, il m'a bien fallu trouver autre chose.

— Vous vous y prenez comment pour écrire les téléromans?

— S'ils comportent beaucoup de texte, il me faut une préparation mentale que je comparerais à celle d'un marathonien. Les coureurs de marathon et les coureurs olympiques de 50 mètres n'ont pas la même tâche. Ils ne se préparent pas ni ne s'alimentent de la même façon. À ma façon, je suis un marathonien. J'ai étudié et lu tout ce qui existe sur Phil Latulippe, le marathonien. Je voulais comprendre la mentalité du coureur de fond. Il imagine son parcours par tranches. Sa forme physique est naturelle. Il compte sur son endurance. Sa préparation mentale est le gage de sa réussite.

Lorsque j'écris, cela coule de source et je ne fais aucune rature. D'ailleurs, dès que j'ai commencé à écrire, tout petit, j'ai appris à ne pas gaspiller le papier, denrée rare. Chez nous, on était pauvres, et le papier c'était – excusez l'expression – rare comme de la merde de pape! Quand on avait la chance d'avoir du papier, on ne le gaspillait pas. C'est sans doute pour ça que je ne fais pas de rature. Je me prépare mentalement et j'écris tout d'une traite. Si par malheur je fais une rature, je recommence la page au complet, que je réécris de mémoire, et je fais la correction. J'ai acquis au fil des ans une excellente mémoire photographique.

– Donc on ne verra jamais à côté de vous une corbeille pleine de feuilles ou de papier chiffonné et gaspillé.

– Vous l'avez dit : non jamais! Regardez ici un manuscrit de ce qui sera publié sous peu et vous pouvez juger qu'il n'y a pas ou très peu de ratures.

Victor-Lévy me montre un paquet de feuilles blanches $8^1/_2$ x 14 agrafées. Je jette un coup d'œil et ouvre au hasard à la page 17, pas moins de 57 lignes de texte touffu : *deux* ratures pour 57 lignes de texte. Inouï[1] !

– Pour écrire, je me lève à la pointe du jour vers cinq heures moins le quart, je fais mes ablutions, puis me prépare un café. Je m'installe alors à ma table de travail et j'écris pendant six à sept heures sans arrêt. La plupart du temps, je reprends la phrase où j'ai arrêté la veille.

Il a fallu effectivement un très grand entraînement mental pour en arriver là. «Mon» gaucher ne se rend pas compte comme ses propos intéressent et piquent la curiosité de la neuropsychologue, toujours avide de comprendre comment un sujet s'y prend pour réussir toute tâche.

– Lorsque je suis fatigué, je m'aperçois que, sans m'en rendre compte, j'écris parfois de droite à gauche.

– Ce qu'on appelle l'écriture en miroir.

– Vous avez raison. Comme faisait Léonard de Vinci à ce qu'il paraît. D'ailleurs une de mes deux filles, elle-même gauchère, qui a connu à l'école des troubles d'apprentissage assez importants, écrivait de droite à gauche, ce qui lui causait bien des problèmes.

– Croyez-vous que les gauchers ont des talents particuliers?

---

1. Dix-huit chapitres en cinquante pages de texte. *Écrire de* Race de monde *au* Bleu du ciel, à paraître aux Éditions Trois-Pistoles. Les derniers mots : «Le 22 décembre 2003, fans les aveilles de Noël. »

– Je ne suis pas loin de croire qu'ils en aient pour le sport. Par contre, je ne pense pas qu'ils aient des talents artistiques en particulier. Je dirais plutôt que leur talent s'éveille plus rapidement étant donné leur différence et leur besoin de se distinguer, d'être efficaces, de s'adapter au monde des droitiers. Je suis nul en dessin et en peinture. Par contre, j'aime bien les arts visuels.

– Et la musique ?

– En musique, je suis nul. J'ai bien essayé d'apprendre un instrument, par exemple la bombarde. Il y avait beaucoup de musiciens chez nous[1] : ma grand-mère maternelle jouait de l'accordéon, mes tantes Bélanger jouaient du piano, mon père jouait de n'importe quel instrument, et quand il a pris sa retraite, il s'est acheté un orgue. J'ai un frère qui a appris l'harmonica à 30 ans. J'ai appris par moi-même le solfège et à lire la musique. J'aime Mozart, Beethoven, mais je n'écoute pas beaucoup de musique. J'aime le silence de la maison.

– Vous êtes-vous intéressé à ce que la recherche et la science ont apporté comme information au sujet des gauchers ?

– Oui, énormément. Il y a bien peu de choses, c'est désolant. Vous savez, depuis l'âge de 17 ans je collectionne les livres. De tout temps je me suis intéressé à eux – j'en parle d'ailleurs assez souvent dans mes écrits – et tout ce que j'ai trouvé depuis toutes ces années, ça se résume à bien peu. Non, franchement, ce n'est pas assez. J'ai lu probablement tout ce qui s'est écrit au cours des âges sur les gauchers, et l'aspect scientifique est vraiment absent. Je me suis beaucoup intéressé à la science. À 18 ans, j'ai décidé de devenir écrivain, mais adolescent, je voulais être biologiste. Je voulais comprendre comment le cerveau fonctionnait. D'où mon admiration pour Jean Rostand. J'ai eu le grand bonheur lors d'un premier voyage en France – j'avais gagné un prix littéraire de Hachette-Larousse, en 1967, je crois – de rencontrer Jean Rostand et d'aller chez lui.

– À Ville-d'Avray ? Je me souviens d'avoir vu un documentaire intitulé *Le solitaire de Ville-d'Avray*.

– Ce doit être ça, je ne sais plus.

– On y voyait sa collection de grenouilles ou de têtards...

– Oui, l'étang aux... je ne sais plus comment on dit. Il avait étudié les mutations et gardait chez lui dans une pièce, une sorte de laboratoire,

---

1. *Ibid.* : 65.

et dans le formol, une collection de têtards mutants. Je me souviens que c'était assez impressionnant.

— Et les instruments pour gauchers, vous en utilisez ?

— Oui ! J'ai des instruments de gaucher, par exemple des ciseaux. Je m'en suis procuré et je les utilise couramment. Je couds de la main gauche.

— Vous cousez ? je demande, étonnée.

— Oui, les petites réparations. De la main gauche.

— Des gens ont-ils déjà refusé votre gaucherie ?

— Oui, les gens de la banque, mais je me suis arrangé. On a modifié ma tâche et je n'étais plus à la vue du public, et tout le monde était content.

— La vie est-elle plus difficile quand on est gaucher ?

— Dans la vie en général, les gauchers s'adaptent. Vous avez déjà remarqué que les cabines téléphoniques se trouvent à l'envers pour les gauchers ? Quand j'étais à la maison avec ma femme, c'était tout le temps le drame à cause des cendriers qui n'étaient pas placés du bon bord. Mes filles savaient qui avait utilisé le téléphone la dernière fois, puisque l'appareil – que je place évidemment sur l'oreille gauche – était inversé sur le support quand je raccrochais. Également le matin dans la cuisine, le pain à trancher sur la planche à pain : si j'avais été le dernier, le pain restait du bord du gaucher. Dans la vie quotidienne, ce n'est pas toujours facile de faire cohabiter droitiers et gauchers. Je me souviens d'une fois où nous étions réunis pour un repas ; j'ai eu une belle surprise : nous étions sept gauchers. Ce fut le bonheur !

— Vous croyez à la personnalité du gaucher ?

— Oui. Je serais porté à croire qu'il existe effectivement un caractère ou une personnalité propre au gaucher, puisqu'il est forcé d'apprendre plus qu'un autre. S'il travaille dans le bâtiment, par exemple avec une scie, il doit s'adapter. Si j'étais contremaître d'un chantier de construction, je m'informerais s'il y a des gauchers. C'est très important, car ils sont très différents. Par contre, j'ai lu dans *Sélection du Readers's Digest*, je crois, qu'ils sont plus souvent délinquants, alcooliques et qu'ils meurent plus jeunes.

— Que pense la société des gauchers ?

— La société en général n'est pas faite pour les gauchers. Je vous racontais ma difficulté à apprendre à faire mes boucles... Ici, dans la région, il y a sept ou huit ans, j'ai commencé à jouer aux quilles. On trouve encore très curieux la façon dont je lace ou fais mes boucles de souliers, mais lorsque je joue aux grosses quilles avec le bras gauche, on le remarque tout de suite. J'ai bien essayé avec la main droite, mais ça ne va pas du tout. Bien que mon épaule gauche soit atteinte en raison de la faiblesse du deltoïde supérieur, je continue à jouer aux quilles avec le bras gauche. Autrefois, avant de faire la polio, je jouais aux fers. J'étais pas mauvais. Mais après la polio, j'ai recommencé à jouer avec la droite, car c'était impossible avec le côté gauche. Je n'ai jamais réussi à atteindre le niveau d'autrefois, ça ne s'est jamais rétabli, et je n'ai plus jamais joué aussi bien.

— Les gauchers seraient-ils plus créateurs ?

— Oui. J'aime bien le bleu et, paraît-il, cette couleur favoriserait la créativité. Je crois aussi que les gauchers sont intuitifs. Il y a quelques années, j'ai appris que j'avais un talent de sourcier. À la maison, on manquait d'eau, et j'ai fait venir un sourcier. J'avais des amis en visite, et le sourcier a mis des baguettes dans nos mains, chacun son tour. Croyez-le ou non, j'ai réussi à trouver l'eau. À ma grande surprise, je sentais l'énergie de l'eau avec les baguettes de bois. Il paraît que pour être sourcier, il faut avoir en soi les deux pôles, le yin et le yang, le positif et le négatif. Est-ce parce que je suis gaucher, je l'ignore.

— Si vous aviez le choix, seriez-vous encore gaucher ?

— Bah oui... C'est une qualité. Ça me fait plaisir d'être gaucher. J'aime ma marginalité. Quand je travaillais aux émissions, particulièrement durant les tournages des téléromans, je déplorais souvent que le réalisateur ne soit pas gaucher. Je me souviens d'une scène : je la regardais et je trouvais que ça n'avait pas de sens, car c'était tout à fait à l'inverse de ce que j'avais conçu et pensé.

Puis il se lève, me fait la démonstration et me joue une scène.

— Voyez-vous, pour la caméra, le comédien présentait le mauvais bord, et ça arrivait souvent. Dans *Bouscotte*, j'ai insisté pour avoir des acteurs gauchers ; j'ai tenu à ce que la forgeronne soit une gauchère et c'est finalement Nancy Gauthier qui a eu le rôle. Dans *L'héritage* et maintenant dans *Le bleu du ciel*, Yves Desgagnés, un gaucher, fait partie de la distribution.

— Vous adhérez au Mouvement de libération des gauchers ?

— Ah non !

— Vous avez vu le film *La gaucherie*[1] ?

---

1.   Voir le film produit par Virage Inc en 1999 : *La gaucherie*.

– Oui ! J'ai bien ri en voyant cette fiction !

– Vous saviez que c'était une fiction ?

– Oui, pas vous ?

– Non ! Pas du tout. J'ai même raconté les faits comme s'ils étaient réels, dans ce chapitre que j'ai consacré aux gauchers dans mon livre[1]. J'ai induit les gens en erreur bien malgré moi. Vous connaissez des gauchers remarquables ?

– Parmi les gauchers remarquables, je suis étonné que quatre des cinq derniers présidents des États-Unis aient été gauchers. Le président Ford, Jimmy Carter, Bush père, Clinton. Très curieux.

– Et dans votre quotidien ?

– J'écris en fumant, j'écris de la main gauche et je fume la pipe de la main droite. Quand je lis le journal, je commence toujours par la fin. Quand je fais des mots croisés, je les fais à l'envers des autres. À la banque, j'ai demandé qu'on imprime les chèques de façon inverse. Ouvrez le tiroir devant vous et sortez un grand chéquier.

Effectivement je suis assise à une table de réfectoire qui comporte beaucoup de tiroirs. Je m'exécute et j'ouvre le tiroir devant moi : dedans, pêle-mêle, des stylos-feutres bleus, des carnets et un grand chéquier à spirales.

– Regardez ce grand chéquier. La spirale est au centre, car comment voulez-vous rédiger un chèque avec la main gauche quand la spirale nuit au mouvement de votre poignet ? Je ne sais pas pourquoi, la banque n'a pas voulu.

Je dois m'en aller. Mon hôte m'amène visiter son atelier de travail, la table de pommier, la belle lumière dans la fenêtre qui ouvre sur l'ouest, les photos précieuses de Gabrielle Roy, de ses aïeux, les livres rares. Adjacente à cette pièce, une grande salle de séjour tapissée de livres et dans le coin, tranquille, un cheval de bois à la patine riche.

– Tenez, prenez le manuscrit[2]. Je vous le donne.

– Sérieusement ? Je ne sais comment vous remercier. Vous aimez le chocolat aux amandes ?

– Oui. Voici pour vous.

---

1. Suzanne Déry, *Le cerveau dans tous ses états*, Stanké, 2003 : 252.

2. Le livre sortira quelques semaines plus tard : *Écrire, de* Race de Monde *au* Bleu du ciel, Éditions Trois-Pistoles, 2004.

Je cherche dans mon sac à main, je sors une tablette de chocolat déjà entamée et la lui offre.

– C'est bien peu, mais c'est de grand cœur ! Je me sauve.

Quel geste ridicule de troquer une copie de manuscrit contre une tablette de chocolat même pas entière. Je récupère mes bottes et la veste que mon hôte me présente. Je salue les chiens et remercie le gaucher.

Retour à la voiture. Je me dis que finalement, cet écriteau devant la maison est là pour éloigner les loups-garous, sans doute. En effet, on y lit : « Danger : écrivain méchant. »

Xavier

24 ans, étudiant en maîtrise de biochimie à l'Université de Montréal

« En fait, je dirais plutôt que je ne suis pas droitier, voilà ! »

Xavier habite à Montréal chez une amie qui héberge des étudiants. Xavier et Marc-André sont deux gauchers qui cohabitent depuis deux ans. Xavier étudie en biochimie, et Marc-André, en urbanisme. Ils se croisent selon leurs horaires bien chargés de jeunes hommes occupés à étudier, à s'entraîner, à sortir avec les filles. Fait étonnant : ni l'un ni l'autre n'avait remarqué la gaucherie de l'autre ! N'eût été le sens d'observation de leur hôtesse, ils ignoreraient leur similitude. J'ai réussi à attraper Xavier pour une entrevue, mais Marc-André sera toujours trop occupé et absent, non disponible, à ma grande déception.

— J'ai peu de souvenirs concernant la maternelle. Je me souviens que vers cinq ou six ans, à l'école, la maîtresse était droitière. Elle avait vu que je prenais le stylo de la main gauche. Elle m'avait mis à l'écart de la classe. Elle m'a beaucoup aidé. Elle s'occupait plus de moi que des autres.

— Pourquoi donc ?

— Quand j'étais petit, j'inversais les *p, b, d, g*. Ce ne fut pas facile. J'écris d'ailleurs toujours très mal. J'inverse les lettres. J'ai dû aller en rééducation pendant une ou deux années. Puis, vers neuf ans, j'ai commencé à m'en sortir pas mal. Mais je suis toujours un peu dyslexique. Je double mes mots. Pour les chiffres, ça va.

— Vous étiez le premier de la famille à être gaucher ?

— Non. Pas du tout. Mon père a été un gaucher contrarié. Il écrit de la main droite, mais il travaille de la main gauche. Il était habile de ses mains : à l'époque, il a été voilier.

— Qu'est-ce qu'un voilier ?

— Celui qui fabrique les voiles pour les bateaux. Nous habitions Toulon, un des grands ports de la marine de guerre française. D'ailleurs mon grand-père est ingénieur dans la marine nationale. Mon père a été très impliqué dans les courses à la voile. Il a participé à la Coupe America, il y a de cela plusieurs années, à l'époque du baron Bic. Il a été *skipper* sur un de ses voiliers, je crois. Je n'étais pas encore né.

— Pourquoi est-on gaucher ?

— Je ne sais pas pourquoi je suis gaucher. On dit que ce n'est pas le même lobe du cerveau qui travaille, que c'est inversé. Je ne sais pas.

— Avez-vous déjà eu le sentiment d'être différent parce que gaucher ?

— Je n'ai pas l'impression d'être différent. Je me débrouille bien. Par contre, parce que je suis gaucher, je suis plus habile de mes mains. Ainsi, au microscope ou avec les pipettes, je suis très habile à manipuler de tout petits volumes dans les microtubes.

— Quoi d'autre ?

— J'ai aussi l'impression que l'apprentissage est plus lent, mais meilleur. Ça me prend plus de temps pour apprendre la même chose, mais je m'en souviendrai plus longtemps. Plus jeune, j'ai fait du théâtre. On m'a souvent fait remarquer que je parlais lentement. On me dit que je dois venir de Belgique ou de Suisse.

— Quelle perception générale la société a-t-elle des gauchers ?

— La société considère encore les gauchers comme un peu étranges.

— Xavier, vous avez déjà vécu de la discrimination ?

— J'ai voyagé en Afrique du Nord et je n'ai jamais vécu quoi que ce soit de négatif du fait d'être gaucher ; peut-être parce que j'étais un touriste.

— Et le sport ?

— J'ai pratiqué divers sports : le judo, le basket-ball, l'aviron. J'ai certaines aptitudes.

— Des suggestions pour l'école ?

— À l'école, il serait bon qu'il y ait des professeurs droitiers et gauchers.

— Et si vous aviez le choix ?

— Si c'était à refaire, je serais de nouveau gaucher. En fait, je dirais plutôt que je ne suis pas droitier, voilà !

Yves Beauchemin

62 ans, écrivain

« Je ne me suis jamais vraiment identifié comme gaucher. Par contre, je m'identifie comme... québécois, artiste, mélomane, introverti, hypersensible, angoissé. »

Quelques jours après le Salon du livre de Montréal, Yves Beauchemin manifeste son intérêt pour mon projet. Il réagit en se rappelant d'emblée les jours tristes à l'école et écrit ce courriel :

Suis-je droitier ou gaucher ? Un peu les deux. Droitier forcé pour l'écriture (à cause de ma maîtresse d'école Anna Meunier), mais gaucher pour le reste. Cependant, je m'aperçois que, dans le bricolage, par exemple, je suis souvent ambidextre. Essayez d'y comprendre quelque chose !

J'ai rencontré le nouvel officier, promotion 2003, de l'Ordre national du Québec au café Pavarotti dans le Vieux-Longueuil, un matin ensoleillé de fin d'hiver. Il est installé au comptoir en train de boire avec la main gauche un café au lait. Fier d'être un résidant de longue date du Vieux-Longueuil, il racontera brièvement son implication pour conserver le cachet original de l'arrondissement.

— De tout temps, j'ai été gaucher. C'est assez bizarre. On m'a forcé à écrire de la main droite, ce qui a beaucoup compliqué les choses. Je dirais même que ça a changé ma vie. Ma mère, qui était une grande amateure de livres, m'avait déjà un peu initié aux lettres, mais pas aux chiffres.

— Où avez-vous fréquenté la petite école ?

— Nous habitions Clova.

— Clova, pas possible ! Je connais un peu[1].

— Mon père était mesureur de bois pour la compagnie CIP. C'était un petit village de quarante familles, une sorte de microcosme du Québec. Les anglophones occupaient des postes de direction ou étaient

---

1. Suzanne Déry, *op. cit.* : 132.

employés de bureau, les francophones travaillaient surtout sur le terrain. Mon père faisait les deux. J'aimais la lecture. Ma mère était une ancienne institutrice, franco-ontarienne de naissance. J'étais le seul gaucher de la famille. Peut-être ma mère était-elle ambidextre, je ne sais plus trop. Toujours est-il que j'ai fréquenté l'école du village de la 1re à la 7e année jusqu'à 12 ans. Puis j'ai été pensionnaire à Joliette où j'ai fait mon cours classique, et je me suis inscrit à la Faculté de lettres à l'Université de Montréal où j'ai obtenu une licence en 1965. J'ai vécu un an à Québec.

– J'ignorais que vous aviez déjà habité cette ville.

– Une peine d'amour m'avait donné le goût de m'éloigner de Montréal. J'ai enseigné la littérature étrangère au collège universitaire Garneau où j'ai côtoyé Sylvain Lelièvre. J'ai conservé de bons amis là-bas. Puis, je suis revenu à Montréal où j'ai donné des cours de français normatif à l'école des Hautes Études commerciales. J'accompagnais donc les futurs comptables dans l'apprentissage de l'accord des verbes !

– Tout un défi ! Vous avez commencé à écrire à quel âge ?

– À 17 ans, j'écrivais déjà des nouvelles pour mon plaisir. Puis j'ai travaillé à la maison d'édition HRW en 1967-1968. En 1969, je suis entré à Radio-Québec comme conseiller musical : je faisais l'illustration d'émissions de télé. Je proposais des choix de thèmes d'émissions, des effets sonores, etc. J'aimais bien ça. Puis, je suis devenu recherchiste. En 1974, je publiais mon premier roman, *L'enfirouapé*. Mon éditeur était nul autre qu'Alain Stanké.

J'observe le père de *Juliette Pomerleau*.

– Vous buvez votre café avec la main gauche.

– Eh oui ! Je fais tout de la main gauche, sauf écrire. Je suis un droitier forcé. Je suis convaincu que de forcer un gaucher à être droitier, c'est lui imposer un stress supplémentaire. Depuis de nombreuses années, j'écris tout sur le clavier. Même à deux doigts, c'est beaucoup plus facile qu'à la plume, à cause de la fausse position que j'ai adoptée pour ma main droite.

– Toutes ces années, vous écriviez ?

– Eh oui, j'ai assouvi ma passion d'écrire durant mes années à Radio-Québec (après les heures de travail, bien sûr !). Puis *Le Matou*[1] est

---

1. Le roman remporte à la fois le Prix du grand public du Salon du livre de Montréal (1981), le Prix des jeunes écrivains du *Journal de Montréal* (1981), le Prix du roman de l'été (Cannes, 1982) et le Prix des lycéens du Conseil régional de l'Île-de-France (Paris, 1992). Jean Beaudin en a fait l'adaptation cinématographique. Puis vint *Juliette Pomerleau*, finaliste au prix Goncourt (Paris, 1989), Prix du grand public du Salon du livre de Montréal (1989), prix Jean-Giono (Paris, 1990), Prix des lectrices de *Elle* (Paris, 1990), et enfin *Les Émois d'un marchand de café*, Prix du grand public/*La Presse* du Salon du livre de Montréal (2000).

sorti en 1981 et, à partir de sa publication en France, en 1983, j'ai pu commencer à vivre de ma plume.

— Dites-moi, le Matou continue sa vie?

— Oui! On en a vendu jusqu'ici plus d'un million d'exemplaires. Le roman a été traduit en 17 langues, la dernière étant l'estonien. Évidemment, dans les traductions, il est très difficile de vérifier les tirages...

— Vous étiez donc le seul gaucher de votre famille?

— Il me semble que oui. Maintenant que j'y pense, j'ai l'impression que ma sœur Anne, qui habite Québec, est gauchère elle aussi. Elle est artiste peintre et détient un doctorat en histoire de l'art. Je lui téléphonerai. J'étais l'aîné et je suis parti de la maison à 21 ans.

— Pourquoi êtes-vous gaucher?

— Je suis né comme ça. C'est une caractéristique plus qu'un défaut comme... d'avoir les yeux bruns!

— Et vous gardez un mauvais souvenir de l'école?

— Oui, je garde un assez mauvais souvenir de cette Anna Meunier qui était colérique et qui m'a donné quelques claques. Voulait-elle me punir d'être gaucher? Par contre, je n'ai jamais eu le sentiment d'être différent parce que gaucher.

— Vous utilisez les deux mains?

— Je cloue avec la main gauche, je mange avec la main gauche, je coupe avec la main gauche. J'utilise surtout l'œil droit parce que mon œil gauche souffre d'une dysfonction congénitale. Mais pour le reste, je suis vraiment gaucher.

— Vous croyez à la personnalité du gaucher?

— Pour être franc, je n'ai jamais réfléchi à ça et je n'ai guère lu sur le sujet. Peut-être les gauchers sont-ils plus imaginatifs? Je pense que c'est une caractéristique bien secondaire. Je ne me suis jamais vraiment identifié comme gaucher, mais par contre...

Je vois les yeux d'Yves Beauchemin regarder au loin et devenir vagues. L'homme est intense tout à coup.

— Par contre, je m'identifie comme québécois, artiste, mélomane, introverti, hypersensible, angoissé...

Il retrouve mon regard et sourit.

— Je ne suis pas un très bon sujet pour vous.

— Bien au contraire: je suis très touchée par ce que vous venez de me raconter. Vous me livrez des pensées intimes. Je comprends, par ailleurs, que le fait d'être gaucher n'a jamais fait partie de votre identité profonde. Dites-moi, certains de vos personnages de roman sont-ils gauchers ?

— Ma foi, je pense que non.

— Que pensez-vous du sort que la société réserve aux gauchers ?

— Je trouve que la société les considère comme s'ils souffraient d'une légère anomalie. Ce n'est pas une qualité, en tout cas ! Prenez cet adjectif « gauche », équivalent de maladroit. En latin *sinister*, « sinistre » : ce n'est pas tellement gai !

— Vous utilisez des instruments pour gauchers ?

— Non. D'ailleurs, je me rends bien compte quand je bricole que les outils ne sont pas faits pour nous ! C'est à peu près la seule situation de la vie quotidienne où je me rends compte que je suis un peu différent des autres. Et puis, tenez, je n'ai pas du tout le sens de l'orientation. Gauche et droite, ce n'est pas instinctif chez moi. Je dois souvent me rappeler que « la main droite, c'est celle qui tient le crayon ».

— La musique est importante dans votre vie ?

— J'ai toujours aimé la musique. J'ai tenté d'apprendre le piano. J'aime la musique classique et je suis collectionneur de disques. J'ai commencé tôt à m'intéresser à la musique. J'ai acheté mon premier disque d'opéra, *Othello*, de Verdi, à 17 ans. Je me souviens que ça m'avait coûté bien cher à l'époque, avec mes faibles revenus d'étudiant ! Il existe un réel problème générationnel en musique, car les jeunes n'achètent plus de classique, et ça m'inquiète. C'est un véritable problème de civilisation. Heureusement qu'une compagnie comme Naxos existe et propose des disques à prix fort abordables et d'excellente qualité. Je dois vous dire également que j'ai des amis musiciens.

— Et le sport ?

— Je n'ai jamais été un très grand sportif. Je pratique la marche et la natation.

— Que pensez-vous des statistiques qui indiquent que les gauchers ont plus d'accidents et meurent plus jeunes ?

— J'en suis fort triste ! Plus d'accidents ? C'est peut-être vrai, mais il faudrait vérifier ces statistiques, non ? Sur les certificats de décès, à ce que je sache, on ne note pas si la personne est droitière ou gauchère !

— Si vous aviez le choix ?

— Je crois que j'aurais préféré être droitier. La vie aurait peut-être été un peu plus facile pour moi, en tout cas, mes années à la petite école ! L'apprentissage forcé de la main droite a entraîné chez moi un retard dans l'apprentissage et la maîtrise des chiffres. Quoi qu'il en soit, j'aime mon métier d'écrivain – ou plutôt, je l'adore !

Quelques jours plus tard, je reçois ce mot :

Chère Suzanne Déry,

J'ai parlé à ma sœur Anne il y a quelques jours. Elle est droitière et tous les traitements pour la rendre gauchère ont échoué. Vous m'en voyez navré. Salutations cordiales.

Yves B.

Yves Blouin

55 ans, études en psychologie, directeur général du Collège François-Xavier-Garneau

---◄○►---

« Je suis rudement content d'écrire de la main droite, car je peux posséder plusieurs plumes-réservoir. Cet objet que j'aime est interdit aux gauchers. »

---◄○►---

C'est dans la section des fruits et légumes d'IGA que j'ai surpris cet homme en flagrant délit de « tâtage » de tomates avec la main gauche. Je le reconnais : c'est un ancien collègue de l'École de psychologie que je n'ai pas vu depuis trente ans. Je l'aborde. Il me raconte rapidement sa vie et nous en venons à discuter des gauchers.

— Je suis un cas.

Il m'a convaincue. Je lui donne rendez-vous dix jours plus tard et le reçois pour le petit déjeuner.

— Très jeune, j'ai eu le sentiment de la différence. Mon souvenir le plus ancien, c'est d'être à table, pour le repas en famille. Je devais avoir deux ou trois ans. Je suis le cinquième d'une fratrie de sept. On m'avait assigné le coin de la table, le bout de la table, parce que j'étais gaucher. Les accidents sont vite arrivés. La soupe s'est renversée. Le verre de lait aussi. Ça c'est enregistré dans ma tête : la main gauche, c'est celle avec laquelle je mange.

— Et à l'école ?

— De mon temps, il n'y avait pas de maternelle

— C'est bien vrai. Quasiment de l'histoire ancienne.

— Mais il y a eu un projet pilote dans notre quartier, et mes parents m'ont fait fréquenter le jardin d'enfance. Donc, j'ai appris la manipulation de crayons à colorier avec la main gauche. Ils m'ont laissé faire. Puis, je suis entré en 1re année. L'institutrice me demandait gentiment de changer de main : « Tu sais, on écrit avec la main droite. » J'ai dit oui. J'écris encore de la main droite. Aucune obstination. Je n'étais pas à l'âge où l'on philosophe sur l'injustice sociale.

— Cela semble trop beau pour être vrai !

— Je n'ai aucun souvenir de différence ou de malheur. Les chroniqueurs n'ont pas rapporté que j'avais été déprimé six mois ! Je ne sais si cela a causé des dommages à mon cerveau. Je lis toutes sortes de choses là-dessus. Ce que je sais, c'est que je suis rudement content d'écrire de la main droite, car je peux posséder plusieurs plumes-réservoir. Cet objet que j'aime est interdit au gaucher : ça ne doit pas traîner, car l'encre n'est pas sèche et ça barbouille.

Très tôt, pourtant, Yves a eu le sentiment de sa différence.

— Il y a des garçons et des filles. Je suis un garçon et je suis un gaucher. Je n'ai pas eu l'intention d'être gaucher. J'ai constaté que je prenais la main gauche avant de pouvoir le formuler. Je me suis laissé aller à mon penchant naturel. Très tôt également, j'ai eu le sentiment d'être malhabile. J'ai le souvenir d'avoir eu grand-peine à apprendre à faire ma boucle de lacet : on me montrait ça en droitier. C'est un problème en soi, apprendre à faire ses boucles de lacets et, en plus, quand il faut inverser... J'étais un peu honteux d'aller voir ma mère pour qu'elle le fasse à ma place. Mais à la maternelle, quelle victoire quand j'ai eu une autonomie complète !

— Et plus tard ?

— Mon père était bricoleur, un homme adroit, droitier et impatient. Gros travailleur, entrepreneur, il était peu souvent à la maison. Et lorsqu'il était là, il était souvent fatigué et stressé.

— Pas facile d'être le fils de ce père-là !

— Avant l'âge de sept ans, j'ai bien tenté de l'aider, mais je ratais tout. Je peux préciser « avant sept ans », car, à ce moment, mon père est devenu hémiplégique, à la suite d'un accident vasculaire cérébral. Puis, quand j'ai eu 12 ans, il a eu un deuxième accident et il est devenu aphasique.

Son souvenir de petit garçon : son père tente de le faire travailler avec lui. Mais l'enfant ne fait jamais les choses correctement.

— J'étais une « complication » pour tenir ou retenir tel morceau de bois ou outil. Mon père disait : « Laisse faire », tout simplement, sans explication. J'étais un cas, un irrécupérable. Ça ne valait pas la peine d'essayer. Puis j'ai cessé de lui offrir de l'aider.

Plus tard cependant, pour ce père devenu hémiplégique puis aphasique, les choses ont changé.

— Curieusement, je suis devenu celui qui devinait le plus rapidement ce qu'il voulait dire et ses besoins. Il avait une carte avec les lettres et il pointait, une lettre après l'autre. J'étais le plus rapide à saisir ce qu'il demandait. J'étais remarquable ! La revanche du gaucher.

— Et le sentiment d'être maladroit ?

— Je l'ai conservé toute ma vie durant ! J'entendais des commentaires : gaucher, gauche, maladroit. Je ne possédais aucune dextérité manuelle, ce qui engendrait frustration et déception. J'ai donc évité, fui les situations où je devais affronter ma maladresse. Je me suis défini et identifié comme maladroit. Je n'ai jamais bricolé, fait de construction ou entrepris de réparation à la maison. Plus tard, j'ai eu le malheur ou le bonheur, c'est selon, d'avoir un beau-père qui savait tout faire. Je suis devenu le champion des *helpers*. Je créais une atmosphère agréable, et c'est lui qui faisait tout : je le regardais faire. Puis quand sont arrivées mes filles, j'ai eu le sentiment que de me voir monter un meuble IKEA constituait tout un spectacle, dont elles n'hésitaient pas à faire profiter leurs amies.

Ce doit être ça, la capacité du gaucher de tirer avantage d'une situation, de s'adapter, quoi ! Il poursuit.

— J'ai compris le plaisir d'être bricoleur. Par ailleurs, je ne répare rien à la maison : je ne fais ni électricité, ni plomberie, ni menuiserie. Cependant, je suis capable de faire de la peinture, du ménage et plein d'autres choses.

— Et les outils, alors ?

— Je me décris comme une nullité totale dans l'utilisation d'outils. Je me souviens très bien de ma première visite dans une boutique spécialisée pour gauchers. C'était à Londres. J'ai alors acheté une paire de ciseaux et un tire-bouchon pour gaucher. Cet outil a servi à des fins pédagogiques : il m'est souvent arrivé de l'offrir à un invité pour qu'il ouvre la bouteille de vin. Je me suis souvent amusé avec ça. Imaginez sa surprise quand je disais : « Tiens, vois-tu, c'est ce que les gauchers vivent tous les jours ! »

Tout au long de la discussion, Yves fait des gestes de la main gauche, il boit son café et il tartine de la confiture sur sa rôtie avec la main gauche. Il poursuit :

– Sans doute, j'ai compensé mon handicap en développant le goût et le talent pour l'écriture et la rédaction. J'ai eu envie d'analyser, d'exposer ma pensée par écrit. Quel plaisir de faire d'élégants rapports de groupe de travail. Je suis le scribe : j'aime concevoir. L'écriture, c'est le summum. Tu relis et s'il y a un trou dans ton jugement, tu le remarques. C'est le test crucial. Une fois sur papier, tu vois si c'est cohérent ou pas. Les gauchers ont peut-être développé par obligation une mentalité plus souple, une agilité à s'adapter.

– Les gauchers sont-ils plus intelligents ?

– Sur la table de travail d'un collègue gaucher, il y avait un écriteau où on lisait *Left-handers are genius*[1]. Ça m'a toujours fait sourire... et laissé perplexe.

– Et dans la vie de tous les jours, comment se comporte le gaucher ?

– Dans ma vie actuelle, être gaucher n'est plus un obstacle. J'en ai fait quelque chose de comique, d'agréable.

– C'est bien !

– Écoute ceci : l'an dernier, notre équipe de football au cégep jouait son match inaugural. On m'avait demandé en tant que directeur général de faire le botté d'envoi. Mais alors, quelle histoire ! Je ne savais pas quel pied utiliser. Étudiant, j'ai fait beaucoup de sport, entre autres du soccer, où l'on utilise régulièrement les deux pieds. Quand je faisais du football dans la ligue intercollégiale, je n'étais pas le botteur. Alors l'an dernier, quand on m'a demandé de réaliser le fatidique botté d'envoi du match, je me suis mis à m'exercer chez moi. C'était l'automne. Les pommes tombaient. Dans ma cour, j'essayais avec les deux pieds de botter les pommes, et ça marchait indistinctement des deux côtés. Je n'arrivais donc pas à trancher avec quel pied je devais botter ! La veille du match, je n'avais pas encore de solution. Et j'ai essayé quarante fois, quarante pommes. Puis j'ai opté pour le pied droit.

– Étonnant, le pied droit ?

– Eh oui ! Le jour du match, j'ai averti les invités que j'allais donner un spectacle. Peu de gens savaient de quoi il retournait. Ma particularité de gaucher n'est pas connue, et je n'ai jamais précisé cela en public ! Ce fut donc le pied droit. Un botté juste moyen. J'avais décrété que ce serait le droit. Le geste moteur fut le fruit d'une cogitation et j'en ai conclu : « Il est bon que je sache avec quel pied je botte. »

---

1. Traduction : Les gauchers sont des génies.

Je constate que le personnage verbalise, qu'il aime argumenter, préciser, jouer avec les mots. C'est ce qu'il a tenté de m'expliquer tout à l'heure.

— Dans les sports, je n'ai jamais eu d'hésitation. Avec les bâtons, c'est tout à droite, par exemple le golf, le hockey. Dans les sports de raquette, c'est le bras gauche. J'estime que les gauchers ont un avantage dans les sports puisqu'ils déroutent l'adversaire. J'ai été gardien de but au hockey. Je portais le gant biscuit dans la main gauche et j'attrapais la rondelle avec la main droite. J'ai aussi fait de la boxe avec la main gauche, mais de la boxe de sous-sol...

— Et la musique?

— Je me décris particulièrement nul à distinguer les sons, les divers instruments de musique et, pourtant, j'écoute beaucoup de musique et vais souvent au concert.

— La perception spatiale?

— J'ai souvent de la difficulté à m'orienter dans l'espace. Par contre, je suis excellent pour classer, utiliser l'espace. Par exemple, pour charger un coffre de voiture ou pour faire rentrer des boîtes ou des objets dans un camion de déménagement.

— Avez-vous des suggestions pour l'école?

— On doit laisser les enfants libres d'utiliser la main qu'ils préfèrent. Par contre, il est bien important d'avoir de la délicatesse dans les petites classes pour saisir et expliquer la différence.

— Que penser des statistiques au sujet du grand nombre d'accidents chez les gauchers?

— S'il c'est vrai que les gauchers ont plus d'accidents que les autres, je ne suis pas trop inquiet: ce sont les ennuis ou embêtements de ce monde fait pour les droitiers qui font mourir les gauchers plus tôt. La société est ainsi faite: tout doit se faire avec la main droite, même les petits gestes de la vie quotidienne. Je me souviens de ce collègue avec l'écriteau *Left-handers are genius*. Il se vantait aussi d'être un accidenté ambulant qui se cherchait un refuge. En effet, il avait eu plusieurs accidents d'auto. Pourquoi? Mystère.

— À table?

— C'est encore à table que j'ai le sentiment le plus vif de ma différence. Ce n'est pas un problème en soi, sauf que, dans un groupe, spontanément, cela constitue un facteur déterminant: tôt ou tard, c'est le rappel que la coordination des coudes avec le voisin n'est pas acquise d'emblée. Par contre, je n'ai jamais eu le sentiment d'être opprimé. Sans doute, mon humour a servi à quelque chose.

La discussion glisse vers le parcours professionnel : Yves a étudié en psychologie et son travail d'étudiant a été de donner des cours au cégep. Entrepreneur comme son père, il a ouvert à 26 ans un bureau de consultation avec un collègue.

– Il y avait deux annonces dans les pages jaunes en 1974. il fallait un certain culot, mais ça fonctionnait très bien. On abordait les problèmes un par un. Lentement, je me suis orienté vers l'approche behaviorale-cognitive. J'ai toujours été en contact avec un professeur chercheur à l'Université Laval. J'ai développé un véritable goût pour la recherche appliquée à la clinique. Puis mon travail au cégep a fait que la phobie des mathématiques a suscité mon intérêt : la mathophobie, le vrai mot. J'ai innové en établissant un programme de thérapie de groupe pour distinguer les idées fausses ou cognitions erronées, voire l'impuissance apprise selon les travaux de Martin Seligman. Donc la recherche appliquée en thérapie behaviorale-cognitive a été très populaire. J'ai obtenu des subventions de recherche et produit trois rapports qui ont été marquants dans le milieu de l'éducation : I. *La réussite en mathématiques : le talent n'explique pas tout*. Puis, je me suis intéressé à la physique, avec un nouveau rapport de recherche intitulé : *II. Réussir en sciences*. Et enfin le tome III : *Éduquer à la réussite*. Puis vers les années 1990, j'ai opté pour la direction pédagogique et l'an dernier, un autre défi, j'ai pris la direction générale du cégep.

Vers la toute fin de la rencontre, en véritables psys, nous nous interrogeons ensemble pour savoir si ses voies de recherche en thérapie afin d'identifier les failles cognitives dans l'étude des mathématiques et l'impuissance apprise n'ont pas été une forme de thérapie pour travailler... sa propre croyance qu'il était maladroit.

– Tiens, je n'y avais pas pensé !

Yves Brault

56 ans, architecte

---◄◦►---

« J'écris de la main droite, je dessine de la main gauche. Je crois franchement que j'écrirais mieux si j'écrivais de la main gauche. Pour moi, c'est nettement écrire à l'envers. »

---◄◦►---

Difficile à rejoindre, cet homme. Les préliminaires ont été longs mais agréables. Il m'expédie ce courriel.

Je dirige deux chantiers de construction, l'un à Montréal et l'autre dans les Cantons-de-l'Est. Cela dit, le meilleur moment pour me joindre est entre 6 h et 8 h du matin. Toutefois, je devrais être à mon bureau demain matin entre 8 h 45 et 10 h. Ces téléphones gouvernementaux ont un problème : lorsque je suis en conversation téléphonique, il n'y a aucun moyen de savoir si quelqu'un d'autre me réclame.

Et raffiné en plus. Quelques jours plus tard, un nouveau courriel : *J'ai aussi reçu par bélinographe votre questionnaire.* Je ne savais pas que des gens utilisaient encore ce vocable. Puis il signe : *Votre tout dévoué gaucher.* J'ai ri aux éclats en lisant. Enfin, les derniers détails logistiques sont en place.

Avant notre rencontre, Yves B. me laisse enfin savoir :

Je vous rappelle que je suis probablement plus ambidextre (ou ambivalent) que gaucher véritable. Si ce détail ne crée pas de problèmes dans votre étude, alors, comme disent les Américains, we're in business.

* * *

— Bien avant de commencer l'école, vers quatre ou cinq ans, je dessinais déjà avec la main gauche. J'avais une vieille tante gauchère qui

---

dessinait comme moi. J'étais le seul gaucher de la famille, qui comptait cinq enfants. Je me souviens que ma grand-mère maternelle n'acceptait pas du tout que je sois gaucher.

– Pourquoi donc?

– Pour elle, c'était un terrible défaut. Quand j'étais jeune, ça n'était pas de mise d'être gaucher. Ce n'était pas accepté. Nous étions comme des tarés. Il n'y avait pas tellement de tolérance. Heureusement pour moi, enfant, j'ai passé beaucoup de temps aux États-Unis chez ma tante et mon oncle qui étaient aussi mon parrain et ma marraine. Avant d'entrer à l'école, j'y passais six mois par année. Quand j'ai commencé l'école, j'avais deux types de vie: à Montréal, la vie urbaine, et le restant du temps, j'étais l'enfant unique, gâté, pourri, vivant dans la nature à apprécier le temps des foins, la pluie. J'ai bien aimé la vie au Connecticut chez cette tante et cet oncle-là...

– Pourquoi êtes-vous gaucher?

– Je n'en ai aucune idée. Tout ce que je peux dire, c'est que j'ai plus de dextérité de la main gauche que de la main droite. Est-ce une partie du cerveau qui est différent, je l'ignore.

– Et l'apprentissage de l'écriture, alors?

– J'ai appris à écrire de la main droite, parce que ça se passait ainsi à l'école. Je me souviens: quand j'ai commencé à écrire à l'école avec la main droite, je m'amusais à écrire à l'envers. C'était l'écriture du diable, comme dans les légendes du Moyen Âge.

– Et vous dessiniez déjà?

– J'ai toujours dessiné avec la main gauche. Très jeune, j'ai fréquenté les cours de beaux-arts pour les enfants le samedi matin, de 9 heures à midi. Je pense que j'ai même gagné des prix. On faisait travailler l'imaginaire des enfants avec de la gouache, de la pâte à modeler, de la terre à modeler.

– Avez-vous déjà eu le sentiment d'être différent parce que gaucher?

– Oui j'ai été différent, et ce, parce que j'étais rouquin. J'étais gaucher et rouquin. Le seul en 2e année, je me souviens. Et en plus je faisais partie des *nerds*.

– Quelles sortes d'études avez-vous faites?

– J'ai fait mon cours classique chez les Eudistes puis chez les Frères des écoles chrétiennes. Après, je me suis dirigé vers l'architecture à l'Université de Montréal. J'ai fait des stages à Saint-Louis au Missouri, à

Yale au Connecticut. Je me suis spécialisé dans l'aménagement intérieur résidentiel, d'abord dans des entreprises publiques, puis privées. J'ai travaillé particulièrement dans les bâtiments à caractère social : des écoles, des bâtiments industriels, des usines transformées.

— Peu d'architecture résidentielle ?

— L'architecture résidentielle est le parent pauvre dans notre société. Je suis d'ailleurs en train de rédiger une petite brochure, un essai dans lequel je dénonce le « caca » architectural après les années 1960. On a fait des bungalows !

— J'ai hâte de vous lire. Avez-vous déjà eu le sentiment que les gauchers ont des habiletés particulières ?

— Oui, tout à fait. J'ai l'impression que, comme gaucher, j'ai un sens de l'espace mieux développé. C'est fondamental.

— Avez-vous une habileté de l'une ou l'autre main ?

— Je mange de la main droite. Je dessine de la main gauche. J'écris de la droite. J'ai un associé au bureau qui a un bras en moins et il est devenu un gaucher forcé. Il a sa souris d'ordinateur à gauche. Quand je lui serre la main, je lui serre la main gauche avec ma main gauche. Pas de croisé... comme quand un droitier serre la main droite !

— Votre famille a favorisé les arts ?

— Oui, bien sûr, mais je me suis beaucoup amusé avec les jeux de construction. Mon père était horloger-bijoutier, homme d'une très grande dextérité. Il était droitier. Il a toujours favorisé les choses un peu farfelues. J'aimais beaucoup jouer avec les blocs. Nous faisions des maquettes en carton, en bois, et construisions des villes entières avec mon cousin et mon frère, sur la table de ping-pong au sous-sol. Puis nous faisions des guerres, des guerres aériennes avec des pétards, et nous détruisions nos villes !

— Les policiers ne sont jamais venus vous arrêter ?

— Mais non ! J'ai respecté les règles à l'école et les conventions sociales. Ainsi, d'ordinaire, je mange ma soupe avec la main gauche. Mais si je me trouve dans le grand monde, je mange alors avec la main droite, surtout si la nappe est blanche ! Mais chez moi, j'utilise ma main la plus habile, c'est-à-dire la main gauche.

— Et la musique ?

— J'ai eu une vocation tardive en musique. J'ai développé une germanophilie chronique par la découverte, dans mes jeunes années, de la musique de Richard Wagner. J'ai même appris l'allemand au Goethe

Institut ainsi qu'en Allemagne afin de bien comprendre les textes de ses opéras. Ensuite vint la culture, la poésie et tout le reste. La langue est remarquable, d'une richesse et d'une poésie méconnues. Je crois que sa structure syntaxique et grammaticale est pour quelque chose dans le développement de la philosophie et de la psychanalyse chez les germanophones. Il y avait de la musique chez moi, et j'ai découvert Bach à l'adolescence, vers 13 ou 14 ans. On m'a encouragé à jouer du piano, mais je n'ai pas poursuivi longtemps.

– Vous aimez les langues et les autres cultures ?

– J'ai toujours été ouvert aux autres cultures. Je lis l'italien. J'aime beaucoup l'architecture de la Renaissance italienne, comme à Florence. Je comprends l'espagnol, un peu de yiddish.

– Avez-vous des suggestions de modifications à apporter à l'école ?

– Faut-il faire des modifications à l'école ? Je ne sais pas si c'est encore un problème comme à notre époque. Il est important de ne pas traumatiser les enfants, d'être tolérant. Je crois franchement que j'écrirais mieux si j'écrivais de la main gauche. Pour moi, c'est nettement écrire à l'envers. Mais écrire avec la droite est plus pratique, parce qu'on écrit dans le bon sens.

– Dans votre métier d'architecte ou en construction, existe-t-il des spécifications pour les gauchers ?

– Il existe en architecture – dans les quincailleries tout comme dans les devis d'architecte – des « portes main gauche » et des « portes main droite ». Sur les plans, c'est toujours spécifié. C'est peut-être le seul contexte où on mentionne effectivement cette particularité.

– Employez-vous des instruments de gaucher ?

– Il existe des ciseaux de gaucher, mais je ne les ai jamais utilisés, car ils ne sont jamais de très bonne qualité. Au plan de la précision, ce n'est bon à rien. J'ai donc apprivoisé les instruments des droitiers.

– Que pensez-vous des statistiques selon lesquelles il y a plus d'accidents chez les gauchers, et qu'ils meurent plus jeunes ?

– Je ne sais vraiment pas. Je me souviens qu'en voiture, en Australie, j'ai beaucoup aimé conduire à gauche. Je me sentais parfaitement à l'aise, bien plus que mes compagnons. Je ne me suis jamais senti intimidé de conduire à gauche : c'était comme plus naturel.

– Dans la vie quotidienne, quand sentez-vous que vous êtes un gaucher ?

– C'est nettement à table que je vis ma différence comme gaucher. Je dois évaluer le contexte et choisir de quelle main je mangerai.

Yves Ricard

33 ans, chef pompier, pilote et instructeur de vol

« Je ne remarque jamais si quelqu'un est droitier ou gaucher. Par contre, la société en général nous considère un petit peu comme des êtres anormaux. »

Je partagerai le lunch avec Yves Ricard dans un restaurant casse-croûte pour camionneurs, à proximité de l'aéroport de Saint-Hubert. Il a un peu de temps libre entre deux leçons de vol. C'est une froide journée d'hiver : le temps est très clair, pas un nuage.

— Excellente journée pour le vol à vue, jette-t-il en m'abordant.

Je le laisse prendre place et commander son repas.

— Vers quel âge avez-vous compris que vous étiez gaucher ?

— Je pense que ça s'est fait graduellement, peut-être vers cinq ans. Je mangeais déjà avec la main gauche.

— Vous étiez le seul gaucher ?

— Il n'y avait pas de gaucher dans ma famille. Ma conjointe est gauchère. Nos trois filles, toutes les trois nées le 11 août...

— Ce n'est pas vrai ! Toutes les trois ?

— Oui, dont deux jumelles identiques. Elles grandissent. Nous les surveillons. Elles ont presque deux ans. On dirait bien que l'une d'elles sera gauchère. On dit que, chez les jumeaux, lorsqu'un est gaucher, l'autre est droitier. Je ne sais pas si c'est vrai[1].

---

1. Voir *Les années lumière*, SRC, première chaîne, « Jumeaux identiques ». Un auditeur se demande pourquoi l'un est droitier et l'autre gaucher. Pauline Vanasse explore la question de la latéralité chez les jumeaux homozygotes. www.radio-canada.ca/radio/lumiere/archives/archives2004/arc2004.html.

– Pourquoi êtes-vous gaucher ?

– Je ne sais pas. C'est un trait physique. Comment le savoir ? Je n'ai jamais pensé que ce n'était pas normal. C'est comme avoir les cheveux bruns ou blonds.

– À l'école ?

– À l'école, je n'ai pas vraiment eu de problème, sauf que j'ai eu plus de difficulté à apprendre l'écriture cursive. Les fameux cahiers avec la bosse dans le milieu ! Et puis, je me salissais les mains. J'ai appris à écrire la main surélevée, d'où mon sentiment précoce d'être un peu à part des autres.

– Vous avez développé ce sentiment ?

– Oui, quand j'ai dû apprendre à me servir des ciseaux. Ça ne marchait pas, je n'étais pas capable, ça fonctionnait mal, j'étais gauche. C'est très clair dans ma mémoire. Vous savez, le monde est adapté pour les droitiers, alors je me suis dit : « Il va falloir que je m'adapte ! » Très jeune, j'ai donc appris à me servir de mes deux mains. J'ai décidé que j'apprenais à me servir des ciseaux avec la main droite. Au début, c'était compliqué, mais de fil en aiguille – c'est le cas de le dire – j'ai progressé là-dedans. Un jour, j'ai essayé avec des ciseaux de gaucher, ce fut la catastrophe !

– Comment êtes-vous devenu pompier ?

– J'habite une petite municipalité rurale de 2 000 habitants environ. J'avais des amis pompiers volontaires qui m'ont invité à me joindre à eux. J'ai commencé en 1989. J'avais 20 ans. J'ai gravi lentement les échelons.

– Vous avez gravi les échelles de pompier...Vous êtes maintenant chef du service d'incendie. En quoi consiste votre travail ?

– Prévention et lutte contre les incendies. Mais nous faisons aussi du sauvetage et intervenons dans les situations d'urgence. En fait, quand les gens sont mal pris et qu'ils ne savent qui appeler, ils appellent les pompiers.

– Ah bon !

– Ce peut être dans les cas de déversement de produits dangereux, lors d'accidents de la route, pour désincarcérer les personnes, pour sécuriser les scènes d'accident.

– Et les sauvetages ?

– Oui, les sauvetages en hauteur...

– Pas juste les chats grimpés dans les arbres ?

– Bien non. Les personnes prises dans des endroits inaccessibles : les élévateurs à grains, en montagne, quand des gens escaladent une falaise sans équipement, et qu'ils sont incapables de monter ou de descendre. Ou encore dans les espaces clos : les ascenseurs ou les endroits où l'accès est restreint. Par exemple, les bouches d'égout, les puits d'accès de lignes électriques ou téléphoniques. Toutes les situations d'urgence.

– Dites-moi, pendant la crise du verglas, votre secteur ne s'est-il pas retrouvé à l'intérieur du triangle noir ?

– La municipalité d'Upton a manqué d'électricité pendant plus de trois semaines. C'était en 1998.

– Vous avez été beaucoup touchés ?

– Exact. Il a fallu faire de l'aide humanitaire, mais aussi de la prévention : vérifier dans les résidences les chauffages d'appoint et évaluer les risques d'incendie, d'intoxication au monoxyde de carbone[1]. Dégager les poteaux électriques ou les arbres qui barraient les routes.

– Il y avait danger d'électrocution ?

– Bien non ! Pas du tout : il n'y avait pas de courant, et c'était justement ça le problème !

– Ah ! J'avais oublié !

C'est vrai : il y avait panne d'électricité.

– Et dans les fermes, sauver le bétail ?

– Pas vraiment : la majorité des agriculteurs ont des génératrices.

– Dans les cas d'incendie, il a dû vous arriver de déplacer des animaux. Ce ne doit pas être facile.

– Une vache de 1 500 livres qui voit le feu est docile. Par contre, on évacue les animaux juste s'il n'y a aucun risque pour la vie des pompiers. Il y a malheureusement des pertes élevées en têtes de bétail dans les incendies à la ferme.

Le repas se déroule. J'observe qu'il mange la soupe chinoise avec la main gauche.

– Vous êtes aussi pilote et instructeur de vol. Vous avez développé l'habileté avec les deux mains ?

– Dans mon travail de pilotage, les deux mains travaillent : l'une sur le manche à balai, l'autre sur la manette des gaz. Pour un vol, si on

---

1. Voir Suzanne Déry, « L'intoxication au monoxyde de carbone », *op. cit.* : 235-240.

est instructeur, on s'assoit à droite. Quand on est pilote de vol, on est assis à gauche. J'ai donc appris à utiliser les deux mains.

— Comment êtes-vous devenu pilote ?

— J'ai commencé tard à m'intéresser à l'avion et à découvrir le plaisir de voler. Mon baptême de l'air s'est fait alors que j'avais huit ou neuf ans dans le petit avion d'un de mes oncles. J'ai aimé ça. À cette époque, je m'intéressais surtout à la mécanique.

— Ah oui ?

— Adolescent, je m'intéressais aux outils, aux machines, aux motos, aux VTT. J'ai été élevé à la campagne, et tous les voisins avaient des fermes. J'étais habitué à aider à ériger des bâtiments lors de corvées. Soit on construisait des garages, soit on agrandissait des étables. De fil en aiguille, j'ai beaucoup appris en construction.

— C'est loin de la vie dans les aéroports. Comment en êtes-vous arrivé à voler ?

— Ça s'est passé en 1997, lors d'un spectacle aérien à l'aéroport de Mirabel ; on pouvait faire des tours d'avion et le gars m'a dit : « Tu peux essayer. » J'étais aux commandes et j'ai atterri ! Je me suis rendu compte que j'aimais ça. Si c'était à refaire… J'ai suivi un cours en techniques agroalimentaires : j'ai passé juste deux mois à travailler dans mon domaine d'études. J'étais incapable de rester à l'intérieur. Impossible ! Puis j'ai travaillé comme camionneur. Vers 25 ans, j'ai commencé à prendre des cours de pilotage. Maintenant, je suis pilote et instructeur de vol. Il faut beaucoup de sous pour apprendre à voler, et j'ai commencé à avoir plus de sous quand j'ai gagné une Corvette aux États-Unis.

— Gagné une Corvette ?

— Oui ! J'étais allé avec des amis à Syracuse, dans l'État de New York. Je devais avoir 23 ans. Il y avait des courses d'autos. Un tirage était organisé par un magasin de pièces d'auto. On donnait des billets de promotion et j'ai rempli ça rapidement avec mon nom et mes coordonnées. Je ne savais pas trop ce qu'on gagnait. Pendant les préparatifs du tirage, j'ai eu le pressentiment que quelque chose allait se passer. Ils ont roulé sur la piste une magnifique Corvette jaune et j'ai dit à mes amis : « Vous allez voir, je vais gagner. » Ils m'ont pensé un peu fou.

— Je les comprends.

— Et mon billet a été tiré. J'ai gagné cette Corvette jaune, qui valait près de 50 000 dollars. J'avais flairé quelque chose. Peut-être que je suis un peu intuitif !

— Certains disent que les gauchers sont souvent intuitifs... Ont-ils des talents spéciaux ?

— Je pense que nous, gauchers, avons un talent pour l'adaptation à différentes situations.

— Quelles qualités requiert votre métier de pompier ou de pilote d'avion ?

— La maîtrise du stress, la débrouillardise, le jugement de la situation, la hardiesse. De fait, en aviation, il s'agit d'éliminer au maximum les risques : préparer le plan de vol, consulter la météo, inspecter l'avion, etc. Dans les situations de lutte contre les incendies ou de sauvetage, par contre, on travaille avec les risques pour diminuer le danger dans une situation souvent en constante aggravation. Sauver des vies en risquant le moins possible la sécurité des intervenants. Faire les bons choix, prendre les bonnes décisions en courant le moins de risques possible et en mesurant les conséquences.

— Vous aimez être gaucher ?

— Je suis bien content d'être gaucher. On est un petit peu différent, on est particulier. Je ne remarque jamais si quelqu'un est droitier ou gaucher. Par contre, la société en général nous considère un petit peu comme des êtres anormaux.

— Expliquez.

— Par exemple, si un gaucher mange à table à côté d'un droitier, celui-ci est correct, et le gaucher ne l'est pas !

— Dans le sport ?

— Je suis plutôt ambidextre. Au hockey, au base-ball et au golf, je joue comme un droitier, mais pour les sports de raquette, je suis gaucher. Je préfère l'œil gauche, l'oreille gauche et la main gauche, et j'applaudis vraiment comme un gaucher.

Ce qu'il me démontre. Les clients des tables voisines se demandent pourquoi il applaudit.

— Et que conseillez-vous à l'école ?

— Il est important de laisser faire les enfants, de ne pas les forcer à aller contre leur tendance naturelle.

— Est-il vrai que les gauchers ont plus d'accidents et meurent plus jeunes ?

— J'ai des doutes. Je suis un petit peu comme saint Thomas et sceptique dans bien des situations ! Je doute très souvent. Il me faut des preuves. Il y a des gens qui croient à l'astrologie. Pour ma part, ça ne me touche pas du tout.

Le repas terminé, Yves peut retourner donner un cours de vol à vue.

Yves S.

51 ans, ingénieur, golfeur appliqué

---◇---

*« Le temps passe. Pas de nouvelles des cours de golf.
Je demande à mon père : il me répond que le pro ne
veut pas me donner de leçons parce que je suis gaucher. Je ne comprenais pas cette boutade. »*

---◇---

— Comme je suis né en septembre[1], j'ai commencé la maternelle à cinq ans et je suis passé directement en 2ᵉ année par la suite. Il manquait de place du côté des garçons. On m'a donc intégré du côté des filles – une classe mixte – cette année-là. Mes sœurs venaient parfois me jouer des tours.

— Vous êtes resté longtemps dans cette section des filles ?

— L'année suivante – Dieu merci ! –, j'ai pu regagner le côté des garçons. On m'a demandé mon âge au début des classes, puis on m'a placé en 2ᵉ année. Après quelques instants, je me suis levé pour aller voir le directeur. Je lui ai expliqué que j'avais déjà vu tout cela : j'avais déjà fait la 2ᵉ année ! Il a compris et m'a redirigé alors vers la bonne classe. Je me suis d'ailleurs longtemps demandé pourquoi j'étais parmi les plus petits de la classe.... La normalité, pour moi, c'était mes compagnons de classe. Mon professeur de 6ᵉ année, comme d'autres, était découragé par mon manque apparent d'attention et l'excellence de mes résultats. Ma mère a tenté de lui expliquer : j'étais tout simplement comme cela.

---

1. La date butoir pour les admissions à l'école est le 30 septembre. Les enfants déjà âgés de cinq ans à cette date sont admis en maternelle. Les autres nés après le 30 septembre doivent donc attendre une année, car ils sont jugés trop jeunes. Il est possible d'obtenir une dérogation à ce règlement pour les enfants doués ou précoces, selon certaines conditions : évaluation par une psychologue scolaire ou un spécialiste du développement de l'enfant.

D'ailleurs, ce fut ainsi tout mon primaire. J'étais de petite taille. Imaginez, en 7e année, il y avait des garçons de 15 ou 16 ans dans ma classe, alors que moi, j'en avais à peine 11.

– Comment s'est passé l'apprentissage de l'écriture ?

– J'ai eu de la chance. À la maternelle, madame Larivière m'avait laissé faire avec la main gauche. J'ai entendu des grandes personnes échanger des idées à ce propos. Je me rappelle vaguement l'une d'elles y faire allusion et l'autre de répondre : « Il vaut mieux ne pas le forcer. » Je ne comprenais pas. Avec le recul des ans, je m'interroge : était-ce dû à mon sale caractère ou au fait que les mentalités étaient en train de changer ? Je ne saurais dire. Toujours est-il que j'ai pu apprendre à écrire de la main gauche.

– Ouf !

– Je me suis demandé à un moment donné pourquoi mon petit doigt de la main gauche était toujours bleu. Certains gauchers effectuent des contorsions épouvantables pour que leur main ne passe pas sur l'encre lorsqu'ils écrivent. Moi, j'avais pris l'habitude de garder ma main relativement droite en écrivant, mon petit doigt et le côté de ma main passaient sur l'encre avant qu'elle n'ait le temps de sécher. Plus tard, par contre, impossible d'écrire dans un cahier à anneaux à moins de me limiter au verso.

– Vous n'avez pas connu de problème, donc ?

– Attendez ! Mon père m'a initié au golf relativement jeune. Il m'informe un jour qu'il va demander au pro du Club de golf Royal Québec de me donner des leçons. Je suis bien content. Le temps passe. Pas de nouvelles des cours de golf. Je demande à mon père : il me répond que le pro ne veut pas me donner de leçons parce que je suis gaucher. Je ne comprenais pas cette boutade.

– Interdit aux gauchers !

– Je n'ai donc jamais suivi de leçons.

– Vous avez appris quand même ?

– Oui, et j'ai la prétention d'être un joueur respectable. Quelques années plus tard, les succès de l'Australien Bob Charles sur le circuit de la PGA (en français, l'Association des golfeurs professionnels) m'ont encouragé à rester du même côté de la balle. Je crois qu'il a déclaré plus tard dans un article : *The swing is the same*[1]. Le Canadien Mike Weir a d'ailleurs remporté le Master's cette année.

---

1. Traduction : L'élan est le même.

— Vous avez pratiqué d'autres sports ?

— J'en ai pratiqué plusieurs : base-ball, hockey, football, soccer, golf, tennis, course à pied, vélo, parachutisme, plongée sous-marine, ski alpin, ski de fond, patin à roues alignées. Je ne crois pas que les gauchers aient des habiletés particulières. Je me souviens toutefois qu'étant jeune, il était parfois difficile de me trouver un gant de base-ball, surtout les gants de receveurs. On avait beaucoup moins de choix.

— Pourquoi êtes-vous gaucher ?

— Je n'en ai aucune idée. Je n'ai aucune information particulière à ce sujet. Lorsqu'on me fait la remarque, souvent avec un certain étonnement, je réponds : « Léonard de Vinci était gaucher. »

— Vous n'aimez pas cela ?

— L'univers dans lequel nous évoluons représente la normalité. Ce que nous faisons naturellement n'a donc, de prime abord, rien d'exceptionnel. Lorsqu'on fait face à la différence, on peut en prendre conscience. Comme une culture différente de la nôtre.

— Que pense la société en général des gauchers ?

— Que c'est une espèce d'anormalité. Par contre, je proposerais les mesures suivantes à l'école afin de faciliter la vie aux gauchers.

— J'écoute.

— Permettre l'écriture de droite à gauche (n'est-ce pas le cas du japonais ou du chinois ?) ou encore d'écrire uniquement sur le verso des feuilles dans les cahiers, particulièrement lorsque la rainure centrale est trop épaisse. Enfin, avoir des cahiers d'exercice dans lesquels on ne répondrait que sur le recto des pages. Et laisser aller les enfants, mais leur faire prendre conscience de leur différence. Grâce à l'informatique, je n'écris pratiquement plus jamais à la main, alors je ne me rends plus compte de ma gaucherie. La différence a disparu.

Les gauchers dans l'entreprise : ceci n'est pas une blague

Un jour, je me présente au guichet de la Caisse populaire et j'entends la caissière faire la remarque :

— Ah, sapristi ! C'est la caisse de Diane, et la souris est du mauvais côté.

J'interviens :

— Comment se fait-il que la souris soit du mauvais côté ?

— Parce que Diane est gauchère.

— Qu'avez-vous contre les gauchers ? dis-je en blaguant.

— Rien du tout !

Elle sourit, gênée. Je lui parle alors de mon projet sur les gauchers. C'est ainsi que j'ai eu le rare plaisir de rencontrer plusieurs gauchers, tous employés dans cette succursale des Caisses Desjardins :

Réjean L.	David P.
49 ans, directeur général	31 ans, planificateur financier
Claire L.	Diane D'A.
42 ans, conseiller financier	52 ans, caissière

Il ne manque que le président du conseil d'administration, Michel D., un actuaire, gaucher lui aussi, qui passe les hivers en Floride.

« Je me souviens que mon père était souvent impatient. Il disait : "Maudit gaucher ! Je t'ai montré tout à l'heure comment faire. Pourquoi tu t'y prends de travers ?" Comme je trouvais mon père habile et comme je me trouvais malhabile ! »

La réunion se tient dans la salle du conseil d'administration de la Caisse populaire, le lendemain de la bordée de neige de la Sainte-Catherine. Atmosphère très fébrile, car tous semblent très heureux d'être là. D'entrée de jeu, je leur demande :

— Dites-moi d'abord quel a été votre sentiment ou votre réaction quand vous avez été invités à participer à cette rencontre de gauchers ?

David, le planificateur financier, s'exclame :

— Enfin, quelqu'un s'intéresse à nous, les gauchers ! Ça n'est jamais arrivé.

Voilà le cri du cœur du gaucher. Je suis amusée. J'ai l'impression d'être le général de Gaulle et je rétorque :

— Gauchers, gauchères, je vous ai compris !

Le climat est très cordial. Réjean, le directeur, entame la discussion.

— Quand je suis entré en 1re année, c'était chez les bonnes sœurs. Ce fut très difficile pour moi, car on ne voulait pas que j'écrive de la main gauche. Ça me contrariait vraiment, et je me suis mis à bégayer. Ma mère était très inquiète et ne savait pas quoi faire. Elle m'a amené voir le médecin de famille, le docteur Plante, qui pratiquait dans le comté de Bellechasse, à Armagh. Le vieux médecin a dit à ma mère : « Écoutez, madame, il n'y a pas de quoi fouetter un chat. On ne devrait pas le forcer à écrire de la main droite. Je vais préparer un petit mot pour la directrice de l'école et nous verrons bien. » Croyez-le ou non, après deux jours, j'avais cessé de bégayer.

— On entend souvent dire que les gauchers contrariés peuvent se mettre à bégayer. Votre expérience en témoigne !

— Plus tard, quand j'ai commencé à jouer au base-ball, c'était difficile, car il n'y avait pas de gant de gaucher. Je me souviens que ma grand-mère, qui était américaine, m'a donné un cadeau. Elle avait acheté aux États-Unis un gant de base-ball pour gaucher. J'étais très content.

Il poursuit.

— Mon père était menuisier-charpentier. J'ai beaucoup souffert, car les outils étaient évidemment tous pour droitiers. Prenez la scie ronde : quand je l'utilisais, j'avais la lame sur le bord de la cuisse et je devais faire très attention pour ne pas me blesser. Mon père était souvent impatient. Il disait : « Maudit gaucher ! Je t'ai montré tout à l'heure comment faire. Pourquoi tu t'y prends de travers ? » Comme je trouvais mon père habile et comme je me trouvais malhabile !

David intervient à son tour :

— La scie à chaîne est un outil dangereux. Mon frère était habile à travailler le bois. Mais pour ma part, je n'y ai jamais pris de plaisir, car en comparaison, j'étais bien plus malhabile que lui. C'est dommage pour l'estime de soi. Par contre, en chimie, en finances puis en musique, j'étais très bon.

— Existe-il des talents ou habiletés spécifiques aux gauchers ?

Il répond :

— J'ai souvent entendu dire que les gauchers sont plus intelligents, qu'ils ont un quotient intellectuel plus élevé. Je ne sais pas. Par contre, le monde scientifique ne s'est pas forcé. Il m'est déjà arrivé de chercher dans Internet et je n'ai vraiment pas trouvé grand-chose. La société a plus de curiosité qu'un véritable intérêt pour les gauchers.

Réjean prend encore la parole :

— Évidemment, pour l'écriture, si on garde le crayon dans la main gauche, ça cause problème surtout avec de l'encre. Plusieurs ont appris à écrire sans inverser le poignet. Il faut apprendre à écrire sans salir la feuille, ce qui n'est pas toujours facile. Non, mais on peut y arriver. Regardez : je viens de signer 1 100 cartes de Noël avec la main gauche et elles sont toutes propres. Il s'agit de souffler à mesure sur l'encre pour qu'elle sèche vite !

— Que pensez-vous des statistiques qui disent que les gauchers ont plus d'accidents et meurent plus jeunes ?

David répond :

— Je ne crois pas à ça. Par contre, s'il y a plus d'accidents de travail, c'est que les outils sont plus dangereux. Même chose en conduite auto-mobile : les voitures qui ont une transmission manuelle posent problème, car la main la plus habile ne se trouve pas sur le bras de changement de vitesse.

— Dans le sport ?

— Il arrive souvent qu'on ne choisisse pas les gauchers, surtout si on n'a pas d'équipement pour eux. Tout jeune, je ne pouvais pas jouer au base-ball parce que je ne lançais pas de la droite. Je ne pouvais pas faire partie de l'équipe. Pour la pêche, même problème avec la canne à pêche. Quand j'allais en bateau avec mon beau-père, il me disait tout le temps que je n'attachais pas la chaloupe du bon bord : et en plus, je ne faisais pas les nœuds à son goût !

— Quelle est selon vous la perception de la société en général à l'égard des gauchers ?

Réjean, de nouveau :

— Il me semble que l'intérêt est de plus en plus positif. Mais les gens oublient que les gauchers existent. Dernièrement, nous avons fait des aménagements à l'étage de l'administration. Sans m'en rendre compte, j'ai choisi une poignée de porte de gaucher. Les gens me disent qu'elle est posée à l'envers : lorsque des personnes entrent avec moi dans le bureau, ils n'arrivent pas à ouvrir seuls la porte, car la poignée tourne du mauvais bord, pour les droitiers. Ça m'amuse beaucoup. Pour moi, c'est très facile avec la main gauche, mais les droitiers n'y arrivent pas. Si vous me permettez, je vous montrerai tout à l'heure, et vous essayerez.

— Dans votre établissement, comment cela se passe-t-il ?

— Aux guichets, évidemment, les crayons sont à droite. Ce fut compliqué avec les achats : j'ai demandé au fournisseur que les cordes soient plus longues. Mais ce fut quasi impossible. Finalement, nous avons convenu qu'il faudrait deux crayons par guichet.

Diane, la caissière gauchère, enchaîne à son tour.

— J'étais gauchère, mais à l'école... j'ai dû me convertir en droitière : j'ai reçu des coups de règle. Alors, j'écris avec la main droite. Cependant, pour la souris, je suis bien plus à l'aise si elle est à gauche. Par chance, il n'y a eu aucun problème ici à la succursale : j'ai juste demandé d'avoir la souris à gauche. On a fait les aménagements. Je dirais même que c'est avantageux puisque certaines gauchères viennent travailler à ma place et la souris est là, à gauche. Il s'agissait de le demander. Avant, dans une succursale de banque que je ne nommerai pas, j'ai eu moins de chance. J'étais, paraît-il, la seule gauchère sur quarante personnes. Je me suis sentie bien seule et incomprise... Par contre, ici, on a été très ouvert pour fournir l'environnement de travail propice aux gauchers.

Le directeur de la Caisse abonde dans le même sens :

— On y gagne, comme employeur, à bien installer le personnel, afin que les gens soient dans le meilleur environnement possible et se sentent à l'aise.

Claire intervient :

— Un autre outil n'est pas fait pour les gauchers : le clavier, car la calculatrice se trouve à droite.

— Dans la vie quotidienne, à la maison ?

— À la cuisine, quand il s'agit de trancher le pain ou encore si on place le jambon sur la table, il tourne de bord quand chacun se coupe un morceau : tous à la maison ne sont pas gauchers comme moi.

La rencontre terminée, Réjean me conduit dans son bureau et referme la porte : je dois m'en sortir seule, en tournant la poignée de porte. Ce que je réussis sans effort, avec la main droite, puisque je ne suis pas gauchère. Je suis confondue, Réjean aussi. Je ne peux expliquer comment j'y suis arrivée. Aux innocents les mains pleines !

Les gauchers
et les savants

Claude M.-J. Braun

50 ans, professeur titulaire et chercheur en neuropsychologie[1] au Centre de neurosciences de la cognition (CNC), Département de psychologie à l'UQÀM

————— ◇ —————

« Notre société considère que les gauchers sont mal-habiles. Elle veut en faire des droitiers en pensant à tort qu'ils seront moins gauches ! »

————— ◇ —————

J'ai rencontré le professeur Braun dans un restaurant italien de la rue Saint-Denis. Claude Braun est un spécialiste de l'asymétrie cérébrale et fonctionnelle. Dans son dernier ouvrage, tout un chapitre traite de ce sujet. J'ai pensé le rencontrer, car ses propos ou écrits sont savants et touffus pour le commun des mortels. Il a accepté de répondre à mes questions pour faciliter un peu la compréhension du phénomène de la gaucherie et de ce que les différentes recherches récentes sur le sujet ont apporté comme information. En jeans et veston, *look* à la Claude Dubois. Pas du tout le physique de l'emploi quand on regarde son profil de carrière, le nombre et l'importance de ses publications.

— La dominance manuelle reste un sujet de fascination en neuro-psychologie.

---

1. Ses plus récents ouvrages : *L'évaluation neuropsychologique*, Décarie éditeur, Montréal, 1997, 419 p., et *Neuropsychologie du développement*, Flammarion Médecine-Sciences, Paris, 2000, 491 p.

— Et pourquoi donc ?

— Au départ, il y a une question pratique : doit-on ou non forcer les jeunes à devenir droitiers ?

— J'aimerais que nous en discutions plus tard.

— Puis, deux autres raisons. Primo, c'est un trait spécifiquement humain qui résulte d'un ensemble complexe de causes que je décrirais ainsi : facteurs héréditaires, endocriniens, complications périnatales, effet des conditionnements sociaux. Les animaux sont ambidextres dans la plupart des circonstances. Secundo, la dominance manuelle semble être liée très faiblement — tous en conviennent — à des phénomènes aussi complexes et subtils que le risque d'attraper certaines maladies immunitaires, les talents spéciaux, le sexe, la dyslexie, le bégaiement et l'autisme.

— Tout un programme !

— Or, aucun de ces liens n'a encore été élucidé à ce jour. Tout contribue à maintenir l'engouement des scientifiques pour la recherche détaillée des causes du phénomène de la dominance manuelle.

— Je vous écoute.

— On sait qu'il y a plus de garçons gauchers, c'est-à-dire 1,3 pour 1 fille. Les gauchers ont le corps calleux plus performant, plus efficace. Par exemple, les mesures de la réponse motrice à des stimuli visuels indiquent que les gauchers sont plus rapides de un à deux millisecondes. Dans un sport comme l'escrime où l'intégration visuo-motrice est importante, ou d'autres sports, ils ont un avantage incontestable. Comme leurs deux champs visuels intègrent plus rapidement l'information et la transmettent en traversant le méridien qu'est le corps calleux, cela a comme conséquence qu'ils excellent par rapport aux droitiers. Cela a été mesuré empiriquement. Ils sont donc supérieurs quand il s'agit de faire parler les deux hémisphères entre eux plus rapidement. Dans les sports comme l'escrime, le base-ball, le hockey et le badminton, c'est admis, ils présentent un avantage. Cependant, dans un sport comme l'haltérophilie, cela n'a rien à voir.

— Les gauchers sont-ils différents ?

— Si les gauchers se perçoivent comme des êtres différents, c'est un artefact. Quand on suggère une différence possible, automatiquement on se perçoit différent. Ça me rappelle une expérimentation qu'une professeure avait faite quand j'étudiais à l'Université d'Ottawa. Elle avait demandé aux étudiants de la classe un spécimen d'écriture. Puis, au cours suivant, elle avait fourni à chacun une étude graphologique individualisée de son spécimen d'écriture. Chacun s'était reconnu dans cette analyse qui reconnaissait que le sujet était un être sensible, un artiste et qu'il avait vécu durant son adolescence des difficultés d'ordre psychologique.

— Ah bon ! Vous y avez cru ?

— Attendez, vous allez rire. Surprise dans toute la classe quand elle a révélé que tous les étudiants avaient reçu la même analyse graphologique.

— Coup de poignard !

— De fait, tout le monde se considère sensible, artiste, et chacun a vécu plus ou moins des événements difficiles à l'adolescence. Donc, c'était tout à fait non valide comme mode d'approche ou d'étude du phénomène. Il faut être prudent dans ses conclusions.

— Y a-t-il une corrélation entre le fait d'être gaucher et certains problèmes d'apprentissage ?

— Il existe un lien incontestable entre la sinistralité et le bégaiement. Il y a plus de bègues gauchers.

— Que penser de cette hypothèse selon laquelle l'hémisphère droit, hémisphère soi-disant plus spatial, serait plus développé chez les gauchers, ce qui aurait comme conséquence qu'ils soient plus souvent des artistes, des ingénieurs, des architectes ?

— C'est plausible.

— Sans plus ?

— Sans plus, ajoute-t-il avec un sourire narquois.

— Vous notez dans votre dernier livre qu'aucun parent n'encourage le fait d'être gaucher chez son enfant[1]. Y a-t-il selon vous des désavantages à forcer un gaucher à écrire de la main droite ?

— C'est mauvais de forcer le transfert. On condamne ainsi le sujet à être éprouvé, moins habile pour le restant de ses jours !

— Quelles sont les dernières statistiques au sujet de la spécialisation hémisphérique et le langage chez le gaucher ?

— Le tiers des gauchers a le langage situé à droite, dans l'hémisphère droit. Comme ils sont 10 % de la population, ça fait donc 3 % de la population qui utilise l'hémisphère droit pour le langage.

— Pourquoi est-on gaucher ?

---

1. Claude Braun, *Neuropsychologie du développement, op. cit.*: 123.

— Oh là là, toute une question ! Difficile d'y répondre en quelques mots.

— Essayez tout de même.

— Il y a d'abord le modèle génétique, celui du *right shift* de Annett[1]. Elle parlait du gène de la dextralité. Elle croyait que la dominance manuelle gauche était le résultat du hasard. Le gaucher phénotypique représente selon elle la moitié de la progéniture de parents dépourvus du gène de la dextralité. Sa théorie a été contestée, et elle a modifié un peu son modèle génétique. Mais de plus en plus de données scientifiques appuient incontestablement la notion selon laquelle la dominance manuelle est fortement déterminée par l'hérédité.

— Y a-t-il d'autres causes ?

— Des lésions dans la zone motrice vont apporter une gaucherie pathologique. Normalement, ces sujets auraient dû être droitiers, et un accident fortuit a fait qu'ils ont été des gauchers.

— Il y aurait également une cause hormonale ?

— Oui, effectivement[2], mais il y a également beaucoup de circonstances culturelles qui influencent énormément le choix de la main dominante.

— Y a-t-il selon vous des métiers où les gauchers excellent ?

— Je dirais les métiers où la coordination et l'intégration visuelle à haute vitesse sont nécessaires, comme, par exemple, euh... opérateur de grue : idéal pour un gaucher.

— Mais peut-être que la manette et le levier seront mal placés pour les gauchers... Que pense la société des gauchers ?

— On retrouve encore des vestiges de la sinistralité vue comme un stigmate. La société considère que les gauchers sont malhabiles. Elle veut en faire des droitiers en pensant à tort qu'ils seront moins gauches !

— Les gauchers ont-il des habiletés spéciales en musique ?

— Aucune idée.

— Y a-t-il des modifications à faire à l'école ?

— Je crois que oui. Pourquoi ne pas faire la même chose que pour les handicapés ? Maintenant, on vote des lois pour qu'il y ait des rampes d'accès. Qu'est-ce que ça coûterait à la société d'adapter les tables, de fournir des ciseaux à 10 % de la population...

---

1. *Ibid.* : 123.
2. *Ibid.* : 160-161.

– Selon vous, comment se passe la vie quotidienne des gauchers ?

– Ils semblent parfaitement normaux. Je le remarque juste lorsque je joue au billard.

– Selon vous, si les gauchers pouvaient le faire, choisiraient-ils encore d'être gauchers ?

– Vous touchez à ce qu'on appelle l'attachement identitaire. Je crois que la majorité des gauchers répondront affirmativement. N'est-ce pas ce que vous avez retrouvé ?

– Effectivement, presque tous choisiraient de nouveau être gauchers.

Luc Bégin

57 ans, professeur régulier à l'UQÀM au Département des sciences de l'éducation et de la pédagogie, psychologue et conseiller d'orientation[1]

« Parfois, j'ai des gens dans mon bureau et, lorsqu'ils s'en vont, ils ne savent plus localiser la gauche ou la droite. Je crois que mon mode d'approche court-circuite l'hémisphère gauche. »

C'est une gauchère, Nadine, qui m'a mise sur la piste de ce chercheur, auteur d'un inventaire d'intérêts encore utilisé dans la fonction publique canadienne. Il enseigne depuis plus de vingt ans à l'UQÀM. Je le rencontre au pavillon de l'Éducation dans un minuscule bureau attenant à son laboratoire de recherche. Il y règne tant de désordre qu'il craint que cela me fasse peur.

– Je suis la moitié d'un gaucher. J'utilise l'œil gauche, l'oreille gauche, le pied gauche, et je suis gaucher au golf. Je fais tout de la main gauche, sauf écrire : j'écris comme un droitier. Pour cette raison, je me dis une moitié de gaucher. Mais je suis convaincu que mon style cognitif a tout de celui du gaucher. Je fonctionne en gaucher, mon mode d'approche est celui de l'hémisphère droit.

– Pouvez-vous expliquer ?

– J'ai toujours privilégié la globalisation. J'ai construit *L'épreuve Groupements* pour diagnostiquer les troubles identitaires. Je propose une épreuve de catégorisation, une opérationnalisation de la théorie psychogénétique de l'identité.

---

1. Auteur de *L'épreuve Groupements : administration et cotation* (épuisé) ; *L'Identité du Moi : l'approche psychogénétique et ses applications*, Éditions d'Arc, 1987, 1990 et 1993 ; *Reconstruire le sens de sa vie : le changement thérapeutique*, Éditions Nouvelles, 1998.

– Parlez-moi de vous et, lentement, nous en viendrons à votre théorie. Vous disiez que vous aviez un mode de pensée de l'hémisphère droit ?

– Je fonctionne par analogies, par métaphores. Je prends toutes sortes de données et je les intègre, je les organise. Souvent, je confonds mes étudiants durant les cours. Je suscite chez eux une réflexion intense. Ma pensée intégrative les confond. Après le deuxième ou le troisième cours, ils ont mal à la tête. Je vois bien qu'ils ont les yeux qui regardent au plafond. Plus rien ne bouge. Ils n'ont plus de repères. De même, parfois, j'ai des gens dans mon bureau et, lorsqu'ils s'en vont, ils ne savent plus localiser la gauche ou la droite. Je crois que mon mode d'approche court-circuite l'hémisphère gauche.

– Comment se fait-il que vous soyez une moitié de gaucher ?

– Je crois que j'ai pris modèle sur mon frère aîné. Nous étions onze enfants chez moi, je suis le septième et mon frère aîné, Grégoire, était mon modèle, mon héros. Je lui ressemblais. Il était gaucher. J'avais beaucoup d'admiration pour lui : il a été chirurgien et se trouve maintenant à la retraite. J'aurais aimé faire les choses comme lui. D'aussi loin que je me rappelle, j'ai toujours su que j'étais « un côté gauche ». Mais j'ai commencé à écrire avant d'aller à l'école et je regardais faire ma sœur droitière ; c'est ainsi que j'ai appris. J'ai souvent appris les choses par moi-même en imitant les autres.

– Les psychologues appellent ça le *modeling*. C'est un mode d'apprentissage très efficace.

– Je fais donc tout de la main gauche, sauf écrire.

– Intéressant. Vous avez fait du sport ?

– J'ai fait beaucoup de sport et je suis gaucher dans tous les sports. J'ai joué au hockey, au base-ball, au basket-ball : je lançais le ballon dans le panier avec la main gauche. Je jouais à la défense. J'ai adoré le football. J'ai aussi joué à la crosse au collège, chez les Jésuites. J'ai été lanceur de poids. J'ai fait le triple saut. Je faisais de l'athlétisme. J'utilise de préférence la main gauche.

J'ai retrouvé l'autre jour un ancien collègue d'université gaucher au magasin d'alimentation, en remarquant qu'il choisissait les tomates en tâtant la marchandise avec la main gauche.

– Je tâte moi aussi les tomates avec la main gauche, et pas juste les tomates ! Au lit, je suis gaucher. Je porte aussi les bébés du côté gauche. Je suis un endormeur de bébés.

– Vous avez fait de la musique ?

— J'ai fait de la guitare classique. J'ai payé mes études en enseignant la guitare.

— Vous jouiez comme un gaucher ?

— Pas du tout. Quand je vivais à Mexico, j'allais voir Moreno qui jouait du flamenco et j'ai appris la guitare tout seul. Pendant des années. Je voulais comprendre. Ça me fascinait. À la fin de mes études en psychologie, j'ai été accepté au Conservatoire de musique. Mais je n'y suis pas allé parce qu'on m'offrait un emploi dans la fonction publique fédérale, à Ottawa.

— Vous avez vécu à Mexico ?

— J'ai d'abord étudié l'archéologie à Mexico, puis j'en suis venu à l'anthropologie. Pour cerner davantage la dimension individuelle, j'ai ensuite étudié en psychologie. Je m'intéressais à la psychologie génétique. Lors de ma maîtrise en psychologie, j'ai construit une épreuve sur les opérations mathématiques, qui s'appelait *Le partage*, avec le professeur Gérald Noelting, à l'Université Laval. C'est un peu en raison de cette expérience que mes patrons à Ottawa m'ont demandé, en 1973, de mettre au point l'*Inventaire canadien d'intérêts professionnels*.

— Vous avez donc été fonctionnaire à Ottawa ?

— Oui. Pendant dix ans, j'ai travaillé et conçu cet instrument pour en arriver à la conclusion, en juin 1982, que tous les instruments de mesure des intérêts ne peuvent servir qu'aux gens qui n'en ont pas besoin !

— Oh là !

— C'est donc dire que je me suis fait hara-kiri en détruisant mon propre instrument ! J'ai présenté mes conclusions de recherche à Sherbrooke, en 1982, au congrès de l'Ordre des conseillers d'orientation, ce qui a eu un impact énorme : je venais dire aux conseillers d'orientation professionnels que l'outil conceptuel qu'ils utilisaient – donc le mien – était, à toutes fins utiles, i-nu-ti-le.

— Votre côté zen. Comme ces moines bouddhistes qui travaillent des jours et des semaines à un *mandala* en sable coloré pour le détruire ensuite. Tout n'est qu'éphémère.

— Mais je n'ai pas vu cela comme ça à l'époque, je vous prie de me croire ! Je faisais un grand virage...

— Et vous avez délaissé la psychométrie.

— Effectivement, je me suis mis à étudier la façon dont se développe l'identité ou, en termes savants, les fondements cognitifs du développement de la fonction identitaire. J'ai donc travaillé à ce nouvel outil qui, au-delà des symptômes, permet de détecter les difficultés identitaires des personnes.

Il manipule depuis le début de notre discussion une pile de trente-sept petits cartons sur lesquels des phrases sont écrites. Il voudrait que je les catégorise en déterminant moi-même les critères de catégorisation. Mais l'entretien sera déjà terminé avant que je m'y mette. Le temps sera trop court.

— Vous croyez que les gauchers sont plus souvent des artistes ?

— Je ne sais pas. Pour ma part, je ne me considère pas du tout artiste. Par contre, je me suis toujours senti à part des autres. Mes parents me le disaient et ils m'appelaient « le pelleteux de nuages ». Dans mes réflexions théoriques, maintenant, demandez à mes collègues : je contredis toujours ce qu'ils disent, je suis constamment à contre-pied de ce qu'ils soutiennent.

— Croyez-vous détenir des habiletés dans l'exercice de votre métier du fait que vous soyez, euh... une moitié de gaucher ?

— Je crois que mon mode d'intervention psychologique fait que j'arrive à régler des problèmes qui se sont souvent montrés résistants à l'intervention. Je suis intuitif. J'ai parfois l'impression d'être un Martien parmi mes collègues. Je forme les jeunes à intervenir de façon différente. Je n'ai jamais perçu la réalité de façon linéaire. L'identité n'est pas un objet. Elle se construit. Elle n'est pas fixe ou statique. Nous évoluons grâce à nos contacts avec les autres.

— On a dû vous dire que vous étiez une cible mobile, une *moving target* ?

— Souvent.

— Y a-t-il des gens qui ont refusé votre mode d'approche ?

— Souvent. J'ai d'abord été refusé au Collège des Jésuites, en anthropologie à Mexico, en psychologie à l'Université Laval, au Département d'orientation à Ottawa.

— Et comment vous y êtes-vous pris alors ?

— J'ai la tête dure et je leur démontrais qu'il y avait une autre façon de faire et d'aborder les choses.

— Vous avez produit plusieurs ouvrages.

— Le dernier est une collaboration avec deux conseillers d'orientation, Michel Bleau et Louise Landry, *L'École orientation : la formation de l'identité à l'école 2000*[1].

---

1.   Aux Éditions Logiques.

— Pensez-vous qu'on doive faire des modifications à l'école pour les gauchers ?

— Laissez-les vivre. On ne va tout de même pas forcer tous les droitiers à écrire de la main gauche ! Dommage, parce que l'hémisphère droit, c'est l'hémisphère de la chaleur humaine.

— Dans quelle situation de la vie quotidienne avez-vous le plus l'impression d'être différent ?

— Dans mon travail, on me le fait sentir. J'entends des remarques des collègues, c'est courant. Je m'y suis fait. Pourtant, j'ai rencontré souvent des étudiants sur le point d'abandonner leurs études qui ont été touchés par mon approche.

— Est-ce que vous adhérez au Mouvement de libération des gauchers ?

— Je suis prêt à y adhérer n'importe quand.

— Avez-vous rencontré des gauchers remarquables ?

— Oui, un théoricien de Californie avec qui j'ai été en contact : David Tiedeman.

Il doit déjà se sauver. Le temps a filé trop vite. Je n'ai pas pu classifier ces trente-sept cartes qu'il a brassées sous mon nez pendant tout cet entretien. Tout de même, il osera ouvrir la porte de cet autre bureau pour y prendre sa veste avant de sortir : un espace non rectangulaire, tout en angles, avec des feuilles et papiers épars, des piles de livres, rien d'anormal. Il a l'air déçu de ma réaction.

— Je suis incapable de penser quand tout est trop en ordre.

La leçon des gauchers

J'ai fait le tour du monde des gauchers. Neuf mois de voyage, une cinquantaine de papillons dans mon filet, âgés de 11 à 86 ans.

Tranches d'âge	Nombre	Gauchers
Moins de 15 ans	2	Sophie et Étienne
Entre 15 et 25 ans	5	Xavier, Sara, Laurence, Julie, Danny
Entre 25 et 35 ans	8	Marie Robert, Mariouche Gagné, Jean-Francois Bergeron, Danielle Martin, Yves Ricard, Claude Léveillé, David (Caisses populaires), Julie T.
Entre 35 et 45 ans	9	Denis Latulippe, Simon Pelletier, Pierre Beaudry, Jean, Nancy Gauthier, Claire (Caisses populaires), Myra, Marie-Charlotte, Marc Deshaies
Entre 45 et 55 ans	12	Diane (Caisses populaires), Nadine, Marie N., Josée, Annick Mascagne, Yves S., Réjean (Caisses populaires), Pierre Gaudreault, Guy, Gary Luskey, Daniel Laskarin, Rémy Kurtness
Entre 55 et 66 ans	13	André F. Gagnon, Benoît Bouchard, Claude Godin, Jean-Claude, Jean-Pierre, Terry Mosher, Robert Turcotte, Victor-Lévy Beaulieu, Yves Beauchemin, Yves Brault, Mia Anderson, France Fontaine, Mireille Morency
Et notre aïeule 86 ans	1	Charlotte
TOTAL	50	

Que m'ont-ils appris?

La vie est un peu plus dure quand on est gaucher. Rares sont ceux qui aiment entendre les remarques ou les commentaires : « Ah ! Vous êtes gaucher » ou « patte gauche ». Certains se perçoivent comme différents, d'autres pas. Certains se perçoivent artistes ou créateurs, d'autres pas du tout. Certains sont adroits, d'autres gauches ou malhabiles : le registre va du plus gauche au plus adroit. Les outils ne sont pas conçus pour les gauchers. Par contre, tous ont appris à les manipuler avec plus ou moins d'adresse, puisque le monde est fait pour les droitiers. Certains aiment entendre ou croire qu'ils sont plus intelligents, d'autres pas. Quelques-uns distinguent mal la droite et la gauche. Plus on est âgé, plus la répression a été forte à l'école où on a tenté de les « droiter ». C'est dans les gestes de la vie quotidienne que leur gaucherie est toujours présente : à table, avec la calculatrice, le stylo à la banque, les poignées de porte...

Il persiste une grande constante : ils ont une capacité d'adaptation remarquable, ce qui les rend sans doute plus ou moins supérieurs aux droitiers.

Enfin, j'ai compris. J'ai mis du temps. J'ai acquis une conviction : les vrais gauchers n'existent pas, sans quoi ils seraient déjà morts !

À l'origine du projet...

Tout a commencé, si l'on peut dire, au printemps 1993, à l'Expo-Sciences régionale du Saguenay–Lac-Saint-Jean, où j'ai passé un dimanche après-midi avec ma fille qui entamait son cours secondaire. On dit que les jeunes ont besoin de modèles d'identification. Quoi de mieux que de jeunes scientifiques pour donner le goût du dépassement? Nous discutons avec l'un des exposants à son kiosque: il nous séduit par son enthousiasme. À 15 ans, il est en 5ᵉ secondaire et il remportera le premier prix pour son travail intitulé: «Être gaucher: un handicap?» Intéressant. On sait que la première question qu'un neuropsychologue demande à un patient est bien: «Êtes-vous droitier ou gaucher?»

Quelques jours plus tard, j'envoie un mot de félicitations au lauréat et réclame copie de son ouvrage, qu'il me fait parvenir en octobre. Voici sa lettre:

> *Il me fait plaisir de vous offrir cette copie de mon rapport de projet (notice condensée qui résume un document de 118 pages), lequel a été soumis au jugement des divers niveaux de compétition scientifique auxquels j'ai participés. {...} Au-delà de mon implication dans les expo-sciences {...}, je m'intéresse énormément à la psychologie. J'aimerais me diriger dans ce secteur pour mes études universitaires et subséquemment travailler comme neuropsychologue en recherche. Je souhaite énormément vous rencontrer ainsi que d'autres imminents [sic] chercheurs afin de recueillir des informations en ce qui concerne le cheminement pédagogique menant à cette spécialité et découvrir le progrès auquel contribuent les neuropsychologues d'ici. J'aimerais discuter avec vous afin d'alimenter la propension qui m'anime et orienter mes ambitions professionnelles.*

Oh! Quinze ans et déjà si déterminé! Je suis aussi impressionnée par son texte, les ouvrages qu'il a consultés, et sa démarche de recherche. En novembre, il est de passage à Québec, et j'ai idée de le mettre en contact avec des collègues psychologues ou chercheurs en psychologie réunis au congrès de la Société québécoise de recherche en psychologie (SQRP).

Dix années ont passé.

En entamant la préparation d'un ouvrage sur les gauchers, mon premier geste a été de sortir du placard le texte primé. J'y retrouve les coordonnées du gagnant de la palme d'or. Le jeune homme est maintenant âgé de 26 ans, avocat fiscaliste et nouvellement marié. Il habite Montréal et fait partie d'un grand bureau d'avocats. Je communique avec l'intéressé : conversation animée que ces retrouvailles !

– J'avais remporté le premier prix en 1992 pour un ouvrage sur la pomme de terre. Au moment d'aller recevoir mon prix, je portais pour la première fois un complet avec une cravate. Mon père gaucher était incapable de m'apprendre comment faire mon nœud ! Je fus très frustré, jusqu'au moment où ma mère, qui n'avait jamais fait de nœud de cravate, s'est fait expliquer par mon père comment faire un nœud en gaucher. À son tour, elle me montra comment l'exécuter en droitier.

– Vous êtes stupéfait.

– Tout à fait. Elle divulgue alors comment elle procède. Bien qu'elle écrive, qu'elle prenne sa tasse de thé (après chaque repas) et qu'elle fasse des injections (avec sa seringue d'infirmière) avec la main droite, elle est, a toujours été, et sera toujours gauchère. Une gauchère contrariée à qui l'on n'a pas permis d'écrire de la main gauche ; que l'on a contrainte, pour des raisons de politesse, à tenir sa tasse de la main droite ; et à qui l'on ne s'est jamais soucié de demander la main de préférence pour tenir une seringue.

– Vos deux parents sont gauchers ?

– Oui, et leurs deux enfants – ma sœur et moi – sommes droitiers. Incroyable, non ? Cela m'a frappé au point que j'ai décidé de faire mon projet suivant sur les gauchers ! Ce projet me fera d'ailleurs voyager : je remporterai des prix aux niveaux provincial, national et même international. Je suis allé recevoir le prix à Amarillo au Texas, en juillet 1993. Puis en 1996, j'ai participé à un voyage à Bruxelles comme « invité d'honneur canadien » à la 10ᵉ Expo-Sciences de Belgique. Toute une aubaine ! J'étais déjà au cégep.

Fin du premier acte.

Dans mon précédent ouvrage[1], un court chapitre avait porté sur les gauchers. Je mentionnais le film documentaire *La gaucherie*. Je tente

---

1. Suzanne Déry, *Le cerveau dans tous ses états, op cit.* : 246-252.

donc de joindre une des vedettes du film, le fils d'Ubald Sénestre, Pierre. Impossible. J'ai beau faire la recherche sur Yahoo!, Google, Canada 411. Rien. Je contacte donc un journaliste de Radio-Canada que j'ai vu à la télé et qui tenait le micro de la main gauche. Je l'invite à participer à mon enquête. Et je découvre le pot aux roses. Il m'écrit ce courriel :

Je suis gaucher, en effet. J'ai même joué un rôle de composition sur ce sujet dans un film, La gaucherie. *Je m'interroge toutefois sur la pertinence de s'intéresser à des gens du simple fait qu'ils sont gauchers. Il me semble évident qu'il y a des gauchers remarquables puisqu'ils forment, quoi, 15 % de la population. Il y a aussi beaucoup de myopes remarquables, non ? Appelez-moi et on en parlera.*

Ce que je fais. Je lui fais part de ma consternation, voire de mon indignation, d'apprendre que le personnage d'Ubald Sénestre, que son fils Pierre, que la Charte des droits des gauchers présentée à Genève, bref, que plusieurs faits montrés dans ce documentaire ne sont que pure invention.

– Non, mais, quelle duperie que toute cette histoire ! Suis-je la seule à avoir été si crédule ?

– Le réalisateur y est allé pas mal fort.

– En effet ! Et j'ai induit mes lecteurs en erreur.

Puis, c'était prévisible, il décline mon offre de jouer au gaucher remarquable. Bien que la réalité dépasse la fiction, j'ai cru à cette histoire rocambolesque et amusante, ma foi. Enfin ! *È finita la commedia.*

Fin du deuxième acte.

Puis vint le questionnaire, les rencontres de gauchers étalées sur quelques mois...

Tout sur les gauchers

Les pouces des droitiers et des gauchers sont différents

Détail amusant : chez les droitiers, l'ongle du pouce droit croît plus vite que l'ongle du pouce gauche. Chez les gauchers, c'est l'inverse. Pourquoi ? Sans doute parce que la main qui travaille le plus reçoit davantage de sang qui transporte les éléments nutritifs nécessaires à la croissance des ongles.

Les tireurs d'élite gauchers sont très recherchés. (Bernard)

À la garnison Valcartier, il y a une équipe de tireurs d'élite, rattachée au 2e Bataillon du Royal 22e Régiment. Le sergent Moisan livre cette information.

Les tireurs d'élite, selon ce qu'il appelle les « vieux livres », doivent être droitiers, tout comme ils ne doivent porter ni lunettes ni lentilles cornéennes, être en forme pour se déplacer sur le terrain avec agilité, être non-fumeurs, etc. Dans les faits, il existe des tireurs d'élite gauchers, certains portent des lentilles cornéennes : « Sans ça, citron ! il n'y aurait personne ici ! » Dans son équipe de huit, un est gaucher.

Mais les armes sont conçues pour les droitiers : la culasse est placée du mauvais côté, pour le gaucher. Ce gaucher qui soulève le verrou doit passer sa main gauche par-dessus le télescope, lever son arme, la poser sur sa joue gauche et tirer. Il s'habitue et devient habile. Le numéro deux, le *spotter*, celui qui observe l'impact de la balle, s'habitue aussi à travailler avec les gauchers. Pour les réglages de vent, la grosse vis située sur la crosse de l'arme pour l'ajustement est d'ordinaire placée à gauche, près de la joue : le gaucher doit forcément la changer de côté pour ne pas que cette vis nuise à son action. Et le réglage des vents ne se fait pas différemment pour les gauchers. Cependant, on a remarqué que, parfois, certaines données sont différentes. Par exemple, un gaucher va régler le télescope avec 1,5 de vent et le droitier réglera à 1 de vent, et ce, dans les mêmes conditions climatiques. Pourquoi ? Mystère.

Il y a quatre ou cinq ans, on a adapté les nouveaux casques, comme les casques bleus des Nations unies, à la suggestion d'un sergent pourtant droitier. Ce dernier a proposé à Ottawa qu'on modifie le *clip* ou l'agrafe de la jugulaire qui retient le casque sur la tête des tireurs : comme elle est d'ordinaire placée à gauche, les gauchers sont incommodés dans leur action et ne peuvent mettre leur joue sur l'arme.

– La modification a été apportée. Depuis deux ans environ, le soldat qui reçoit un casque a le choix de l'attache à gauche ou à droite. Ce sergent a d'ailleurs reçu une prime à l'initiative !

De la même façon, les nouveaux masques à gaz de type NBC (pour protection nucléaire-biologique-chimique) ont maintenant leur filtre (*canister*) qui se visse soit à gauche, soit à droite, encore pour ne pas déranger l'action de tir.

Les gauchers, une minorité visible ?

« Le fait d'être gaucher rend une personne marginale puisqu'elle fait partie d'une minorité malgré tout. Ne pas respecter cet état, pour moi, c'est ne pas respecter la personne, cela va aussi à l'encontre de la Charte des droits et libertés. »

Carmen

« Ils sont fous ces Anglais : ils conduisent du mauvais côté de la voie ! »

Patrice

Sur les voitures à chevaux, le cocher prenait place du côté droit du siège pour que le fouet puisse traîner derrière lui quand il frappait les bêtes. La plupart des cochers tenaient le fouet avec la main droite. Les Anglais ont continué de conduire à gauche. Une loi votée en 1756 pour réglementer la circulation sur le pont de Londres établit que l'on devait procéder ainsi, puis cette coutume devient la règle dans tout l'empire britannique[1].

---

1. Notre traduction de : « In small-is-beautiful England, though, they didn't use monster wagons that required the driver to ride a horse ; instead the guy sat on a seat mounted on the wagon. What's more, he usually sat on the right side of the seat so the whip wouldn't hang up on the load behind him when he flogged the horses. (Then, as now, most people did their flogging right-handed.) So the English continued to drive on the left... Keeping left first entered English law in 1756, with the enactment of an ordinance governing traffic on the London Bridge, and ultimately became the rule throughout the British Empire. ».

Pour en savoir plus :
http://www.i18nguy.com/driver-side.html
http://www.travel-library.com/general/driving/drive_which_side.html
http://www.slu.edu/readstory/homepage/2763

Les outils pour gauchers sont rares

Plusieurs sites, dont www.anythingleft-handed.co.uk/

Les gauchers s'adaptent

Un gaucher raconte :

– Quand je lis un magazine, je le tiens de la main gauche pour le feuilleter rapidement, ce qui m'amène à le feuilleter à l'envers, de la fin vers le début. C'est une des rares choses que je trouve agaçantes à propos de ma « gauchitude » et que j'ai de la difficulté à modifier. Spontanément, le premier geste est d'utiliser ma main gauche. Mais je n'ai aucune difficulté motrice, par ailleurs, à effectuer ce geste de la droite.

On ne peut s'improviser chasseur de gauchers !

La scène se déroule dans le restaurant attenant à l'hôtel Le Priori, près de la place Royale à Québec. Suzanne et son éditeur prennent le petit déjeuner en discutant du prochain livre sur les gauchers. Au moment de payer, un homme grassouillet, en jeans, portant moustache et cheveux longs lance avec une voix d'outre-tombe :

– Je m'excuse d'avoir suivi votre conversation. Je n'en ai pas perdu un mot. Je tenais à vous dire : Roy Dupuis est gaucher. J'ai déjà travaillé avec lui.

Mauvaise piste. Vérification faite auprès de son agent, Roy Dupuis est droitier.

Quand on est gauche, on ne devient jamais un grand pianiste

Les lumières viennent de s'éteindre dans la grande salle de concert du Grand Théâtre. J'entends bien malgré moi la fin de la conversation de mes deux voisines, des dames âgées très dignes dont l'une occupe le siège juste à ma droite.

– Mère Marie-Fidèle m'a dit qu'il n'y avait rien à faire avec moi au piano : j'étais trop gauche. Ce doit être parce que je suis gauchère. À ma remise des diplômes, elle a ajouté : « Élise, j'enseignerai le piano à vos filles seulement si vous mariez un musicien ! »

À la pause, je lie conversation avec ma voisine immédiate.

— J'ai marié un pédiatre. Il aimait beaucoup la musique. Il est décédé, maintenant.

— Et alors, la mère Marie-Fidèle a-t-elle enseigné la musique à vos filles ?

— Pas du tout.

Elle se met à rire.

— La religieuse ursuline n'a pas pu enseigner la musique à nos enfants. Nous n'avons eu que des garçons ! Six en tout...

— Vous n'avez pas eu de fille ?

— Non. Par contre, cinq de nos fils sont gauchers.

— Ah bon ! Et à table, ça se passait comment ?

— Mon mari s'asseyait au bout de la table. Il disait aux garçons qui se chamaillaient parfois : « Apprenez donc à manger de la main droite : ça fera moins compliqué à table. »

— Vous avez appris le piano combien d'années ?

— Oh ! Assez longtemps... Cinq ou six ans, mais j'étais bien trop gauche ! La religieuse n'en revenait pas. Pauvre mère Marie-Fidèle ! Si elle nous entendait...

Maurice Ravel a composé le *Concerto pour la main gauche.*

Il existe aussi une chanson :
De la main gauche
Paroles de Danielle Messia. Musique de Danielle Messia et Jean Fredenucci, 1982, Barclay, 827 911-1.

Je t'écris de la main gauche
Celle qui n'a jamais parlé
Elle hésite, est si gauche
Que je l'ai toujours cachée

Bart Simpson, le personnage de dessins animés, serait gaucher

Pour comprendre les gauchers

SERRATRICE, G., et M. HABIB. *L'écriture et le cerveau. Mécanismes neurophysiologiques*, Paris, Masson, 1993, 188 p.

C'est mon ouvrage préféré : original, avec un texte attrayant, richement documenté. Les auteurs, deux neurologues français, exercent à l'Hôpital de la Timone à Marseille. Michel Habib a écrit plusieurs ouvrages en neuropsychologie.

Plusieurs aspects historiques au sujet du geste d'écrire, l'idée ancienne du centre cérébral de l'écriture, les études ou observations de Broca (1861), de Wernicke (1874), ceux d'Exner (1891) d'inspiration typiquement phrénologique qui croyait au centre cérébral de l'écriture, de Déjérine (1891), de Pierre Marie, de Charcot, tous ces grands cliniciens-chercheurs du siècle passé. Plusieurs sujets y sont abordés, les plus variés, même la crampe des écrivains[1].

On y fait souvent référence aux écrivains français, comme Mallarmé, Alexandre Dumas. Un extrait du *Comte de Monte-Cristo*, où Edmond Dantès explique à l'abbé Faria la lettre de son dénonciateur à l'origine de son emprisonnement.

« Il prit sa plume, ou plutôt ce qu'il appelait ainsi, la trempa dans l'encre et écrivit de la main gauche, sur un linge préparé à cet effet, les deux ou trois premières lignes de la dénonciation. Dantès recula et regarda presque avec terreur l'abbé.

— Oh ! C'est étonnant, s'écria-t-il, comme cette écriture ressemblait à celle-ci.

C'est que la dénonciation avait été écrite de la main gauche.

— J'ai observé une chose, continua l'abbé.

— Laquelle ?

---

1.   P. 47.

– C'est que toutes les écritures tracées de la main droite sont variées, c'est que toutes les écritures tracées de la main gauche se ressemblent[1]. »

L'identité des écritures de la main gauche chez le droitier est sortie de l'imagination d'Alexandre Dumas. Elle n'existe pas, concluent les deux neurologues.

Le chapitre 3 est intitulé : *L'écriture de la main droite*. On y traite des aspects historiques, culturels, des croyances et réalités. La manualité est le propre de l'homme. Main gauche ou main droite : « caractéristique de l'humain la plus banale[2] », mais aussi celle qui a suscité le plus d'interrogations et de recherches.

L'utilisation de la main droite serait un phénomène universel et très ancien. Les outils du paléolithique semblent avoir été fabriqués par et pour la main droite. La majorité des empreintes de mains dans les grottes préhistoriques représentent des mains droites. Les peintures rupestres ou les célèbres silhouettes de mains dessinées par l'homme de Cro-Magnon sont des mains gauches : l'artiste aurait utilisé sa main droite pour tracer autour de sa main gauche prise comme modèle. Dans la Bible[3], la gaucherie est mentionnée dans le *Livre des Juges* : la tribu de Benjamin aurait levé une armée de 700 hommes, tous gauchers, connus pour leur adresse au combat.

* * *

Pour toutes sortes de motifs, la gaucherie a été longtemps systématiquement corrigée. Cette attitude de forcer les enfants ayant une tendance à la gaucherie à utiliser la main droite, en particulier pour l'écriture, est restée longtemps bien ancrée même au Québec. Cette attitude reposait sur des croyances, voire des justifications vieilles de plusieurs siècles. Le mot gauche est encore péjoratif[4], dans notre société pourtant libérale. Le côté gauche est celui du démon[5], du mal, du vice, de la faiblesse, de la mort, des défauts humains. Le côté droit correspond

---

1. Alexandre Dumas, *Le Comte de Monte-Cristo*, Paris, France-Loisirs, 1998 : 149. *Le Comte de Monte-Cristo* parut d'abord en feuilleton dans le *Journal des Débats*, du 28 août au 26 novembre 1844, puis du 20 juin 1845 au 15 janvier 1846.

2. P. 117.

3. Voir Victor-Lévy Beaulieu.

4. Voir Julie.

5. Voir Guy.

à la normalité, aux qualités morales, aux bonnes manières[1], à la vertu, aux bien-pensants, au politiquement correct. Il est des gauchers de notre florilège qui ont eu à subir ces pratiques pas si anciennes qu'il n'y paraît : se faire attacher la main gauche[2] au cours d'exercices d'écriture, se faire taper sur les jointures ou se voir administrer des coups de règle lorsqu'ils étaient surpris à écrire avec la mauvaise main, la main du diable ! Les synonymes du mot gauche dans diverses langues, *sinister* en latin, devenu sinistre[3], *nalevo* en russe, qui signifie clandestin, *mancino* en italien, qui veut dire fourbe, ou simplement les mots français proposés par le dictionnaire de synonymes du logiciel Word : « maladroit, embarrassé, timide, balourd, pataud, empoté, engourdi, lourdaud, nigaud, dadais », tous de beaux qualitatifs plus flatteurs les uns que les autres...

Si l'on revient à cet ouvrage de Serratrice et Habib, on apprend que certains pays sont plus conservateurs que d'autres. En Chine, des actions très contraignantes, sinon punitives, font diminuer les pourcentages de gauchers. À Taiwan seulement, 0,7 % des écoliers et collégiens disent utiliser la main gauche pour l'écriture, alors que l'on s'entend d'ordinaire pour dire que 10 % des gens sont gauchers. En Israël, 13 % des enfants de familles d'origine européenne sont gauchers alors que le pourcentage descend à 10 % chez les enfants d'origine africaine[4] et à 4,2 % chez ceux du Moyen-Orient.

Les auteurs se posent la question suivante : faut-il ou non contrarier les gauchers[5] ? Dans les années 1950, les psychologues s'accordaient pour dire que la coercition était néfaste. Pourtant, plusieurs estimaient préférable que l'enfant gaucher écrive de la main droite[6]. Un mouvement serait né au début du siècle en Angleterre : Lord Baden-Powell, gaucher, fondateur du mouvement scout, a été de ceux qui ont préconisé le changement forcé de la main d'écriture dans l'autre sens, de la main droite vers la main gauche. Ce mouvement dit Société de la culture ambidextre prônait les avantages de l'ambidextrie[7] dans certaines professions ou activités, en particulier sportives et militaires.

---

1. Voir Yves Brault.

2. Voir Jean-Claude.

3. Voir Daniel Laskarin.

4. Voir Jean-Pierre.

5. Voir Claude M.-J. Braun.

6. Voir Charlotte.

7. Voir Marc Deshaies.

L'effet néfaste d'un changement forcé de la main qui écrit a pourtant été dénoncé depuis plusieurs décennies. On a signalé que le bégaiement[1] apparaissait parfois chez les gauchers forcés d'écrire avec la main non préférée. Ce bégaiement serait dû à une perturbation des circuits cérébraux du langage, étant donné la surcharge de l'hémisphère gauche, ou encore à des facteurs d'ordre psychologique, comme l'éducation sévère et punitive. Les deux Français estiment que les pays industrialisés comme l'Australie, le Canada, la France, le Royaume-Uni, la Suède, les Pays-Bas adopteraient une attitude permissive.

* * *

Au Québec, on pourrait croire que les mentalités diffèrent entre la ville ou la campagne : pas si sûr ! Des jeunes citadins dans la quarantaine[2] ont eu à subir la répression, alors que des gens de la campagne[3] ont connu des contextes très différents. Autres temps, autres mœurs ? Sans doute. La situation évolue positivement. Mais il y a toujours une place pour l'amélioration.

Serratrice et Habib s'interrogent : qu'est-ce qui influence le jeune enfant ? Ses motivations sont variées, selon eux. Il veut faire plaisir[4]. Il veut imiter son modèle[5]. Parfois il est aidé, ou un proche, lui-même gaucher, prend sa défense[6].

Puis ils se demandent : pourquoi Léonard de Vinci, un gaucher, écrivait-il en miroir ? Certains ont avancé qu'il était atteint d'hémiplégie : il n'est pas rare qu'un hémiplégique compense son agraphie en écrivant de la main non dominante. Difficile de trancher, pensent certains. Sa paralysie fut tardive. Il se disait un homme sans lettres (*omo sanza lettere*). Il aurait orthographié les mots de manière atypique. Était-il dysorthographique ? On sait que tous ses textes furent écrits en miroir, c'est-à-dire de droite à gauche : pour être lus, ils doivent être projetés dans un miroir. Or, cette capacité d'écrire en miroir est bien connue comme étant l'apanage de certains gauchers ou ambidextres. Il n'est pas admis que la totalité des gauchers soient plus habiles que les droitiers à écrire en

---

1. Voir Réjean (Caisses populaires).

2. Voir Jean.

3. Voir Nadine.

4. Voir Yves Blouin.

5. Voir Luc Bégin.

6. Voir Claude Léveillé, Victor-Lévy Beaulieu.

miroir. Cependant, on croit que les personnes ayant cette capacité – dont je suis ! – sont très habituellement des gauchers –, ce que je ne suis pas !

Les auteurs tentent une explication de l'écriture en miroir : les dernières recherches tendent à démontrer que les mécanismes neurophysiologiques des mouvements en miroir font intervenir de manière prépondérante une région spécifique du cortex cérébral, l'aire motrice supplémentaire ou AMS.

Enfin, pourquoi écrit-on de gauche à droite ou de droite à gauche ? Les experts estiment que le choix est fonction de la présence ou non de voyelles. Les écritures dirigées de gauche à droite en comportent, alors que les écritures arabes ou hébraïques – de droite à gauche – n'ont pas de voyelles. Voyelles et consonnes auraient donc un statut différent : les voyelles seraient perçues d'abord, lors de la maturation acoustique du fœtus, puis viennent les consonnes. Les voyelles s'intégreraient plus tard dans les syllabes, de sorte que les voyelles ont une autonomie graphique. Or, elles n'étaient pas utilisées dans les écritures anciennes (ex. : le phénicien), constituées purement de consonnes. Il n'y aurait pas de traitement électif des voyelles par l'un ou l'autre hémisphère, disent enfin les chercheurs.

Excellents ouvrages faciles à aborder

DUBOIS, Jean-Paul. *Éloge du gaucher dans un monde manchot*, Paris, Robert Laffont, 1986.

DU PASQUIER-GRALL, Marie-Alice. *Les gauchers du bon côté*, Paris, Hachette, 1987.

Ouvrages scientifiques

Un classique :

HÉCAEN, Henri. *Les gauchers : étude neuropsychologique*, Paris, PUF, 1984.

Également :

SPRINGER, S. P., et G. DEUTSCH. *Cerveau gauche, cerveau droit. À la lumière des neurosciences*, DeBoeck Université, 2000, 415 p.

Il s'agit de la traduction de la 5e édition américaine publiée la première fois en 1981 sous le titre *Left Brain, Right Brain. Perspectives from Cognitive Neurosciences*. Tel que l'écrivent les deux auteurs dans l'avant-propos : « La cinquième édition de *Cerveau gauche, cerveau droit* coïncide avec la fin de la décennie du cerveau et le début du nouveau millénaire. » Les travaux consacrés au cerveau et à la dissymétrie hémisphérique sont expliqués. Ils se veulent « accessibles à n'importe quel lecteur sérieux », quelles que soient ses connaissances de base. Les auteurs interprètent les résultats qui, aussi fascinants soient-ils, doivent être interprétés avec prudence, en évitant des conclusions hâtives, en laissant le champ libre aux hypothèses.

Les gauchers font l'objet de tout le chapitre 5 : « L'énigme du gaucher ». On y traite de six grands thèmes : histoire de la notion de gaucherie, la difficulté à évaluer la latéralité manuelle, la prévalence manuelle : ce qui la détermine et son lien avec la latéralisation du langage et avec les aptitudes cognitives – on y confirme que la fréquence de gauchers est considérablement plus élevée parmi les artistes que dans la population générale[1] –, enfin la controverse à propos de la longévité. On y trouvera vingt pages comportant les références les plus importantes et de nombreux résultats expérimentaux et observations cliniques, examinés avec un esprit critique et dans une démarche constructive. Ainsi :

« Nombre de chercheurs ont utilisé l'IRM et d'autres techniques anatomiques pour explorer les variables de structures cérébrales en fonction de la préférence manuelle, du genre, des difficultés d'apprentissage, entre autres variables. Les données obtenues sont rarement claires et tranchées, reflétant ainsi la complexité et la variabilité de l'objet d'étude[2]. »

« La théorie de Geschwind et Galapurda propose une relation entre le taux de testostérone prénatal et l'organisation cérébrale, en particulier la latéralité manuelle[3]. » Ces idées, bien que très controversées, ont stimulé des recherches ayant d'autres finalités – les différences d'organisation cérébrale entre hommes et femmes.

BRAUN, Claude M. J. *Neuropsychologie du développement*, Paris, Flammarion Médecine-Sciences, 2000, 491 p.

Tout le chapitre 7 porte sur le développement de l'asymétrie cérébrale et fonctionnelle, et aborde les causes de la dominance manuelle. On essaie de répondre à la question : y a-t-il des avantages à être gaucher ou droitier ? Un tableau instructif donne la liste des corrélats indésirables de la dominance manuelle gauche dans toutes les recherches inventoriées depuis 1964 : dysfonctions neurologiques (épilepsie), les désordres liés au langage et à la parole dont la dyslexie, la performance intellectuelle et scolaire (retard mental, redoublement de classe), les désordres psychiatriques (tentatives de suicide, psychoses), les problèmes psychologiques moins graves (anxiété, labilité émotionnelle, névroses), l'usage de stimulants et de dépresseurs (alcool, tabac), la réactivité aux médicaments et psychotropes, les comportements antisociaux (agressivité, délinquance) et les désordres physiques (allergies, désordres auto-immunitaires, migraine). On comprend pourquoi le langage populaire associe cette dominance au fait d'être malhabile. La dominance gauche pathologique y est expliquée. Les corrélats cérébraux de la dominance manuelle y sont traités : les asymétries hémisphériques et les différences dans le

---

1. P. 149.

2. P. 103.

3. Ils citent N. Geschwind et A.M. Galapurda, *Cerebral Lateralization : Biological Mechanisms, Associations, and Pathology*, Cambridge, MA, MIT Press, 1987.

développement du corps calleux. On étudie l'asymétrie hémisphérique chez l'animal, puis le développement de la spécialisation des hémisphères chez l'humain et les effets des lésions précoces chez l'enfant, entre autres, les effets neuropsychologiques chez les sujets hémisphérectomisés en bas âge. Par exemple, dans le syndrome de Sturge-Weber, une malformation congénitale affectant le système circulatoire, ou les cas d'épilepsie rebelle.

CAMBIER, Jean et Patrick VERSTICHEL. *Le cerveau réconcilié. Précis de neurologie cognitive*, Paris, Masson, 1998, 308 p.

Un classique en anglais :

COREN, Stanley. *Left-handedness*, Amsterdam, North-Holland, Stanley Coren éditeur, 1990.

Également publié en livre de poche :

COREN, Stanley. *The Left-hander Syndrome*, Bantam Books, 1999.

Stanley Coren vit à Vancouver et il est attaché à l'Université de Colombie-Britannique. Il s'est intéressé aux chiens avant de s'intéresser aux gauchers[1].

RUTLEDGE, L. W., et R. DONLEY. *The left-hander's guide to life : A witty and informative tour of the world according to southpaws*, New York, Plume books, 1992.

---

1. Voir www.stanleycoren.com. Extrait du site web : « Coren's first best seller was "The left-hander syndrome : the causes and consequences of left-handedness" now in paperback (Bantam Books). This best selling book was widely discussed in the media because it not only talked about the nature and origin of left-handedness, but also explored the startling research findings which suggested that left-handers may have shortened lifespans. Much of the book, contains interesting insights about handedness and left-handers.

Questionnaire à l'intention des gauchers remarquables

1. Vers quel âge et dans quelles circonstances avez-vous compris que vous étiez gaucher ? Racontez comment cela s'est passé.

2. Avez-vous eu une personne repère elle-même gauchère dans votre entourage étant enfant ?

3. Pourquoi êtes-vous gaucher ?

4. Comment s'est effectué l'apprentissage de l'écriture ?

5. Avez-vous déjà eu le sentiment que vous étiez différent parce que gaucher ? Expliquez.

6. Racontez une ou des anecdotes où votre gaucherie vous a apporté des ennuis enfant, adolescent, adulte. Ou des avantages.

7. Croyez-vous qu'il existe des talents ou habiletés particulières chez les gauchers ? Lesquels ?

8. Que comprenez-vous des informations que la science ou la recherche scientifique ont apportées au sujet des gauchers ?

9. Utilisez-vous des instruments ou objets adaptés pour gauchers ? Lesquels ?

10. Avez-vous déjà vécu ou vivez-vous de la discrimination due au fait d'être gaucher ?

11. Votre métier requiert-il des habiletés que vous détenez parce que gaucher ?

12. Croyez-vous au caractère ou à la personnalité propre du gaucher ?

13. Avez-vous déjà vécu ici ou ailleurs des situations où culturellement le fait d'être gaucher a été mal accepté ? Racontez.

14. Avez-vous des souvenirs particuliers de personnes qui ont refusé votre gaucherie ? Racontez.

15. Selon votre vécu, quelle perception la société dominante a-t-elle des gauchers ?

16. Avez-vous déjà appris ou jouez-vous d'un instrument de musique?

17. Pratiquez-vous un sport? Croyez-vous que les gauchers ont des habiletés spéciales dans le sport ou dans certains sports en particulier?

18. Quelle modification devrait-on faire à l'école, dans la société pour faciliter la vie des gauchers?

19. Avez-vous des conseils à donner à un parent de gaucher?

20. Les statistiques indiquent que les gauchers ont plus d'accidents et meurent plus jeunes. Quelle est votre explication ou interprétation?

21. Dans quelle situation de la vie quotidienne avez-vous le plus l'impression d'être différent? Que dit votre conjoint?

22. Adhérez-vous au Mouvement de libération des gauchers?

23. Si vous aviez le choix, seriez-vous gaucher?

24. Avez-vous déjà côtoyé d'autres gauchers remarquables?

Bibliographie

AUZIAS, M. *Enfants gauchers, enfants droitiers*, Neuchâtel, Delachaux & Niestlé, 1984.

BARSLEY, M. *Left-handed People* (ou *The Other Hand: An Investigation into the Sinister History of Left-handedness*), North Hollywood, CA, Wilshire Books, 1967.

BRAUN, Claude M. J. *L'évaluation neuropsychologique*, Montréal, Décarie éditeur, 1997.

BRAUN, Claude M. J. *Neuropsychologie du développement*, Paris, Flammarion Médecine-Sciences, 2000.

BRYDEN, M. P. *Laterality: Functional Asymmetry in the Intact Brain*, New York, Academic Press, 1982.

CORBALLIS, M.C. « Is left-handedness genetically determined » dans Herron, J. *Neuropsychology of Left-Handedness*, New York, Academic Press, 1980, p. 159-176.

COREN, S. et C. PORAC. *Lateral Preference and Human Behavior*, New York, Éditions Springer-Verlag, 1981.

COREN, S. « Measuring sidedness » dans Herron, J. *The Left-handers Syndrome: the Causes and Consequences on Left-handedness*, New York, Free Press, 1992.

DE BILLY, Hélène. *Riopelle*, Montréal, Art Global, 1996.

DÉRY, Suzanne. *Le cerveau dans tous ses états*, Montréal, Stanké, 2003.

DUBOIS, Jean-Paul. *Éloge du gaucher dans un monde manchot*, Paris, Robert Laffont, 1986.

DU PASQUIER-GRALL, M. A. *Les gauchers du bon côté*, Paris, Hachette, 1987.

GAGNON, C. *Répartition des préférences manuelle et latérale en sport et répercussions sur la vitesse des élans*, mémoire de maîtrise inédit, Université Laval, 2001.

GILBERT, A. N. et C. J. WYSOCKIT. « Hand preference and age in the United States », *Neuropsychologia*, 30, 1992, p. 601-608.

GRONDIN, S., R. B. IVRY, Y. GUIARD et S. KOREN. « Manual Laterality and Hitting Performance in Major League Baseball », *Journal of Experimental Psychology: Human Perception and Performance*, 25, 1999, p. 747-754.

GROUIOS, G., TSORBATZOUDIS, H., ALEXANDRIS, K. et V. BARKOUKIS. « Do left-handed competitors have an innate superiority in sports? » *Perceptual and Motor Skills*, 90, 2000, p. 1273-1282.

GUIARD, Y. et T. FERRAND. « Asymmetry in bimanual skills », dans Elliott et E. A. Roy (ed.). *Manual Asymmetries in Motor Performance*, Boca Raton, FL, CRC Press, 1996, p. 175-195.

HÉCAEN, H. *Les gauchers: étude neuropsychologique*, Paris, PUF, 1984.

MIKHEEV, M., MOHR, C., AFANASIEV, S., LANDIS, T. et G. THUT. « Motor control and cerebral hemispheric specialization in highly qualified judo wrestlers », *Neuropsychologia*, 40, 2002, p. 1209-1219.

DE MONTROND, Henri. *Être gaucher*, Paris, Albin Michel, 1993.

OLDFIELD, R. C. « The assessment and analysis of handedness: the Edinburgh inventory », *Neuropsychologia*, 9, 1971, p. 97-113.

PETERS, M. et J. IVANOFF. « Performance Asymmetries in Computer Mouse Control of Right-Handers, and Left-Handers With Left- and Right-Handers With Left- and Right-Handed Mouse Experience », *Journal of Motor Behavior*, 31, 1999, p. 86-94.

PIGNON, D. *La main sauvage*, Paris, Ramsay, 1987.

PREVIC, F. H. « A General Theory Concerning the Prenatal Origins of Cerebral Lateralization in Humans », *Psychological Review*, 98, 1991, p. 299-334.

RUTLEDGE, L. W. et Richard DONLEY. *The Left-Hander's Guide to Life, A Witty and informative Tour of the World According to Southpaws*, New York, Penguin Books USA, 1992, 146 p.

SÉNART, Jean-François. *Le geste musicien*, Essai sur l'art de diriger la musique et les musiciens (chanteurs et instrumentistes), Lyon, Éditions à Cœur joie, 1995.

SERRATRICE, G. et M. HABIB. *L'écriture et le cerveau. Mécanismes neurophysiologiques*, Paris, Masson, 1993.

SPRINGER, S. P. et G. DEUTSCH. *Cerveau gauche, cerveau droit. À la lumière des neurosciences*, DeBoeck Université, 2000.

Remerciements

Merci à tous les gauchers qui ont accepté de jouer les êtres remarquables en racontant une tranche de leur vie à une inconnue.

Merci à André Gagnon, des Éditions Stanké, pour son soutien indéfectible sous plusieurs formes durant ces neuf mois de gestation du livre.

Merci à mes « chasseurs », « pisteurs » et « charmeurs » de gauchers, des personnes intrépides, zélées et dévouées à la cause : Renée-Banville Lalancette, Jacinthe Baribeau, Pierre Barre, Pierre Beaudry, Thérèse Bergeron, Diane Boyer, Normand Brassard, Yves Brault, Bernard Bujold, Sybil Butterfield, Andrés Ocampo, Suzanne Catellier-Laurin, Marie Josée Champagne, Esther Charron, Mireille Côté, Gaston Déry, Marie-Claire Fabien, Georgette Faucher, Louise Forand-Samson, Charles Fortin, Cécile Gagné, Monique Gagné, André F. Gagnon, Christiane Gagnon, Sylvie Harvey, Michel Jacques, Rémy Kurtness, Carrol Laurin, Francyne Lord, Nicole Mainguy, Réginald Martel, Denise Morrissette, Yves Pelletier, Marianne Perron, Yolande Perron, Michel Pouliot, Nathalie Rae, Ken Scott, Suzanne Tremblay, Simon Verret.

Merci à mon amie Mireille Côté qui a relu et commenté mes textes souvent encore tout chauds, fourni des remarques très judicieuses, et m'a dépannée plus d'une fois avec les différentes touches et commandes de mon nouvel ordinateur peu apprivoisé. Merci à Renée et Jean-Claude pour leur hospitalité, à Marie-Claire qui m'a permis d'accueillir chez elle des gauchers.

Merci à Diane Villeneuve qui a tapé tous mes textes de gauchers. Merci à Pierre Janneteau, un expert informatique chevronné, un ange de patience...

Merci à mon goûteur de texte, Denis Sauvé, pour ses mots épicés et colorés.

Merci à mes informateurs de tout acabit : Paul Bourassa, du Musée national des Beaux-arts du Québec, Michel Brunet, Aline Delisle-Béland, Patrice Deschamps, Monique Désy-Proulx, Pierre-Luc Gamache, Luc Granger, Bernard Grenier, Gaétan Guérin, Marc-André Hamelin, David Hart, Xavier Maldague, le sergent Tommy Moisan de la garnison Valcartier, Michel Noël, Laurent Potvin, Marc Samson, Esther Trépanier.

Merci aux agents d'artistes, personnel politique et administratif, aux conjoint(e)s de gauchers : je salue leur efficacité. Ce sont : Marthe Boily, Marie-Claude Champoux, Stéphane Bertrand, Jean-Claude Godbout, Francine Lemay, Nicole T. Pellerin, Lyne Roy, Viviane St-Onge.

Merci aussi à tous ces autres gauchers qui, pour diverses raisons, ne font pas partie de la distribution : Roméo Boivin, Jean Charest, Yves Desgagnés, Jean-Paul Despins, Josée di Stasio, Michel Drolet, Pierre Dumas, Gaétan Fortin, Isabelle Fortin, Françoys Gagné, Mathieu Gallienne, Réal Girard, Cécile Lalonde, Guy A. Lepage, Sophie Lorain, Phyllis Lambert, Andréanne Lemieux, Lydie Lépine, Robert Meilleur, Francine Michaud, Bob Murray, Hélène Piuze, Éric Plante, Isabel Richer, Jean Robert, Louise Samson, Charles Tremblay, Daniel Tremblay, Thierry Vaglia.

Quant à Oussama ben Laden, un autre gaucher, nous n'avons pas tenté de le joindre.

Table des matières